LE MANAGEMENT POUR LES NULS

Bob Nelson - Peter Economy

SYBEX

Paris - San Francisco - Düsseldorf - Londres - Amsterdam

Sommaire

Introduction

Félicitations ! Vous avez fait le choix qui s'imposait pour une approche tout à fait nouvelle du management. Vous l'aurez remarqué, les livres sur le sujet ne manquent pas et entrent, pour la plupart, dans l'une des catégories suivantes : 1) un pavé de lecture rasante, 2) une multitude de lieux communs énoncés dans un jargon intello, génial sur le papier mais bien loin de la réalité.

Le Management pour les Nuls est différent. Notre expérience en la matière nous permet d'affirmer que l'on peut aussi obtenir des résultats en s'amusant. Certes, le manager doit être prêt à affronter toutes sortes de situations, mais vous verrez que, parfois, face aux défis les plus insurmontables, l'humour peut être un atout majeur. Et lequel d'entre vous n'a jamais eu envie de ressentir la profonde satisfaction d'un travail bien fait et mené à terme par une équipe bien managée ?

La force du *Management pour les Nuls* est de résister au temps, aux modes, aux changements, en apportant des réponses concrètes et des solutions pratiques à des problèmes quotidiens. Vous aurez ainsi une vue d'ensemble complète des principes fondamentaux d'un management efficace, présentés sous une forme amusante et intéressante.

Nous n'ignorons pas que le management peut faire peur et que les nouveaux managers — surtout ceux arrivés à ce poste grâce à leur expérience technique — sont souvent effrayés par tant de responsabilités. Allez, courage ! grâce au *Management pour les Nuls*, vous allez enfin pouvoir pousser un grand "ouf !" de soulagement.

Pourquoi ce livre est-il indispensable ?

Parce qu'il vous aidera à affronter les situations les plus graves, les plus sérieuses, mais aussi les plus ridicules.

Prenons le cas de Bob : alors qu'il s'adressait à un groupe de cadres internationaux très importants, l'un d'entre eux lui fit remarquer que sa braguette était ouverte. L'horreur ! Bob rougit, confus, mais se rattrapa assez bien en divertissant son public par sa tenue vestimentaire.

Pierre, lui, réprimanda sévèrement sa secrétaire pour son retard. Il devait apprendre plus tard qu'elle s'était arrêtée en route pour lui acheter un gâteau d'anniversaire. Inutile de dire que la petite fête prévue fut quelque peu gâchée.

Admettez-le : novices ou expérimentés, tous les managers se sentent parfois dépassés. Pour réussir, découvrez ce que vous pouvez faire de mieux (ou de différent).Tout le monde commet des erreurs, mais vous, vous saurez vous en relever, en rire et tirer la leçon qui s'impose. Nous avons écrit ce livre dans le but de faciliter l'apprentissage du management tout en contournant les difficultés.

Comment utiliser ce livre ?

Que la ressemblance évidente de ce livre à l'un des pavés jaunes du chemin qui mène à Oz ne vous égare pas, ce n'est ni un garde-fou ni un presse-papiers. Pour vous en convaincre, suivez ces quelques conseils d'utilisation :

- Si vous souhaitez apprendre quelque chose de spécifique, comme la délégation des tâches ou l'embauche de personnel, vous pouvez aller directement au chapitre correspondant et trouver les réponses à vos questions. Elles arriveront certainement plus vite que le rapport que vous avez réclamé la semaine dernière...

- Si vous cherchez un cours intensif en management, lisez ce livre de la première à la dernière page et, avec l'argent économisé, partez aux Bahamas. Il y a tout dans ce livre, juré !

Le Management pour les Nuls s'adresse à tous. Les nouveaux ou futurs managers apprendront tout ce qu'il y a à savoir pour réussir. Quant aux managers expérimentés, ils auront un regard neuf sur leur philosophie et leurs techniques de management et feront mentir le vieux dicton : "On n'apprend pas à un vieux singe à faire des grimaces." Non, il n'est jamais trop tard pour changer, évoluer et faciliter le travail de tous en le rendant non seulement plus amusant, mais surtout beaucoup plus efficace.

Comment s'organise le livre ?

Le Management pour les Nuls se découpe en sept parties à l'intérieur desquelles les chapitres traitent de sujets spécifiques de manière très précise. Vous aurez ainsi accès au thème qui vous intéresse sans avoir à lire ce qui précède ou ce qui suit. L'idéal, bien sûr, est de lire, ou plutôt dévorer, ce livre du début à la fin.

Chaque partie aborde un domaine majeur du management.

Première partie : Vous voulez vraiment être manager ?

Quel est le rôle du manager ? Sur quoi reposent les fondements du management ? Organisation, délégation, leadership.

Deuxième partie : Le management : La dimension humaine

L'essentiel du management consiste à accomplir des tâches par le biais d'autres personnes. Ce processus commence par l'embauche d'employés talentueux et s'étend jusqu'à la motivation et l'incitation des employés à atteindre et à dépasser des objectifs.

Troisième partie : Faire aboutir les projets

C'est un aspect important du management. Par où commencer ? Dans quelle direction aller ? Comment savoir si la réalisation est parfaite ? Cette partie traite également de la façon de fixer les objectifs, de la mesure et du contrôle des performances du personnel, et de la conduite d'évaluation.

Quatrième partie : Travailler en équipe

Les bons managers ont appris que tisser un réseau solide de relations professionnelles au sein de la société avec les employés et les différents managers est primordial. Dans cette partie, qui vous donnera un aperçu de la politique d'entreprise, il sera également question de la communication, de la préparation d'exposés et du montage d'équipes de haut niveau.

Cinquième partie : Sale épaoque pour les managers

Tous les managers pourront vous le dire, le management n'est pas toujours une partie de plaisir. Ici, nous examinerons certaines des responsabilités les plus rudes du management : comment gérer le changement et le stress, la discipline des employés et leur licenciement.

Sixième partie : Moyens et techniques du management

Etre manager exige non seulement des compétences, mais également la maîtrise et l'application de certains outils de travail. Cette partie définit les lignes directrices de la comptabilité et du budget, et propose un nouveau maniement des techniques de l'information.

Les meilleurs managers savent bien que, en affaires, ralentir c'est reculer. Aussi, doivent-ils toujours aller de l'avant, penser à long terme, faire progresser les employés, les tirer vers le haut et créer des conditions de travail enrichissantes et motivantes.

Septième partie : Le club des dix

Enfin, nous terminerons par le club des dix : une série de chapitres brefs qui vous donneront les compléments d'informations que tout manager doit connaître. A lire lorsque vous aurez besoin d'une récapitulation rapide des stratégies et techniques de management.

Les icônes utilisées dans ce livre

Afin de vous guider et de mettre en valeur les informations essentielles à votre connaissance, vous trouverez tout au long de ce livre les icônes suivantes :

Cette icône signale les trucs et les ruses qui facilitent l'exercice du management.

Si vous ne tenez pas compte des conseils annoncés par cette icône, la situation pourrait vous exploser à la figure. Faites attention !

Gardez en mémoire ces informations, et vous serez un bien meilleur manager.

Cette icône recèle des trésors de sagesse à méditer pour devenir un bon manager.

Toujours garder ces règles générales de management en tête.

 Cette icône vous propose un mini-test sur les thèmes abordés dans chaque chapitre. Une façon de savoir si vous en avez retenu les points principaux.

 Nous savons que les managers ne sont pas tous des experts techniques et que, soyez franc, beaucoup d'entre vous n'en ont que faire... Mais sachez que la technologie est en train de révolutionner le monde des affaires, et que vous aurez peut-être un jour besoin de connaître un peu tout ça.

 Les anecdotes de Bob et de Pierre, qui n'ont rien de fictifs, montrent les bons et les mauvais comportements d'un manager face à des situations graves ou cocasses.

Par où commencer ?

Si vous êtes un nouveau manager, ou aspirez à l'être, vous aurez sans doute envie de commencer par le début. C'est une bonne idée. Tournez tout simplement la page et faites votre premier pas dans le monde du management.

Si vous êtes déjà manager, et donc évidemment pressé par le temps, vous voudrez aller droit au but et choisir un thème particulier qui répondra à un besoin spécifique ou à une interrogation précise. Le sommaire et l'index donnent une description par chapitre des thèmes abordés dans ce livre.

Bon voyage !

Première partie
Vous voulez vraiment être manager ?

"Comme manager, son seul problème était son incapacité à déléguer."

Dans cette partie...

Avant de devenir un bon manager, vous devez avoir les compétences de base. Voici donc quelques-uns des fondements les plus importants du management : l'organisation, la délégation et le leadership.

Chapitre 1
Vous êtes manager, et maintenant ?

Dans ce chapitre :

Comprendre le management.

Passer du stade d'employé à celui de manager et entrer dans le monde des affaires et des dirigeants.

Etre à l'écoute d'un personnel en perpétuelle évolution.

Définir les fonctions clés du management.

Devenir manager : les premiers pas.

Félicitations ! Puisque vous lisez ce livre, nous supposons que vous êtes : 1) manager, 2) bientôt manager, 3) quelqu'un de follement attiré par les livres à couverture jaune et noire. Ou alors vous êtes tout simplement curieux et voulez connaître les ficelles et les différentes techniques du management... Vous aussi, soyez le bienvenu !

Le management est une véritable vocation qui ravit ceux qui y ont accès. Nous sommes les *happy few*, les meilleurs, les managers. Nous évoluons dans un monde à part, et de l'impact direct, réactif et positif que nous aurons sur les autres dépendra le succès de notre entreprise.

Les différents styles de management

Manager, c'est faire aboutir des projets par l'intermédiaire d'autres personnes. Manager, c'est réaliser ce que l'on a prévu de faire dans un domaine précis en utilisant les ressources disponibles. Jusqu'ici, rien de très compliqué, mais alors... Pourquoi tant de managers ingénieux et assidus n'obtiennent pas les résultats escomptés ? Pourquoi les sociétés de formation en management poussent-elles comme des champignons ? Combien de fois vous a-t-on présenté un nouveau concept de management garantissant en un clin d'œil le redémarrage de votre société, mais qui, en fin de compte, s'est avéré inefficace ?

Quoi ? Vous n'avez pas compris ce concept de "cercles de qualité" ? Pas de panique, de toute façon, on a conclu qu'il ne marchait pas. Maintenant, nous voulons attirer votre attention par cette vidéo sur La Science du Chaos, la dernière mode ; le grand boss (chef) a lu un article à ce sujet dans le Wall Street Journal *et veut qu'on le mette à exécution immédiatement dans le cadre de nos opérations nord-américaines.*

Malheureusement, le bon management se fait rare, il est très précieux et éphémère. En proposant mille et une manières de manager, les "modes" ont eu raison des meilleurs managers, qui les ont fait à ce point hésiter, qu'en bonnes girouettes ils ne savaient plus où donner de la tête ! Ainsi ce vieux dicton prend-il ici tout son sens : "Brumes au sommet, nuages dans la vallée."

N'avez-vous pas déjà entendu ces réflexions sur votre lieu de travail :

- Nous n'avons pas le pouvoir de prendre cette décision.

- Elle est responsable de ce service, c'est donc à elle de résoudre ce problème, pas à nous.

- Pourquoi nous demander notre avis si personne n'en tient compte ?

- Désolé, mais c'est notre politique. Nous ne pouvons pas faire d'exception.

- Si mon patron s'en fiche, moi aussi.

- Travailler dur ici ne nous mène nulle part ailleurs rapidement.

- Vous ne pouvez pas faire confiance à ces employés-là, leur seule préoccupation est de partir avant l'heure.

Lorsque vous entendez ces mots dans le couloir, à la machine à café, ou, à la fin d'une longue journée, après une autre de ces réunions assommantes, vous avez de quoi être alarmé. De tels propos démontrent un manque total de communication et de confiance entre managers et employés. Avec un peu de chance, vous vous rendrez compte que ces "petits problèmes" sont importants et peuvent être rapidement réglés, et qu'il suffit parfois simplement d'en parler ; en revanche, si vous n'y accordez aucune importance en pensant que ce ne sont que de tout petits riens, les "petits problèmes" vous submergeront sans que vous puissiez arrêter le raz de marée...

Les attentes, les engagements et la motivation des employés au travail dépendent le plus souvent de l'attention que leur porte leur manager. Voici les styles de management les plus largement adoptés. Reconnaissez-vous *le vôtre ?*

Le management à la dure

Quel est le meilleur moyen de réaliser ce qui a été prévu ? Chacun semble avoir une réponse différente. Certains pensent que le management c'est commander et ordonner. Vous avez sûrement déjà entendu ce type de hurlement si caractéristique de certains managers : "Je me fiche de savoir si ça vous plaît ou non, c'est comme ça et pas autrement, compris ?" Ou la menace tant répandue : "Je veux ce rapport rédigé sur mon bureau à cinq heures, sinon !" Au pire, un manager a recours à l'arme suprême : "Si vous vous plantez encore une fois, c'est la porte !"

Ce type de management, souvent appelé *théorie X*, part du principe que les gens sont profondément feignants et ont besoin d'être "bousculés" pour accomplir certaines tâches. Certes, la peur et l'intimidation garantissent toujours des résultats, reste à savoir si ce sont ceux que l'on souhaitait. Développer un climat de confiance, motiver, comprendre et respecter ses employés aboutit généralement à une plus grande satisfaction. En d'autres termes, vous n'obtiendrez jamais le meilleur des autres en les mettant sur des "charbons ardents", mais plutôt en attisant leur "feu intérieur".

Cependant, il ne faut pas perdre de vue que, parfois, les managers sont amenés à prendre des décisions rapides et justes. Si le bâtiment est en feu, ne convoquez pas tout le monde pour décider de qui va l'éteindre. Le temps de trouver une plage horaire qui convienne à chacun, le bâtiment sera réduit en cendres. De même, si un courrier est sur le point de partir de toute urgence par Chronopost et que le client vient d'envoyer quelques modifications importantes, prenez la situation en main et assurez-vous que les intéressés s'en chargent, avec l'impératif de toujours contenter le client et surtout de ne pas le perdre.

Le management cool

À l'opposé, certains estiment qu'un bon management doit s'effectuer dans un climat calme et détendu. *La théorie Y* part du principe qu'au fond de soi chacun veut faire du bon travail. Poussée à l'extrême, cette théorie tend à montrer que les managers doivent être sensibles aux sentiments de leurs employés, dont ils préserveront la tranquillité et développeront la confiance en soi.

Oh ! Il y a un léger problème avec votre rapport, aucun chiffre n'est bon. Mais ne prenez pas ça comme une attaque personnelle. Nous allons ensemble définir une meilleure façon de travailler afin que ce genre d'incident ne se reproduise plus à l'avenir !

Bien sûr, certains managers obtiennent des résultats en agissant ainsi (dans le cas contraire, ils font le travail eux-mêmes), mais ces résultats sont-ils réellement les meilleurs ? Le risque ici n'est-il pas que l'on profite de leurs bonnes dispositions ?

Le compromis idéal

 Les bons managers savent que trop de dureté ne résout rien. Si vos employés remplissent leur fonction avec diligence et qu'aucune urgence ne nécessite votre intervention immédiate, prenez un peu de recul et laissez-les faire. Non seulement votre attitude les responsabilisera, mais vous permettra de concentrer vos efforts sur des choses plus importantes.

 Le *véritable* rôle d'un manager, c'est de pousser les employés à faire de leur mieux et de créer une ambiance de travail au sein de laquelle ils donneront le meilleur d'eux-mêmes. Le manager doit, dans la mesure du possible, éliminer les obstacles qui entraveraient le travail des employés et ralentiraient le bon fonctionnement d'une équipe. Enfin, c'est encore au manager de tout mettre en œuvre afin d'acquérir les meilleurs outils de travail et de trouver les stages nécessaires à la formation des employés. Tous les autres objectifs, pressants ou importants, doivent passer en second plan.

 Le manager doit être également en mesure d'agir en palliant les faiblesses des uns et en comblant les lacunes des autres. En fin psychologue, il saura aussi intervenir dans les conflits relationnels qui opposent souvent les salariés. Bâtissez une structure et une hiérarchie solides pour le bien-être de votre personnel. Soutenez-le et il vous soutiendra ! De la plus petite entreprise à la multinationale, tous les employés vous le diront : si on leur donne la chance et les moyens de mener à bien leur travail, ils le feront sans sourciller. Un conseil : cessez d'embêter vos employés pour des vétilles ou de les presser comme des citrons, mais recherchez plutôt les causes d'un mauvais fonctionnement ! Ils vous en seront reconnaissants et ne se planqueront plus lorsqu'ils vous apercevront dans le couloir !

Mettre sous pression le personnel est certes plus facile que de se débattre avec des systèmes bureaucratiques tarabiscotés qui se sont insinués dans votre gestion. Peut-être seriez-vous tenté de hurler : "C'est votre faute si le service n'a pas atteint ses objectifs !" Oui, accuser les autres est très tentant, mais ne résout rien. Il va de soi qu'en adoptant un tel comportement vous obtiendriez une réponse, une réaction rapide, un résultat, mais tellement éphémère que toute autre tentative qui viserait à régler les *vrais* problèmes avec votre personnel serait vouée à l'échec.

Les remèdes miracles ne durent pas

Malgré ce que beaucoup voudraient vous faire croire, le management n'est pas seulement le lieu des solutions simples et des remèdes miracles.

Le management est un comportement, une façon de vivre, *a way of life* (un style de vie), qui se résume par le désir de travailler en équipe et d'aider chacun à réussir dans son domaine afin d'assurer le succès de l'entreprise. Le management est aussi l'apprentissage de toute une vie, qui ne s'arrête pas au sortir d'une réunion d'une heure ou après avoir regardé une vidéo de 25 minutes. C'est comme l'histoire de ce propriétaire choqué d'avoir reçu une facture de 600 francs de son plombier pour une fuite de robinet. Ce dernier lui expliqua que serrer l'écrou coûtait 50 francs, mais qu'identifier le bon écrou en coûtait 550 francs.

Le management est avant tout une question de *rapports humains*. Si vous n'êtes pas capable de travailler avec les autres, de les écouter, de les aider et de les guider, eh bien, changez de métier ! Puisque le management est un véritable challenge, la formation dans ce domaine insiste souvent sur la création d'un sentiment de satisfaction immédiate. Mais dépenser des milliers de francs pour si peu et pour entendre dire : "Allez, on leur fait du bourrage de crâne et ce sera leur faute s'ils n'en utilisent qu'un dixième !" nous laisse à penser que le jeu n'en vaut peut-être pas la chandelle...

Pierre a assisté à l'une de ces fameuses réunions de management censée instaurer le concept de travail d'équipe et établir la communication entre les membres du groupe. Imaginez : après le déjeuner, sur un coin de table, les reliefs du repas (légumes, bouts de pain, fruits, etc.) sont réunis dans un grand plateau. Le "facilitateur" vous demande alors de vous organiser en quatre groupes et de construire le modèle du parfait manager à partir de ces restes. Les contestations ne se font pas attendre. "Je ne veux aucune plainte ! lance le formateur, vous avez une demi-heure. Allez, au travail ! et dans la bonne humeur !"

Finalement, tous se prirent au jeu et se lancèrent avec ferveur dans la réalisation de ce projet quelque peu incongru. Petit à petit, les personnages prirent forme. Une banane par-ci, une carotte par-là... Après une petite compétition, les vainqueurs furent couronnés. Vous voulez vraiment voir le résultat ? Bon, alors regardez la Figure 1.1.

Reconnaissez que le résultat est plutôt drôle, mais a-t-il modifié la façon des managers de gérer leur personnel ? Rien n'est moins sûr... Une coupure sympa de la routine du bureau, oui. Un moyen utile d'apprentissage avec des effets durables, non.

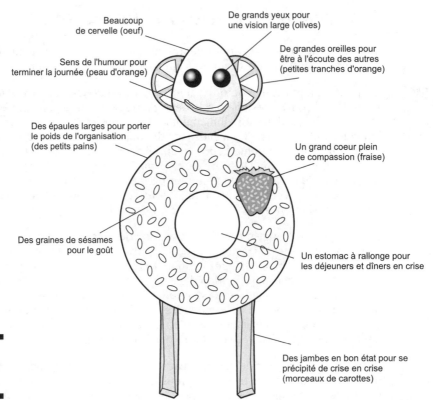

Beaucoup
de cervelle (oeuf)

De grands yeux pour
une vision large (olives)

Sens de l'humour pour
terminer la journée (peau d'orange)

De grandes oreilles pour
être à l'écoute des autres
(petites tranches d'orange)

Des épaules larges pour porter
le poids de l'organisation
(des petits pains)

Un grand coeur plein
de compassion (fraise)

Des graines de sésames
pour le goût

Un estomac à rallonge pour
les déjeuners et dîners en crise

Des jambes en bon état pour se
précipité de crise en crise
(morceaux de carottes)

Figure 1.1 :
Le manager
vert.

Le challenge du management

Lorsque l'on n'est pas manager, les tâches à accomplir peuvent être menées à bien sans l'aide de personne. A condition, toutefois, que l'on vous donne les moyens d'y arriver. Et quelle satisfaction, pour une personne dynamique et brillante, de savoir que les résultats obtenus sont le pur fruit de ses efforts.

Pour un manager, c'est différent. Et vous allez voir comme il est parfois difficile de faire la part des choses. Jean, l'ami de Pierre, faisait partie d'une équipe de programmeurs de logiciels, chargée de développer une application pour un ordinateur portable. Jeans et T-shirts étaient de mise pour tous et la bonne entente qui régnait parmi eux s'étendait souvent en dehors des heures de bureau. Tout changea le jour où Jean accéda au poste de manager de l'équipe. Il eut tout d'abord son propre bureau, installa une secrétaire devant sa porte et troqua jeans et T-shirts contre un costume-cravate. Les relations amicales se firent plus froides, plus distantes. Fini la rigolade et les sorties entre collègues, Jean venait d'entrer dans la peau d'un manager. Dorénavant, il aurait à gérer des affaires plus sérieuses (surcoûts, retards, investissements, etc.). Et, au fur et à mesure que des responsabilités lui étaient confiées, Jean passa du savoir-faire au savoir faire-faire.

Utiliser les compétences de ceux qui vous entourent est le *b a ba* du management. Lorsque vous décidez qu'un travail que vous avez vous-même initié doit être réalisé par quelqu'un d'autre, vous introduisez un élément dit "interpersonnel" à votre équation.

Au secours ! Vous voulez dire que je dois travailler avec d'autres ?

Eh oui ! Vous êtes manager ou pas ? Etre bon techniquement ne suffit pas, quelles que soient vos compétences. Il faut également savoir établir un planning, être bon gestionnaire, organiser les équipes de travail et surtout les suivre pas à pas.

En résumé, en plus du savoir-faire, il faut savoir faire faire.

Les vieilles règles sont démodées

Comme si ce défi n'était pas suffisant, les managers d'aujourd'hui doivent en relever un qui a ébranlé les fondements du management. La nouveauté c'est la relation managers/employés. Avant, il y avait d'un côté les managers, de l'autre les travailleurs, point final. Le rôle du manager était alors de diviser le travail en tâches distinctes pour chacun des travailleurs, puis de surveiller étroitement leur performance tout en les menant vers la réalisation des objectifs en respectant le délai et le budget. Cette manière de travailler — qui, à notre sens, ne fait que confirmer le vieil adage "diviser pour mieux régner" — reposait essentiellement sur la peur, l'intimidation et la démonstration quotidienne du pouvoir, souvent abusif, qu'exerçait le manager sur son personnel.

Le nouvel environnement du monde des affaires

Chaque jour, le monde des affaires évolue. Et, à son niveau, toute société en est le reflet. Voici quelques-uns des facteurs extérieurs qui, aujourd'hui, influent sur les entreprises :

- Montée de la compétition mondiale.

- Nouvelles technologies et innovation.

- Aplanissement des hiérarchies organisationnelles.

- Vastes restructurations, *reengineering* (reconception) des techniques, des entreprises.

- Croissance des petites entreprises.

- Evolution des compétences des employés.

- Croissance des exigences de service toujours meilleur pour la clientèle.

Attention ! Explosion technologique !

Aujourd'hui, nous vivons dans un monde où information et technologie règnent en maîtres. L'avènement des nouveaux réseaux sur ordinateur : E-mail, voice-mail, a fait s'ouvrir les frontières qui séparaient les individus, les services et les unités d'organisation. Selon Frédérick Kovac, vice-président pour la planification de l'entreprise *Goodyear Tire and Rubber Company*, "Auparavant, pour obtenir de l'information il fallait courir partout, à droite, à gauche, en haut, en bas d'une hiérarchie souvent hermétique. Aujourd'hui, il suffit de demander à l'informatique. Tout le monde peut en savoir autant que le président du conseil." (*Fortune*, 13 décembre 1993.)

Certains d'entre vous se souviennent peut-être de la chanson *Ballad of a Thin Man*, dans laquelle Bob Dylan parlait des grands changements de la génération des années soixante.

De la même façon, le monde des affaires a profondément changé depuis vingt ans. Et si vous n'évoluez pas en même temps que lui, vous serez laissés-pour-compte et totalement dépassés par vos concurrents. Cessez de croire que vos employés sont votre "capital humain", vous vous trompez ! Vos concurrents sont déjà en train d'apprendre comment utiliser le potentiel caché de leur personnel ; ils n'en sont plus au stade des paroles et mettent déjà en pratique de nouvelles techniques. Et vous, pendant ce temps ?

Lisez ce que pensent ces grands patrons :

- Interrogé sur la spectaculaire augmentation des revenus de la société Chrysler (de 246 % soit $3.7 milliards), Robert Eaton, directeur administratif, répondit : "En deux mots : partage des pouvoirs. Les décisions sont prises par un membre de l'entreprise beaucoup plus au courant que moi." (*Fortune*, 20 mars 1995.)

- Le vice-président de *Federal Express*, Dave Rebholz, attribue le succès de sa société à la priorité accordée au facteur humain. "A chacun de nos employés est donnée l'opportunité d'être ce qu'il est ou ce qu'il a rêvé d'être. *Federal Express* fait le maximum afin que tous comprennent cela." (*Marketing News*, 19 août 1991.)

- Darryl Hartley Leonard, président de *Hyatt Hotels Corporation*, le dit en termes plus clairs : "Le partage des pouvoirs, c'est reconnaître que les employés ne sont pas aussi bêtes que leurs employeurs ne le pensaient." (*The Wall Street Journal*, 5 mars 1993.)

Une nouvelle armée

Lors d'un récent congrès à Paris qui réunissait plusieurs managers, l'un d'entre eux demanda à Bob : "Avec toutes les restructurations et tous les licenciements économiques que nous avons dû faire, les gens ont de la chance s'ils obtiennent leur salaire, sans parler du reste. Pourquoi prendre la peine de déléguer et récompenser les employés ?" Et Bob de répondre : "Parce que c'est une nouvelle armée."

Cette réponse résume tout. Maintenant que les employés ont pris goût au pouvoir, il n'y a pas de retour en arrière possible. Les sociétés qui s'obstinent à ne rien changer à leur mode de fonctionnement, très hiérarchisé et fortement centralisé, perdront employés et clients au profit des entreprises qui institutionnalisent les nouvelles méthodes de management et les intègrent dans leur culture sociale. Les meilleurs employés quitteront le vieux modèle en masse, à la recherche d'employeurs susceptibles de les traiter avec respect et prêts à leur donner plus d'autonomie et de responsabilités.

Mais rassurez-vous — si tant est que cela vous rassure —, il y aura toujours des employés qui ne voudront ni responsabilités ni pouvoir. Il y aura toujours des béni-oui-oui pour approuver toutes vos initiatives sans broncher.

Imaginez la différence entre un employé qui dit à votre plus gros client : "Excusez-moi, mais les ordres viennent d'en haut et je ne peux pas faire d'exceptions.", et cet autre : "Bien sûr, je ferai tout mon possible pour que vous soyez livré avant la date prévue." A votre avis, avec lequel des deux votre client fera-t-il affaire ? (*Un conseil :* n'envisagez même pas la première solution, vous perdriez votre temps !)

Il fut une époque où les managers *achetaient* le comportement des employés, qui se faisaient passer pour des mercenaires. Aujourd'hui, louer le personnel ne suffit pas. Il faut trouver une manière de capturer les esprits et faire en sorte qu'ils développent leurs forces positives au bureau.

La confiance : ce n'est pas un gros mot !

Expert en management, Tom Peters a bâti toute une industrie en écrivant des histoires qui ont pour toile de fond les bons services dus à la clientèle. Ces comptes rendus exceptionnels sont légendaires. *Nordstrom, Union Pacific Railroad, 3M* et beaucoup d'autres sociétés sont les héros de ses livres à succès.

Les entreprises dotées d'un service clientèle exceptionnel détachent leur personnel des contraintes d'une hiérarchie trop dominatrice et permettent aux cadres de première ligne de servir leurs clients directement et efficacement. Par exemple, pendant que d'autres gaspillent des forêts entières de papier pour la publication de manuels destinés aux employés, *Nordstrom Inc.* dit tout ce qu'il faut savoir sur une seule page. Voir la Figure 1.2.

Nous sommes ravis de vous avoir parmi nous. Notre objectif n° 1 est de fournir un service clientèle de première classe.

Visez haut dans vos objectifs personnels et professionnels.

Règles chez *Nordstrom* :

Règle n° 1 : faites preuve de discernement à tous moments.

Ne cherchez pas, il n'y a pas d'autres règles. Sentez-vous libre de demander à votre chef de rayon, directeur de magasin ou chef de service tout ce que vous voulez savoir.

Figure 1.2 : Le manuel des employés de *Nordstrom* montre un niveau exceptionnel de confiance.

(*Business and Society review*, printemps 1993, n° 85.)

Vous pensez sans doute que de tels conseils ne s'adressent qu'aux petites sociétés ne comptant qu'une dizaine d'employés. Vous devez vous dire que pratiquer ce genre de politique dans une entreprise comme la vôtre relève du suicide... A titre indicatif, *Nordstrom* compte 35 000 employés et a réalisé quelque 3,9 milliards de dollars de ventes l'an dernier. A bon entendeur...

Sur quoi repose le succès de ce genre d'entreprise ? Sur la confiance !

Tout d'abord, le choix du personnel est primordial, le faire bénéficier des meilleures formations et mettre à sa disposition tous les outils nécessaires à son travail le sont tout autant. Puis il faut suivre pas à pas l'évolution de chacun, être très présent. Les managers de *Nordstrom* le savent bien. Comment ne pas avoir confiance en un personnel qu'ils ont formé eux-mêmes et qui prendra forcément les bonnes décisions ?

Bien sûr, *Nordstrom* n'est pas pour autant à l'abri des problèmes communs à toutes les entreprises. Mais, elle en a balayé plus d'un en instaurant un climat de confiance et en créant un environnement adapté aux employés.

Etes-vous en mesure de dire la même chose de votre entreprise ?

Faites confiance à vos employés, et ils feront tout pour la mériter. Approuvez leur indépendance et leur sensibilité à l'égard de leurs clients ; sous un œil attentif mais discret, laissez-les décider. Bien formés et avec beaucoup de soutien, ils ne vous décevront pas et leurs choix viseront non seulement à vous contenter, mais également à défendre les intérêts de l'entreprise.

Les nouvelles fonctions du manager

Vous souvenez-vous des fondements du management ? Planifier, organiser, mener et contrôler — mais si, vous les avez appris à l'école... Sur ces bases se reposent tous les managers. Parfaites pour régler les affaires courantes, elles ne sont cependant plus adaptées au monde professionnel d'aujourd'hui qui place en avant la relation managers/employés. Ce qu'il faut c'est créer d'autres fonctions à partir des fondements du management. Coup de bol ! Ce qui suit décrit les nouvelles fonctions du manager de l'an 2000.

Stimuler !

De nos jours, les managers sont des as pour faire en sorte que les choses se réalisent, en commençant par eux-mêmes. Mais qu'est-ce qui distingue un manager d'un autre manager ? Ses compétences, son impartialité, ses connaissances techniques ? Et si c'était tout simplement sa faculté de savoir déléguer ou encore son instinct de conservation...

Si importantes soient-elles, toutes ces qualités n'auraient aucune raison d'être sans celles qui feront d'un bon manager un manager génial : savoir motiver et dynamiser les gens.

Vous pouvez être le meilleur analyste au monde ou l'administrateur le mieux organisé de la planète, si le degré de motivation que vous générez ressemble plus à une allumette craquée qu'à l'éruption d'un volcan, personne ne vous suivra.

Les managers géniaux créent plus d'énergie qu'ils n'en consomment. Les meilleurs sont des catalyseurs qui, plutôt que de gaspiller leur énergie, la canalisent et l'amplifient. Les managers efficaces partagent avec leurs employés l'énergie qu'ils ont emmagasinée. Ainsi, le management devient-il un processus de transmission de l'excitation que vous ressentez à mener à bien un projet.

On dit qu'une image vaut mieux qu'un long discours. Cela est aussi vrai pour les images que vous créez dans la tête des autres. Imaginez que vous partiez en vacances avec votre famille et des amis. Au fur et à mesure que le départ approche, vous vous donnez un mal fou pour maintenir le niveau d'excitation et d'impatience de vos proches en anticipant ce qui vous attend tous. Les longues plages de sable blanc et fin, les cocotiers, les couchers de soleil sur une mer translucide... Tout cela dans le seul but de créer dans l'imaginaire de chacun les vacances idéales.

Hormis les cocotiers, les bons managers agissent de la même façon en vous permettant d'imaginer et en vous laissant entrevoir ce que serait l'entreprise idéale au sein de laquelle chacun pourrait se réaliser.

Donner le pouvoir

Avez-vous déjà travaillé avec quelqu'un qui discute chacune de vos décisions ? Souvenez-vous des cheveux que vous vous êtes arrachés durant le week-end en travaillant sur ce projet qui a fini dans la poubelle de votre patron. "Mais à quoi pensiez-vous quand vous avez fait ça, Elisabeth ? Nos clients ne se laisseront jamais convaincre !" Ou le jour où, pour satisfaire un gros client, vous avez, de votre propre chef, accepté de baisser le prix. "A votre avis, pourquoi avons-nous cette politique ? Si l'on commence par faire ce genre d'exception, il ne reste plus qu'à mettre la clé sous la porte !" Et là, qu'avez-vous ressenti ? Avez-vous été humilié, discrédité ? Peut-être pas, et il y a de grandes chances que cela vous ait poussé à faire plus d'efforts.

Malgré les rumeurs qui prétendent le contraire, responsabiliser vos employés ne vous empêche pas de manager. Le grand changement, c'est votre façon de manager. Les managers ont toujours en tête de créer une meilleure image de l'entreprise et d'en établir les objectifs. Cela dit, ils doivent aussi constituer une infrastructure sociale solide : formation, évaluation des compétences, constitution d'équipes, etc. Sans perdre de vue que tous les employés n'ont pas les mêmes ambitions. A vous de découvrir ceux qui veulent "réussir" et rêvent de vous prouver leur créativité.

Les grands managers n'ont en fait qu'un objectif : faire en sorte que leurs employés fassent du bon travail. C'est une fonction vitale du management, car même les meilleurs managers de la planète ne peuvent réussir seuls. Pour parvenir aux objectifs fixés par l'entreprise, les managers doivent compter avec leurs employés. Le bon management, c'est la démultiplication des efforts de chaque membre de l'équipe dans un but précis. Si vous ne faites pas confiance à vos collègues, et si vous faites constamment le travail à leur place, vous allez vite vous essouffler et courir vers le stress, les ulcères et j'en passe.

Mais pire encore que l'échec personnel qui résulte du manque de délégation, c'est toute l'équipe que vous entraînez dans votre chute. Les employés souffrent de ne pouvoir prendre davantage d'initiatives et finissent par éteindre la créativité qu'ils auraient pourtant aimé mettre au service de l'entreprise. Est-il nécessaire de vous faire un dessin ?

Ce que font en réalité les managers

On s'accorde universellement pour dire que tous les managers assument cinq fonctions principales :

- **Manger** : le management offre bien des avantages, par exemple les notes de frais et tous les repas payés. Et si les petits malins de la compta osent vous questionner, ne les invitez plus à déjeuner.

- **Rencontrer** : réunions, congrès, assemblées font partie intégrante du métier de manager. Plus vous montez dans la hiérarchie, plus vous vous réunissez. Ici, point de travail productif, mais de la réflexion. Ah ! les joies des heures passées en réunion à savourer un café vieux de trois jours et à entendre votre estomac crier famine.

- **Réprimander** : les employés capricieux ne manquent pas, que les meilleurs managers doivent réprimander au quart de tour et régulièrement pour ne pas se laisser déborder. Existe-t-il une autre façon de leur montrer que vous prenez soin d'eux ? Montrant par là même à vos supérieurs que vous ne vous en laissez pas raconter. Non mais !

- **Gêner** : lorsque vous demandez à un manager de quoi il est le plus fier, il est souvent enclin à vous sortir un pavé de procédures soigneusement classées et rédigées. Lesquelles ne sont en réalité qu'un embrouillamini de paperasses qu'aucune poubelle ne refuserait.

- **Obscurcir** : les managers sont les rois de la non-communication. Car tous savent pertinemment que détenir l'information c'est posséder le pouvoir. Vous êtes entouré d'ennemis potentiels, ne les informez pas et ils disparaîtront.

Pour être honnête, tout cela n'est qu'une blague ! Ce n'est pas la liste des nouvelles fonctions du manager. Mais si par hasard vous y avez décelé une part de vérité, vous avez de quoi vous inquiéter.

Soutenir !

Pendant très longtemps, le travail de manager a consisté à donner des ordres, à vérifier qu'ils étaient appliqués et à trouver des responsables aux erreurs commises. Aujourd'hui, c'est différent. Le manager n'a plus — ou ne devrait plus avoir — le rôle de gardien, de policier ou de censeur. De plus en plus, les managers sont des formateurs, de vrais collègues et des moteurs pour les employés. Leur priorité est de constituer un environnement calme et serein au sein duquel chacun se sent apprécié à sa juste valeur.

Dans les moments difficiles, le manager doit soutenir son personnel. *Cela ne veut pas dire que vous devez prendre les décisions à sa place.* En revanche, vous devez le rassurer par votre présence et vos conseils, lui donner les ressources nécessaires pour mener à bien ses projets, être autoritaire s'il le faut, mais pas trop, réparer les dégâts en lui expliquant ses erreurs et enfin le laisser faire son travail sans le gêner. On n'apprend pas à nager sans boire la tasse.

Pour créer un *environnement* de confiance et d'écoute, il faut avoir une hiérarchie solide et souple à la fois. Elle ne doit pas effrayer les employés qui pourront ainsi faire part à leur chef de service de leurs hésitations ou de leurs préoccupations professionnelles, sans craindre en retour un jugement sévère.

Les managers se soutiennent aussi les uns les autres. Les domaines réservés, la concurrence entre services et la rétention d'informations n'ont pas leur place au sein d'une entreprise moderne. Tous les membres d'une société, du simple ouvrier au p.-d.g., doivent réaliser qu'ils tendent tous vers le même but : le succès de l'entreprise. Et vous, de quel côté êtes-vous ?

Communiquer !

Pas de doute, la communication est le maillon central de toute entreprise. Aux managers de veiller à faire passer le message.

Les managers qui n'informent pas leur personnel délaissent la fonction essentielle d'un bon encadrement. Le monde des affaires évolue vite et constamment, et c'est au même rythme que le manager doit faire passer l'information s'il ne veut pas être à la traîne.

Avec l'utilisation du e-mail, voice mail et autres moyens modernes de communication, les managers n'ont véritablement pas d'excuses pour ne pas communiquer avec leurs employés. Non, n'hésitez pas, prendre le téléphone ou avoir un tête-à-tête à l'ancienne avec vos employés et collègues, ça n'est pas ringard ! Tous les moyens sont bons pour informer.

Afin d'atteindre les objectifs que vous leur avez fixés, vos employés doivent être au courant de vos attentes. Un objectif, c'est bien joli sur le papier, mais si vous ne le communiquez pas à vos employés et ne les tenez pas au courant de la progression, comment pouvez-vous espérer qu'il soit un jour atteint ? Ce serait du même acabit que de vouloir gagner les 24 heures du Mans sans permis de conduire !

Dans le management, comme dans la vie, les petites attentions comptent énormément : une invitation à participer à la prochaine réunion, une appréciation pour un travail bien fait ou un coup d'œil sur le bilan de la société, sont toujours très appréciés. L'entreprise ne s'en portera que mieux, et la confiance que vous aurez inspirée à vos employés leur permettra de réaliser dans la joie et la bonne humeur les objectifs fixés.

Comment devient-on manager ?

Tous les managers doivent, à un moment ou un autre, remettre en question leurs manières de diriger un service ou une entreprise.

Nombreux sont ceux qui n'ont jamais réellement été formés pour occuper ce poste. Un jour vous êtes programmeur sur un nouveau Web Browser, le lendemain vous vous retrouvez à la tête de l'équipe. C'est à ce moment-là que les exigences changent. Dorénavant, il ne s'agira plus seulement de programmer, créer un produit ou réaliser un projet, mais également de mener et motiver un groupe. Oui, on vous paiera peut-être plus, mais n'oubliez jamais que votre seule formation dans le domaine c'est votre expérience et que bientôt vous apprendrez à encaisser les coups durs.

Voici trois manières différentes de devenir un bon manager. Toutes comportent des avantages et des inconvénients. Mais grâce à votre sens inné du discernement, vous saurez sans doute faire la part des choses.

Observer et écouter

Si vous avez la chance d'avoir été entouré de gens compétents au cours de votre carrière, qui avec vous ont partagé leur savoir et vous ont fait bénéficier de leur expérience, cela vaut tous les stages de formation en management du monde. Ils vous ont tout appris. De la façon de gérer un service ou une entreprise, avec toutes les difficultés et les responsabilités que cela comporte, jusqu'au bouquet de fleurs à déposer sur le bureau de votre secrétaire le jour de son anniversaire. Bref, vous savez tout !

Malheureusement, les gens compétents et intelligents destinés à occuper des postes clés manquent. Vous souvenez-vous de ce manager incapable de prendre des décisions, et qui laisse employés et clients dans le flou total. Ou encore ce chef qui refuse de déléguer même les tâches les plus simples et insiste pour gérer chaque détail aussi insignifiant soit-il ? "Non, non et non ! Combien de fois faudra-t-il vous le répéter : on colle d'abord le timbre sur l'enveloppe et ensuite on écrit l'adresse !" Ne ricanez pas, ces managers-là existent aussi...

Vous pouvez cependant tirer des leçons du mauvais comportement des managers. Par exemple, lorsque vous travaillez avec un manager qui refuse de prendre des décisions, observez avec attention l'impact de ce style de management sur les employés, les autres managers et les clients. Vous sentez votre propre frustration et vous vous dites : *Jamais je n'agirai de cette façon.*

Mais vous ne pouvez rien faire, parce que vous n'avez pas été autorisé à intervenir. L'indécision au sommet se répercute inévitablement à tous les niveaux de la hiérarchie. Les employés ne savent plus où ils en sont et les clients, qui ressentent eux aussi ce flottement général, deviennent méfiants.

Encore des réunions ?

Selon les experts, jamais les managers n'ont participé à autant de réunions qu'aujourd'hui. Ces petites assemblées prennent environ 25 % du temps de travail (40 % pour les managers moyens et jusqu'au taux alarmant de 80 % pour les membres de la direction). A noter que, outre les réunions inutiles et stériles, sur 60 minutes consacrées à une réunion, 30 d'entre elles servent généralement à se raconter les derniers potins.

Un professeur de haut standing

Jack Welch est unanimement considéré comme étant l'un des meilleurs managers des Etats-Unis. Dirigeant de General Electric, il a radicalement transformé la structure interne de sa société tout en améliorant de façon incroyable ses performances.

Welch a utilisé des moyens très divers pour réaliser ces changements, mais le plus significatif est sa prise de contrôle du centre de formation de la société à Ossining, dans l'Etat de New York. Très vite, il sut que restructurer une entreprise était une chose, mais en convaincre le personnel en était une autre. En dirigeant et en assistant tous les quinze jours aux cours de formation des employés, il était non seulement en contact direct avec eux, mais il put déterminer quel message devait être transmis et s'assurer que ce dernier avait bien été enregistré. Chaque question obtenait ainsi sa réponse et parfois même de M. Welch en personne.

Et vous, que feriez-vous de différent afin d'obtenir les résultats que vous espérez ?

Apprendre en travaillant

Connaissez-vous ce vieux dicton de Mao : "Donne un poisson à un homme, il le mange dans la journée. Apprends-lui à pêcher, il en mange toute la vie."

Avec les employés c'est la même chose. Si vous prenez toutes les décisions, et si, de peur que le travail soit mal fait vous le faites à leur place, ils n'apprendront rien et finiront par se contenter des tâches courantes. Vos efforts sincères pour couronner votre entreprise de succès ne feront qu'infantiliser vos employés et vous vous rendrez vite compte qu'ils ne seront ni performants ni efficaces.

Lire un ouvrage de référence ou observer et noter les forces et les faiblesses d'un manager ne suffit pas à un bon apprentissage. Il faut ensuite pouvoir mettre en pratique ce que vous avez appris.

- D'abord, prenez le temps de faire le point sur les problèmes qui vous empêchent d'avancer. Vous ne pouvez pas vous concentrer sur tous les problèmes à la fois. Commencez par ceux qui vous semblent les plus importants.

- Ensuite, auto-analysez-vous. Que faites-vous pour aider vos employés ? Sont-ils gênés par vous dans leur travail ? Sont-ils capables de prendre des décisions ? Les soutenez-vous lorsqu'ils s'engagent et prennent des risques pour la société ? Examinez vos interventions au cours d'une journée au bureau. Ont-elles eu des effets positifs ou négatifs ?

- Essayez les nouvelles techniques que vous avez apprises auprès d'autres managers ou au cours de vos lectures. Allez-y ! Rien ne changera si vous ne changez pas d'abord.

- Enfin, prenez du recul et observez ce qui se passe. C'est sûr, vous allez non seulement noter une différence dans votre façon de manager, mais vous remarquerez un changement d'attitude de vos clients, qui auront été sensibles à votre nouveau comportement.

Testez vos nouvelles connaissances

Qu'est-ce que le management ?

A. Un prétexte pour faire des voyages d'affaires dans des endroits exotiques à moindres frais.

B. Franchement casse-pieds.

C. Faire aboutir des projets prévus de longue date.

D. Fermer les yeux et prier pour le meilleur.

Quelles sont les nouvelles fonctions du manager ?

A. Mouiller les cheveux, frotter, rincer, répéter.

B. Stimuler, déléguer, soutenir et informer.

C. Voir jusqu'où vous pouvez dépasser le budget sans qu'on s'en rende compte.

D. Ne parler que lorsque l'on vous adresse la parole.

Chapitre 2
Un café et au boulot !

*I*l arrive un moment où chaque manager doit comprendre que, pour être efficace, il faut être bien organisé.

Regardez l'état de votre bureau. Il ressemble à quoi au juste ? Non, il ne s'agit pas des meubles, ni de la photo sur le mur où vous recevez un prix pour avoir fait la meilleure suggestion du mois (souvenez-vous, l'idée de transférer la cantine pour la rapprocher de votre bureau, qui a coûté 250 000 francs à votre entreprise). Non, baissez juste un peu la tête, là, voilà, vous y êtes. C'est de votre bureau dont nous voulons vous parler. Aucun ouragan n'a pourtant été signalé... Alors, qu'est-ce que c'est que ce bazar ?

Heureusement pour vous, nous pouvons vous aider à résoudre vos problèmes de désorganisation. Comment ? Il suffit de lire la suite.

Qu'est-ce que c'est que ce bazar ?

Lorsque l'on est manager, chaque détail a son importance. Méthodique et bien organisé, vous trouverez tout de suite ce que vous cherchez. Au lieu d'espérer encore retrouver le numéro de téléphone de ce nouveau client dans la forêt de Post-it qui pousse sur votre bureau, décidez-vous enfin à vous acheter un agenda. Soit vous laissez votre panier d'attente dans l'état, avec ses messages E-mail et votre boîte vocale pleine à craquer, soit vous choisissez de gérer au fur et à mesure toutes les informations que vous recevez.

Au cas où vous ne l'auriez pas remarqué, notre siècle est celui de l'information. Les managers d'hier pouvaient compter sur leurs secrétaires et leurs assistants pour contrôler et trier les messages qui chaque jour arrivaient sur leur bureau. Aujourd'hui, avec l'imminente disparition des secrétaires (chose due, en partie, à la restructuration, la personnalisation de la communication entre managers et à l'ascension de l'ordinateur), les hommes d'affaires, de plus en plus bombardés d'informations, ont du mal à y voir clair. (Bill Gates, l'homme le plus riche des Etats-Unis, avoue lire chaque jour les messages qui s'accumulent dans sa "boîte d'arrivée" à Askbill microsoft.com.) Les hommes et les femmes d'affaires sont envahis par les E-mail provenant des quatre coins de la planète. Conférences par satellite, boîtes vocales pleines, messageries personnelles et portables cellulaires pour être joints 24 heures sur 24 (même dans l'avion) sont le lot quotidien de ces dirigeants.

A vous de choisir : ou vous décidez de gérer votre travail pour être vraiment efficace ou vous vous laissez submerger par lui.

Bon, maintenant soyons honnêtes. Quand vous regardez votre bureau, que voyez-vous : le reflet d'un manager soigneux et méthodique ou celui d'un aventurier perdu dans la brousse ? Le désordre est-il vraiment le signe de l'intense activité d'un homme d'affaires accompli ? Si *vous* êtes incapable de répondre à cette question, posez-la à un collègue fidèle et franc.

Scénario d'un film catastrophe : vous êtes assis à votre bureau derrière une montagne de comptes rendus, mémos, papiers, bouquins et piles de classeurs à l'équilibre incertain. Un courant d'air, la porte claque. Vous vous retrouvez par terre, coincé sous des kilos de paperasserie. C'est l'heure du déjeuner. Personne ne vous entend crier. Enfin, les secours arrivent in extremis, vous étiez au bord de l'évanouissement. D'un geste affectueux, vous remerciez le chien qui a permis aux sauveteurs de vous retrouver. FIN.

Reprenez-vous ! Tout dépend de vous ! (tout commence par vous)

Alors, qui est responsable de ce bazar ? Facile de rejeter la faute sur les autres ; sur le chef, par exemple, qui donne trop de travail. Trop facile aussi de dire : " L'organisation c'est pas mon truc. " Ou encore : " Si mon bureau est *trop* bien rangé et qu'aucun dossier ne traîne, mon patron va penser que je n'ai rien à faire. "

Bon, un petit point s'impose : vous ne pourrez pas éternellement accuser les autres de créer votre propre désordre. Réagissez et agissez !

Il faut le jurer, tout de suite, répétez après nous :

A partir d'aujourd'hui
Je jure de m'organiser
De saisir chaque opportunité
De déléguer tout ce que je peux
De noter chaque rendez-vous, réunion et projet sur mon agenda personnel
Scrupuleusement et régulièrement
De garder mon bureau rangé, chaque chose à sa place
De n'utiliser des Post-it qu'en cas d'extrême urgence
Et, en cas de doute, de jeter à la poubelle
Et, en cas de doute, de jeter à la poubelle.

Félicitations ! Vous avez juré d'organiser votre vie professionnelle. Et maintenant ? Sachez que suivant l'état de votre bazar, petit ou grand, s'organiser n'est pas une mince affaire. Mais votre cas n'est pas désespéré, il faut procéder par étapes. Commencez par des choses simples mais indispensables :

- Achetez-vous un agenda pour y noter immédiatement vos rendez-vous et réunions. Maintenant, vous pouvez passer par la case "départ" et toucher vos 20 000 F.

- Puis rassemblez tous les bouts de papier sur lesquels vous avez noté les détails de vos réunions - vos pense-bêtes. Cherchez aussi dans vos poches, sur votre bureau, dans votre serviette ou sur votre front et reportez tout dans votre agenda. A partir d'aujourd'hui, où que vous alliez ce petit calepin ne devra plus vous quitter. N'oubliez jamais qu'il est votre mémoire !

- Rangez votre lieu de travail. Il faut attaquer par l'une des piles de papiers qui encombrent votre bureau. Que devez-vous conserver ? Que pouvez-vous transférer dans le bureau de votre assistant ? Pour le reste, appliquez le test final d'utilité. Si je jette ce document, quelqu'un remarquera-t-il sa disparition ? Si la réponse est "non" jetez-le ! Essayez de ne toucher chaque document qu'une seule fois.

On y va ! Plus question de revenir en arrière ! A partir d'aujourd'hui, vous vous êtes juré de ne plus gribouiller les dates et heures de rendez-vous sur votre main. De plus, interdisez-vous formellement d'utiliser des Post-it à gogo. Vous *noterez* immédiatement les rendez-vous dans votre agenda. Enfin, vous éviterez d'utiliser chaque mètre carré de votre bureau comme tableau d'affichage.

Une bonne organisation est indispensable, croyez-nous. Non seulement vous aurez rapidement et facilement toutes les informations à portée de main, mais vous passerez une nuit tranquille lorsque vous saurez que vous contrôlez parfaitement votre vie professionnelle.

Déterminer ce qui est important et ce qui ne l'est pas

Aujourd'hui, tous les managers croulent sous un flot d'informations qu'ils reçoivent quotidiennement.

Les fax, bipeurs, portables cellulaires, colis Chronopost, etc., conspirent à vous voler le temps dont vous avez besoin pour réfléchir, planifier ou tout simplement vous relaxer. Au lieu d'agir, vous êtes contraint de réagir à cette avalanche d'informations qui vous empêche de gérer vos priorités, d'atteindre vos objectifs à la date fixée et fait avorter toutes vos belles tentatives d'organisation.

Ces nouvelles sources d'information, ainsi que la vitesse croissante et la fréquence de leur arrivée sur votre bureau, ont rendu plus difficile que jamais la gestion des priorités. Le piège tendu ici consiste à vous faire cavaler toute la journée pour rien. Quelle perte de temps !

Grâce aux boîtes vocales on peut vous laisser des centaines de messages. Même en pleine nuit ou le week-end, elles se remplissent ! Et le pire, c'est que vous ne pouvez même pas nier les avoir reçus. Maintenant tout se sait... Après, libre à vous de répondre ou de renvoyer ces messages à quelqu'un d'autre, ou encore de les couper finement et de les faire sauter à la poêle ! Parfois, il peut arriver que votre boîte vocale soit saturée. A ce moment, vous entendrez la voix métallique de l'ordinateur vous prévenir : "Je suis désolé mais votre boîte est pleine."

Internet : "land of opportunity" ?

Les merveilles de l'Internet ont fait découvrir aux managers un monde nouveau : recevoir des milliers de messages de la planète entière, en gaspillant un temps fou. La corbeille de réception d'America On Line de Pierre ressemble à toutes celles des utilisateurs d'Internet, 95 % de ces messages sont tout à fait bidon. Comme toujours, ils commencent par des excuses pour avoir pris de votre temps précieux, mais poursuivent dans cette voie. Voici un aperçu du baratin que l'on trouve sur le e-mail de Pierre :

Veuillez d'abord m'excuser pour cette interruption. Lorsque vous aurez lu ce message, vous me remercierez pour cette intrusion. La maison de vos rêves, une nouvelle voiture, un chèque de 125 000 francs, tout cela peut être à vous avec ce nouveau programme de vente sur le réseau. Mais oui, vous pouvez partir à la retraite dans dix-huit mois avec une rente garantie à vie !

"C'est ça ! Quand les poules auront des dents !" vous dites-vous certainement. Si vous n'êtes toujours pas convaincu d'abandonner votre travail sur-le-champ, lisez la suite, encore une offre irrésistible !

Gagnez des millions au casino. Avec mon système, vous pouvez gagner 15 000 francs par jour à la roulette ! Vous serez ébahi. Je peux vous garantir que vous gagnerez neuf fois sur dix. Ecrivez-moi pour plus de détails.

Si ce système est si bon, pourquoi ce type travaille-t-il toujours ? Pourquoi n'a-t-il pas pris sa retraite ? Lisez bien le message suivant, vous serez époustouflé par les merveilles qui vous attendent sur Internet.

Mon mari et moi avons récolté plus de 500 000 francs l'année dernière. Écrivez-nous et nous vous enverrons un T-shirt "Virez votre chef" gratuit avec la cassette audio pour vous aider à démarrer. Tout cela pour seulement 150 francs de frais d'envoi.

Ils n'auront peut-être plus besoin de faire de la pub s'ils vendent suffisamment de T-shirts. Au fur et à mesure que ces braves arnaqueurs apprennent à exploiter l'Internet, attendez-vous à être enseveli sous une avalanche de messages de ce genre en ouvrant votre corbeille d'arrivée !

Et ne mentez pas en disant que vous n'avez jamais été tenté d'écouter vos messages chez vous le week-end ou même en vacances ! Quel repos ! Au fait, la technologie ne devait-elle pas nous permettre d'avoir plus de temps libre ?

Non, vous perdez plus de temps aujourd'hui qu'hier. Ce qui n'a pas changé, en revanche, c'est que l'on vous demande toujours d'être dix fois plus productif que l'année dernière. Alors, comment faire pour trier rapidement les messages et se concentrer uniquement sur ceux qui pourraient intéresser votre entreprise ? Avant d'examiner le dossier débordant de votre corbeille d'arrivée, votre messagerie vocale et le e-mail, et de répondre aux clients et aux collaborateurs qui vous réclament de leur consacrer un peu de votre précieux temps, considérez ceci :

- Comment gérer les priorités ? Si le message reçu peut vous permettre d'augmenter vos chances d'atteindre les objectifs fixés, cela devient donc une priorité. Dans le cas contraire, remettez le nez dans votre travail en cours.

- Est-il possible de déléguer une tâche ? Si un autre employé peut y réfléchir ou agir à votre place, n'hésitez pas ! Cela vous laissera le temps de vous occuper des affaires qui ne peuvent être traitées que par vous.

- L'urgence des autres n'est pas forcément la vôtre. Ne laissez pas le manque d'organisation de vos employés vous dérouter dans votre travail.

Toutefois, la seule et unique exception à cette règle s'applique à l'urgence concernant un client. Dépanner vos clients en situation difficile devra dorénavant être votre première priorité. Si vous répondez présent à leur appel, ils sauront s'en souvenir.

Pour plus de détails sur le sujet, lisez le livre de Jeffrey Mayer : *Time Management for Dummies* (IDG Books Worldwide, Inc.). Vous découvrirez les mille et une manières de devenir un manager plus efficace. Car on peut toujours faire mieux, n'est-ce pas ?

Agendas personnels : phénomène de mode ou nécessité ?

Qu'ont-ils de si génial ces agendas personnels que tout le monde emporte partout ? Les managers sont tous armés d'organiseurs électroniques, par exemple les systèmes d'organiseurs journaliers Franklin, des *Day-Timers*, *Day runners*.

Même les aventuriers survoltés peuvent trouver leur bonheur. Vous avez le choix : agendas électroniques, assistants personnels digitaux, et autres petites merveilles qui vous permettent non seulement d'avoir des tas de numéros de téléphone et tous vos rendez-vous en mémoire, mais qui envoient et reçoivent aussi des messages électroniques et proposent un petit traitement de texte et des calculs sur tableur. Des années-lumière en avance sur les calendriers et autres agendas classiques, les organiseurs journaliers et agendas électroniques promettent de faire beaucoup plus. Ils donnent la date du jour, apportent un peu d'ordre et structurent votre vie professionnelle et personnelle.

La seule contrainte est de ne pas oublier de mettre votre organiseur à jour quotidiennement. Cela n'est pas toujours aussi évident, car, très à la mode, les organiseurs sont devenus de plus en plus sophistiqués et compliqués, beaucoup plus efficaces aussi. Il vous faut donc consacrer quelques minutes par jour à ce cher petit joujou.

Maintenant, voyons les avantages et les inconvénients de modèles d'organiseurs.

Le calendrier, une valeur sûre

Le calendrier classique est l'outil de base de tout manager. C'est grâce à lui que l'on peut élaborer le planning des réunions, noter les jours de congé des employés, les dates prévues pour les projets, les rendez-vous, etc. Quoi ? Votre réunion de vendredi doit être reportée au jeudi suivant ? Pas de panique ! Prenez une gomme et notez la nouvelle date. Même s'ils sont "ringards", les bons vieux calendriers restent tout de même faciles à manier. Ce qui n'est pas le cas de certains systèmes d'organisation plus attrayants, certes, mais plus encombrants et beaucoup plus chers (ceux proposés par Franklin Quest Co., par exemple).

De plus, les calendriers ont l'avantage d'exister sous toutes les formes et toutes les tailles. Vous trouverez très facilement un petit format pour glisser dans votre pochette. De même si vous cherchez un calendrier mural que tout le monde puisse consulter, même les plus myopes.

Voici les principaux avantages de ces calendriers :

- Les piles ne s'usent jamais.

- Vous pouvez les utiliser pour compter les jours jusqu'à votre retraite.

- Ils sont le reflet de leur propriétaire. Par exemple, les calendriers décorés de photos de nounours, de méduses ou de dictateurs sont significatifs du caractère de leur propriétaire.

- La simplicité. Sur votre calendrier de bureau, rien n'est plus simple que d'y noter un nom et une heure dans l'espace accordé au 21 janvier, par exemple.

Avec ces calendriers, vous n'avez pas à vous soucier des piles et ne risquez pas de voir apparaître un gentil petit message du genre : "erreur irrémédiable de disque", juste au moment où vous en avez le plus besoin. Non, le bon vieux calendrier ne vous fera jamais un coup pareil, c'est un ami fidèle !

Le planning quotidien à la mode et fonctionnel

Si vous trouvez que les calendriers sont trop limités et démodés, le planning quotidien propose des solutions pour tous les goûts. Voilà près de dix ans que des entreprises comme *Franklin Quest Co. et Ray Runner, Inc.* sont à la tête d'une industrie qui connaît un immense succès. Depuis sa création en 1983, sous le nom d'*Institut Franklin, Franklin Quest Co.* n'a cessé de grandir pour devenir un vaste empire de planning du management avec des ventes excédant 265 millions de dollars. Avec 80 % de points de vente éparpillés sur le territoire américain, *Franklin Quest Co.* domine le marché d'agendas personnels, estimé à environ 500 millions de dollars de ventes chaque année.

Qu'est-ce qu'un agenda personnel, au juste ? C'est essentiellement un calendrier de dopage. On parle bien des dopants qui mènent certains aux Jeux olympiques (voir les Figures 2.1 et 2.2).

Dimanche	Lundi	Mardi	Mercredi	Jeudi	Vendredi	Samedi
	1	2	3	4	5	6
7	8	9	10	11	12	13
14	15	16	17	18	19	20
21	22	23	24	25	26	27
28	29	30		notes		

Figure 2.1 :
Votre
calendrier.

Avril

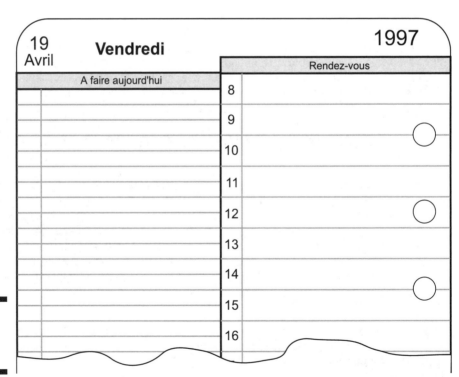

Figure 2.2 :
Votre
calendrier
dopé.

Dans de nombreuses entreprises, l'adhésion des managers à ce type d'agendas s'est faite de manière presque religieuse ; et les séances de formation sur leur utilisation ressemblent étrangement à des réunions de fidèles venus écouter quelques bonnes paroles.

Avant d'avoir mon organiseur, j'étais un mouton qui avait perdu son chemin ; ma vie était un vrai désordre : priorités oubliées, numéros de téléphone perdus et, le plus gros des péchés, la Journée des Secrétaires occultée ! J'étais complètement perdu, lorsque le miracle s'est produit. Alléluia ! J'ai aperçu la lumière.

De plus, lorsque l'on connaît les prix des systèmes plus performants (comptez 200 francs pour les plus simples, jusqu'à 2 000 francs pour ceux avec sonneries et sifflets), les calendriers classiques ont encore de beaux jours devant eux. Mais nous allons tout de même vous donner un aperçu des caractéristiques de certains agendas électroniques. Petit guide du système de planification de Franklin Quest Co. :

- **Classeur :** le classeur vous est indispensable. Non seulement il existe quatre tailles, du classeur de poche au classeur Royal Monarch, mais également des classeurs en vinyle, cuir synthétique ou 100 % cuir. Les victimes de la mode peuvent acheter des ensembles : classeur, chéquier et sac à main de grande marque ! Très chic !

- **Liste de tâches prioritaires :** cette liste est le coeur du système Franklin Quest. Ici, vous enregistrez et hiérarchisez toutes vos tâches quotidiennes. Une fois accomplies, contentez-vous de les rayer de la liste ou, si vous le souhaitez, car après tout vous êtes manager, remettez l'une de ces tâches au lendemain !

- **Agenda de rendez-vous :** tout comme sur les calendriers traditionnels, vous y enregistrez les dates de rendez-vous, de réunions et tous les événements qui vous semblent importants.

- **Registre des dépenses journalières :** utilisez ce registre afin de garder un oeil sur les frais professionnels, repas d'affaires, kilométrages. Un inspecteur des impôts pourrait débarquer à tout moment.

- **Registre d'événements journaliers :** le système Franklin est équipé d'une page entière que vous remplirez à votre guise, pour prendre des notes, vous amuser ou vous entraîner à écrire votre nouveau titre en vue d'une promotion future.

- **Répertoire d'adresses et téléphones :** les noms, adresses, numéros de téléphone, de fax, codes postaux sont tous classés par ordre alphabétique et visibles grâce à une simple pression du doigt.

- **Valeurs et buts :** ici, prenez votre temps, c'est du sérieux, car il faut réfléchir sur ce genre de choses : "Sauver le monde de la famine", "Trouver un remède contre le cancer".

- **Tableaux, tableaux et tableaux :** en plus du système de gestion d'informations de base, des tableaux vous sont réservés pour enregistrer : vos finances personnelles, votre groupe sanguin, votre note chez le garagiste. Et ce n'est pas tout, vous pouvez y installer des dispositifs de conversion métriques, des fuseaux horaires, des codes téléphoniques régionaux ; vous disposez également d'un calendrier annuel qui vous permet de voir à long terme : solde de votre crédit voiture dans six ans. Si tout ça ne suffit pas à vous occuper pendant les deux prochaines années, vous pouvez choisir d'autres options telles que : registres de contacts, organiseurs de menus et de courses, registres d'appel, planning de réunions, dossiers clients et communications personnelles.

Tout cela associé à des stages sur la gestion du temps, et vous n'aurez jamais plus d'excuse pour votre désorganisation.

Cependant, les avantages des organiseurs journaliers, leurs fonctions, flexibilité et possibilités d'options, peuvent aussi être les pires des désagréments. Sans aucun doute, posséder un agenda qui garde en mémoire vos adresses, rendez-vous, priorités quotidiennes, hebdomadaires, mensuelles et annuelles, dates d'anniversaires, fêtes, et autres informations importantes dans un seul espace est extrêmement utile. Mais il faut savoir que certains organiseurs journaliers peuvent devenir de véritables boulets pour leurs utilisateurs, car ils pèsent lourd et exigent d'être régulièrement mis à jour.

Et ne perdez jamais votre organiseur ! Lorsqu'il est bien utilisé, il devient un élément essentiel. A noter qu'à la différence d'un dossier sur ordinateur, vous ne pouvez pas appuyer sur une touche pour archiver sur le disque dur et sur une disquette.

N'oubliez pas que votre employeur reste propriétaire de vos calendriers ou organiseurs en cas de démission ou de licenciement. Si litige il y a, ils peuvent également être saisis par une cour de justice, car ils constituent une preuve.

La solution numérique

Si les organiseurs électroniques, assistants électroniques personnels et logiciels de management personnalisé ont encore du chemin à parcourir avant de faire l'unanimité, nombreux sont les managers qui ne jurent que par eux pour gérer leur vie professionnelle. En effet, l'outil numérique offre tant de possibilités aux managers débordés qu'ils sont prêts à plonger dans la vague de la nouvelle technologie de l'information.

Si vous pensez que les organiseurs personnels offrent beaucoup d'options, vous n'avez encore rien vu. En considérant la solution numérique pour l'organisation personnelle, posez-vous d'abord ces questions :

- Qu'est-ce que j'attends de cet appareil ? Cette question est importante puisque chaque produit est différent, avec ses avantages et ses limites. Aimeriez-vous posséder un agenda qui permette de classer vos rendez-vous ? Pas de problème. Et s'il y avait une sonnerie pour vous rappeler que vous devez appeler votre client à Londres ? Rien de plus facile. Envoyer et recevoir des fax ? Euh... C'est un peu plus compliqué. Envoyer et recevoir des e-mail dans le monde entier sur une simple ligne téléphonique ? Un ensemble plus réduit de produits peut tout faire. Et si vous voulez des capacités de transmissions téléphoniques indépendantes avec un beeper numérique incorporé et un système de code à reconnaissance vocale ou d'écriture ? Le groupe est encore plus restreint.

- De quelle taille ? Si la technologie de l'information contribue à réduire la dimension, à accroître la performance et à rendre les prix plus accessibles, la taille est toujours un point important. Les produits électroniques s'étendent, par leur taille, du modèle de montre, qui reçoit et affiche les rendez-vous et informations transférées de votre ordinateur, à des logiciels personnalisés gestionnaires d'informations par laptop ou desktop plutôt encombrants. Sans vouloir l'affirmer, plus le produit est petit, moins il est performant. A l'inverse, plus vous exigez que votre partenaire électronique soit performant, plus il sera difficile de l'emporter avec vous puisque sa taille est proportionnelle à ses capacités.

- A quel prix ? Pour seulement mille francs, vous trouverez un organiseur électronique simple mais relativement puissant. Pour mille francs de plus, vous pouvez vous procurer un assistant numérique personnalisé multifonction qui envoie et reçoit du courrier électronique à distance sur le réseau de votre entreprise ou par Internet et qui remplit d'autres fonctions informatiques. Avec trois mille francs, vous aurez un laptop de base qui fait plus encore. Les laptops les plus performants coûtent environ vingt mille francs, ils peuvent absolument tout faire, sauf la cuisine et promener le chien.

Maintenant que vous vous êtes fait une idée des avantages et des inconvénients qui guident votre quête d'un organiseur personnel, regardez comment les fabricants vous soutirent de l'argent.

L'organiseur personnel : maxi-calculatrice ou mini-ordinateur ?

Ces organiseurs électroniques ne sont pas complètement nouveaux. Depuis dix ans, les calculatrices Casio, Hewlett-Packard et Texas Instruments sont devenues de plus en plus performantes. Calculatrices de base à l'origine, ces machines ont peu à peu intégré des gadgets minuscules à base de microprocesseur incorporant des périphériques d'entrée et de sortie alphanumériques, communications, capacités de gestion de contacts, et plus encore. De tels produits ont brouillé la ligne de démarcation entre calculatrices et ordinateurs.

La plupart des organiseurs électroniques, comme ceux proposés par la ligne de produits Omnigo de Hewlett-Packard, permettent de mémoriser les rendez-vous, numéros de téléphone, emplois du temps et informations financières, de prendre également des notes, etc. Certains envoient et reçoivent même des fax et effectuent d'autres fonctions de microprocesseur et tableur.

A mesure que la technologie et les interfaces utilisateur continuent à se perfectionner, les managers découvrent la versatilité, la facilité d'utilisation et la rentabilité de ces produits. Selon l'utilisateur d'Omnigo Lori Burke, directeur des communications pour New England Shelter for Homeless Veterans : "Il existe enfin une manière plus facile de gérer les informations professionnelles et privées, sans devoir dépenser une fortune en stages divers d'apprentissage." Dans le système graphique intuitif de GEOS, les applications sont à deux touches ou réagissent au simple toucher d'un stylo.

Les points positifs des organiseurs électroniques sont leur taille (ils sont compacts et de plus en plus puissants) et leur coût. Aujourd'hui, les managers sont nombreux à penser qu'ils sont devenus des outils indispensables.

Les points négatifs : les mini-claviers, trop petits et inappropriés pour entrer de longues listes de numéros et adresses. Afin de contourner ce problème, certains systèmes offrent des options de connexion à ordinateur, qui facilitent considérablement la vie.

Assistants numériques personnels : l'avenir !

Depuis que les agendas journaliers ont quitté le marché, les *assistants digitaux personnalisés,* mini-ordinateurs de poche offrant des entrées au stylo, ont fait une entrée spectaculaire dans l'organisation du management. Vous pouvez non seulement vous en servir comme d'un agenda classique, mais effectuer rapidement et facilement un nombre phénoménal d'opérations.

Un exemple type des progrès de la technologie de l'information est donné par l'agenda personnel numérique de chez Motorola. Si ses caractéristiques ne provoquent pas chez vous une montée d'adrénaline et ne vous donnent pas de palpitations, alors qui le pourrait ? Ainsi donc vous pouvez :

- Planifier votre calendrier journalier.

- Gérer vos contacts professionnels.

- Envoyer et recevoir des messages électroniques sans fil.

- Envoyer des messages à des fax.

- Utiliser des réseaux internes.

- Vérifier les horaires d'avion et les cours boursiers.

- Chercher la capitale du Guam.

Qu'y a-t-il de plus génial et de plus efficace que de rassembler autant d'informations en un seul appareil électronique ? Avec son téléphone portable incorporé, l'Envoy (il pèse tout de même un kilo) vous libère de votre bureau ! *Viva la revolucion* !

Les ordinateurs : ils gèrent les affaires privées et professionnelles

Aujourd'hui, les ordinateurs font partie du mobilier. Macintosh ou PC, grand ou petit, il y a des chances pour que vous possédiez un ordinateur. Si c'est le cas, une grande variété de logiciels de gestion personnelle vous sont offerts comme le système autonome ACT, le fameux contact manager populaire de Jeffrey Mayer, ou le Schedule+ de la suite Microsoft Office, inclus dans le *package de logiciels*. Même Franklin Quest Co. s'est jeté dans ce marché en proposant le package ASCEND, une version électronique de sa ligne d'organiseurs personnels toujours très populaires.

Si les desktops sont très utiles pour organiser certaines tâches (plutôt fixes), mettre à jour les calendriers et contacts, les imprimer et les transporter dans sa serviette, les laptops, eux, ont révolutionné le monde des affaires. Ils sont aussi puissants que les desktops. Avec leurs modems incorporés, leurs capacités d'accès à des réseaux à distance et l'intégration de logiciels sophistiqués de gestion, les laptops permettent d'emporter son bureau avec soi dans ses déplacements, sur la route, dans le bureau d'un client ou dans une chambre d'hôtel - bref, partout.

Prenez le temps de passer en revue le soft Microsoft Schedule+, un package typique de management personnalisé d'informations. Bien que les fonctions exactes varient d'un fabricant à l'autre, celles contenues dans Schedule+ sont communes à la plupart :

- Listes de choses à faire.

- Prises de rendez-vous.

- Suivi des tâches.

- Gestion de contacts.

- Fusion de messages.

- Carnet d'adresses.

- Planning de réunions.

Selon Microsoft, l'idée de Schedule+ est de donner un panorama des rendez-vous, de gérer des tâches à remplir et de rendre les contacts clés accessibles aux utilisateurs.

Vous pouvez transférer très facilement des documents du desktop au laptop ou organiseur électronique, ce qui vous permet d'être informé partout et tout le temps (voir Figure 2.3).

Bob Nelson			L	M	M	J	V	S	D
				1	2	3	4	5	6
Mardi 16 avril			7	8	9	10	11	12	13
			14	15	16	17	18	19	20
			21	22	23	24	25	26	27
			28	29	30				

8:00	Petit déjeuner avec Boswell@ Hyatt
:30	
9:00	
:30	
10:00	Meeting
:30	
11:00	
:30	
12:00	
:30	Débriefing

Figure 2.3 : L'organiseur journalier Schedule+ vous informe quotidiennement.

Il suffit de cliquer sur votre souris pour visionner votre emploi du temps du jour, de la semaine ou du mois. Vous avez besoin de reporter un rendez-vous ? Pas de panique ! Cliquez et déplacez le rendez-vous avec la souris au jour et à l'heure souhaités. Votre "contact manager" vous permet d'enregistrer des noms, numéros de téléphone, fax et portables ainsi que d'autres informations importantes, dont les dates d'anniversaire et les prénoms des épouses de vos clients.

Vous pouvez rapidement programmer des réunions avec des collaborateurs sur le même réseau informatique en utilisant un "Meeting Winward" spécial, et envoyer des copies du planning de réunions avec les convocations. Si les personnes contactées vivent à l'étranger, Schedule+ ajuste automatiquement les heures de réunion pour vos destinataires à l'heure locale.

Scénario d'utilisation d'un assistant personnel numérique (APN)

Aujourd'hui, vous avez un déjeuner d'affaires pour discuter des problèmes de livraison d'un nouveau produit avec l'un de vos clients. Ce matin-là, vous ouvrez votre agenda à la date et notez l'heure et l'endroit du rendez-vous. Afin de ne pas oublier, vous mettez une sonnerie qui se déclenchera une heure exactement avant le rendez-vous. Vous passez en revue les notes que vous avez préparées pour l'entretien dans le taxi, puis jetez un oeil rapide sur les autres obligations de la semaine. Profitant de votre court déplacement à travers la ville, vous notez à la main un mémo pour vérifier l'avancée des travaux sur le projet de développement du port du Havre.

Lorsque vous arrivez au rendez-vous, vous glissez votre APN dans votre serviette et vous installez à la table de votre client. S'il vous ennuie avec ses histoires personnelles, attrapez votre APN et gribouillez quelques notes. Ensuite, après avoir créé un mémo détaillant les préoccupations de votre client, vous l'envoyez aux services clients et de livraison via e-mail. Vous effectuez cela rapidement à l'aide de votre cellulaire, sans même quitter la table. Il vous a suffi de tapoter un peu avec votre stylo. Puis, avant que le dessert ne soit servi, vous recevez un e-mail du service de livraison, détaillant leur plan pour corriger les problèmes. Après avoir informé votre client de ce message, vous lui proposez de le faxer à son bureau, afin qu'il le trouve à son retour.

Wow ! On aimerait bien voir votre vieux calendrier faire tout ça !

De plus, Schedule+ contient une série d'outils pour Sept Fonctions (voir Figure 2.4), destinées à optimiser vos efforts d'organisation.

Schedule+ rend le management plus facile. Il vous informe de vos retards et vous aide à organiser les tâches à accomplir en fonction de leur priorité et de les hiérarchiser (voir Figure 2.5).

Selon Microsoft, sa capacité à imprimer est la demande première des utilisateurs de Schedule+. C'est pourquoi Microsoft a incorporé plus de 1 500 façons d'imprimer des informations comme les emplois du temps personnels, les tâches à accomplir et les listes de contacts. Enfin, comme vous le verrez ci-après, Schedule+ peut transférer des informations choisies directement à la montre Times Data Link. Maintenant, votre gestionnaire personnel d'informations peut vous suivre partout.

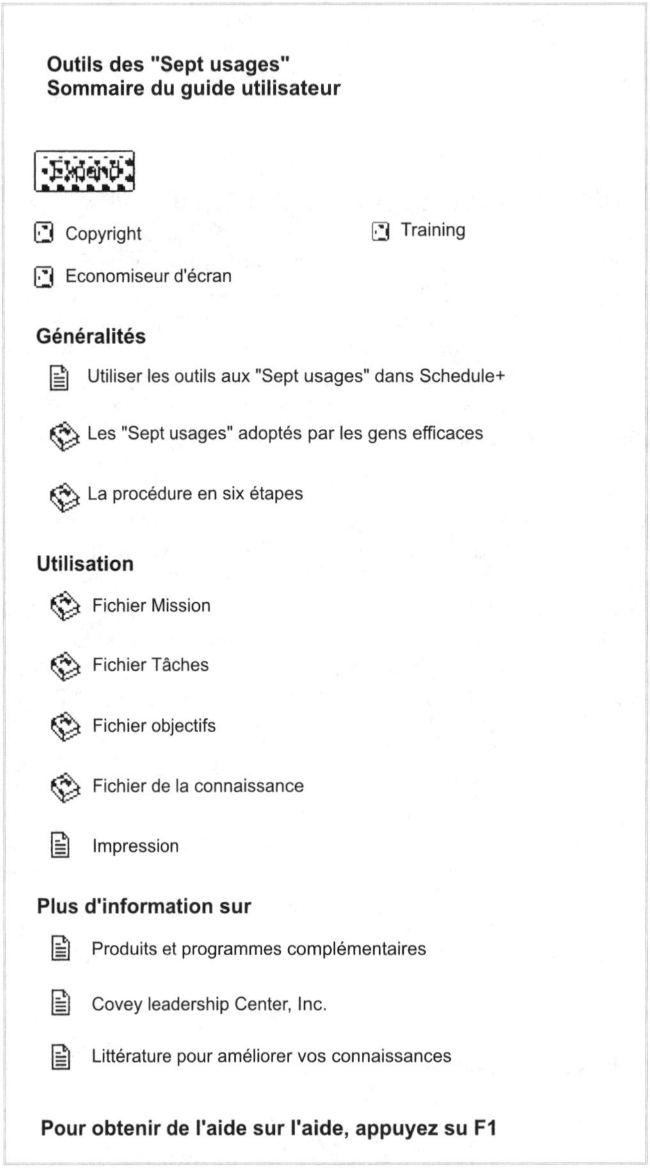

Outils des "Sept usages"
Sommaire du guide utilisateur

☐ Copyright   ☐ Training

☐ Economiseur d'écran

Généralités

📄 Utiliser les outils aux "Sept usages" dans Schedule+

📚 Les "Sept usages" adoptés par les gens efficaces

📚 La procédure en six étapes

Utilisation

📚 Fichier Mission

📚 Fichier Tâches

📚 Fichier objectifs

📚 Fichier de la connaissance

📄 Impression

Plus d'information sur

📄 Produits et programmes complémentaires

📄 Covey leadership Center, Inc.

📄 Littérature pour améliorer vos connaissances

Pour obtenir de l'aide sur l'aide, appuyez su F1

Figure 2.4 : Si ce système ne garantit pas un emploi du temps parfait, les outils Sept usages peuvent, en tout cas, lui donner une raison d'être.

		L	M	M	J	V	S	D
Bob Nelson			1	2	3	4	5	6
		7	8	9	10	11	12	13
Mardi 16 avril 1996		14	15	16	17	18	19	20
		21	22	23	24	25	26	27
		28	29	30				

A faire :

1

   1 Diriger les évaluations de performance, début Sam. 20/04/96, fin Mar. 30/04/96

2

   2 Solder les comptes d'actif, début Vend. 19/04/96, fin Vend. 19/04/96

3

   3 Projet de lettre à l'agence, début Vend. 05/03/96, fin Vend. 05/03/96

Figure 2.5 :
Plus
d'excuses
avec
Schedule+
Organiseur
d'emploi du
temps.

Une montre qui donne bien plus que l'heure !

Une montre est plus qu'une montre lorsqu'elle devient un organiseur personnel. Née de l'équipe du fabricant traditionnel Timex et du géant Microsoft, la montre Data offre de multiples possibilités.

En utilisant un récepteur-photo spécial, la montre Data Link peut recevoir et afficher les informations de Schedule+ directement de votre desktop ou laptop. Aucun fil ou hardware ne sont nécessaires. Appuyez simplement sur un bouton, et vous transmettez environ soixante-dix rendez-vous, numéros de téléphone, anniversaires et listes de choses à faire à votre montre, largement assez pour un déplacement d'une semaine.

Mais comment fonctionne cette montre ? Selon Pierre, qui a effectué des tests intensifs de Data Link pour son livre, la montre est "vraiment géniale".

Pour l'homme d'affaires occupé et pressé, ce gadget est peut-être la réponse. Plus d'organiseurs à transporter, plus de claviers riquiqui pour chercher et sélectionner vos messages. Dorénavant, il vous suffit d'entrer les emplois du temps dans votre desktop ou laptop, de transférer les données à votre montre, et le tour est joué. Bien sûr, vous ne pouvez pas prendre de notes ou changer les emplois du temps programmés simplement à partir de votre montre, mais c'est un petit prix à payer pour la *portabilité totale*. En plus, ces petites merveilles ont un *look d'enfer* ! La seule chose qu'elles ne peuvent pas faire, c'est assister aux réunions à votre place !

Choisir votre organiseur personnel

Choisir un organiseur est une affaire personnelle. Ce que vous recherchez ne conviendra pas à votre voisin. Maintenant, jetez-vous à l'eau et choisissez. Vous êtes manager et avez le droit de changer d'avis aussi souvent que vous le désirez. De toute façon, la plupart des *hommes et des femmes d'affaires* comptent beaucoup sur les systèmes manuels, en carton, malgré la prolifération des agendas électroniques. Selon *Daytimer Technologies,* 85 % des utilisateurs d'organiseurs électroniques se servent aussi des calendriers classiques.

Ce qui importe, c'est de trouver le système qui vous conviendra le mieux. Mais attention ! A partir du moment où vous aurez fait votre choix, plus question d'oublier un rendez-vous ou un anniversaire !

Prévenir la prochaine crise

Gérer les difficultés, et si possible les prévenir, nécessite une grande attention et une bonne organisation.

Des centaines de techniques différentes et de produits divers s'offrent à vous pour rentabiliser votre temps (le rendre plus productif), mais aucun n'est valable si vous n'arrivez pas à déterminer ce qui vous fait perdre un temps précieux. Cela peut être des rendez-vous non planifiés, des réunions qui durent trop longtemps, du courrier publicitaire qui encombre votre bureau, les doléances de vos collaborateurs. Bref, toutes ces choses qui conspirent dans le but de vous rendre inefficace.

Le petit problème du jour peut devenir la catastrophe de demain, si vous ne le réglez pas immédiatement. Hiérarchisez vos tâches chaque jour. Ensuite, concentrez-vous sur les dossiers prioritaires. Enfin, refusez la tentation de résoudre les problèmes de moindre importance avant les autres. Si vous ne déterminez et ne respectez pas les priorités, quelqu'un d'autre décidera à votre place.

Mais ne perdez pas espoir ! Vous avez les moyens de maîtriser votre vie professionnelle. En résumé, il vous faut un système d'organisation qui fera le tri entre ce qui est important et ce qui ne l'est pas. Quelle que soit la forme de ce système et votre manière de le mettre en application, assurez-vous que vous suivez bien ces quelques lignes directrices :

- **Achetez un calendrier et mettez-le à jour.** Peu importe qu'il soit classique ou très sophistiqué, l'important est d'en avoir un.

- **Isolez-vous une vingtaine de minutes au début de chaque journée pour déterminer les priorités.** Prenez le temps de gagner du temps.

Branchez votre téléphone sur le "voice mail" en vous gardant un créneau horaire de libre. N'hésitez pas à prendre rendez-vous avec vous-même.

- **Commencez par les choses pressantes.** Se libérer en premier des tâches subsidiaires prend du temps. Alors ne gardez pas le plus difficile pour la fin, parce que vous n'aurez plus assez d'énergie pour vous en occuper.

- **Si vous avez une assistante, assignez-lui la fonction d'intercepter et de détruire tout le courrier-poubelle.** Encore mieux, faites en sorte que tout soit détruit avant même de vous parvenir. Contactez les producteurs de ces pubs et faites vous rayer de leurs listes. S'ils vous embêtent, dites-leur qu'ils figureront sur les vôtres !

- **Consacrez vingt minutes à la fin de la journée pour régler les petites choses.** Faites le point sur votre travail, assignez des tâches à votre personnel, transmettez les informations nécessaires à vos collègues, classez les choses importantes et jetez tout le reste à la poubelle. Enfin, passez vite en revue vos rendez-vous de demain.

N'oubliez pas que vous avez pris un engagement avec vous-même. *Nous ne l'avons pas oublié, et nous ne vous lâcherons plus !* Vous organiser est probablement la chose la plus importante que vous puissiez faire afin d'améliorer votre efficacité. *Gérez-vous vous-même avant de gérer les autres.*

Testez vos nouvelles connaissances

Combien de fois devez-vous toucher un document ?

    A. Au moins dix fois avant de le classer.

    B. Une fois.

    C. Cela dépend de la quantité de café renversé dessus.

    D. Plus on le touche, plus on rit.

Quel est le meilleur organiseur personnel ?

    A. Celui en cuir de Coriolan.

    B. Celui qui fait le plus de bruit quand vous le lancez contre le mur.

    C. Celui qui impressionne le plus votre supérieur et vos collègues.

    D. C'est un choix personnel, celui qui vous va le mieux.

Chapitre 3

Délégation : faire exécuter sans se faire enterrer !

Dans ce chapitre :

Le management par la délégation.

Démystifier le concept de la délégation.

Mettre en application la délégation.

Choisir les tâches à déléguer.

Vérifier le travail de vos employés.

L'efficacité du management ne dépend pas seulement de vous (désolé de briser votre rêve), mais de la somme des efforts de toute l'équipe. Si vous êtes responsable d'un petit nombre d'employés, en vous consacrant corps et âme au travail à faire, vous y arriverez seul.

En revanche, si vous dirigez un nombre important d'employés, il vaut mieux partager les tâches. Et si vous tentez, malgré tout, de vous substituer à votre équipe, vous serez perçu comme un *micromanager* qui se prend pour un surhomme. Pire, sans responsabilités ni obligations, vos employés pourraient décider de ne faire que le minimum.

Déléguer certaines tâches ne signifie pas se rouler les pouces pour autant. Pour que le travail soit vraiment efficace, les managers doivent surveiller la progression de leurs employés, qui devra les mener vers la réalisation, en temps et en heure, de leurs objectifs.

Déléguer : la priorité du manager

Maintenant que vous êtes manager, vous allez être appelé à prouver votre efficacité dans plusieurs domaines. Il vous faut non seulement de bonnes compétences techniques, analytiques et d'organisation, mais surtout beaucoup de doigté dans les rapports humains. Mais, de toutes ces qualités, déléguer reste la priorité du manager. Ne pas savoir le faire est une cause majeure de l'échec du management.

Mais pourquoi les managers ont-ils tant de mal à déléguer ? Pour plusieurs raisons :

- Vous êtes trop occupé et n'avez simplement pas le temps.

- Vous ne faites pas assez confiance à vos employés.

- Vous ne savez pas comment faire pour bien déléguer.

Ou bien, peut-être n'êtes-vous toujours pas convaincu que déléguer soit une bonne idée. Si vous appartenez à ce large groupe de managers peu disposés à le faire (eh ! vous, là-bas, au fond ! Oui, vous vous reconnaissez !), eh bien voici pourquoi vous devriez laisser tomber vos préjugés et vos inhibitions et commencer dès maintenant à déléguer :

- **Votre succès de manager en dépend !** Les managers qui parviennent à gérer avec succès une équipe montrent qu'ils sont prêts pour des challenges plus importants et plus intéressants. Ces derniers s'accompagnent souvent d'une promotion avantageuse, de salaires plus élevés et autres agréments de la vie professionnelle.

- **Vous ne pouvez pas tout faire.** Que vous soyez un manager génial ou non, porter seul le fardeau de la réalisation des projets de votre entreprise n'est pas dans votre intérêt, sauf si vous voulez mourir jeune. De plus, n'aimeriez-vous pas connaître la vie à l'extérieur des murs de votre bureau ? Au moins une fois de temps en temps !

- **Votre fonction est de concentrer tous vos efforts sur ce que vos collaborateurs ne peuvent faire à votre place.** C'est pour cela que l'on vous paye, non ? Mettez-vous bien dans la tête que vous n'êtes ni programmeur ni employé de la compta ou représentant. Faites *votre* travail et laissez vos employés faire le leur.

- **La délégation implique les employés dans l'entreprise.** Lorsque vous conférez des responsabilités aux employés, individuellement ou en équipe, ils répondent en s'impliquant davantage. *Vous voulez dire que si je réussis, nous réussissons tous ? Vous avez tout compris.*

- **La délégation responsabilise les employés.** Si vous prenez toutes les décisions et lancez toujours toutes les idées, vos employés ne sauront jamais le faire et n'évolueront pas. Et devinez qui devra faire tout le travail ?

En tant que manager, vous êtes responsable de votre service. Encore une fois, cela ne signifie pas que vous devez seul mener à bien tous les projets.

Imaginez par exemple que vous gériez un service comptabilité pour une société de développement de logiciels. Lorsque cette dernière ne comptait que cinq employés et que les ventes n'atteignaient que 3 000 000 de francs par an, vous pouviez facturer vous-même vos clients, régler les fournisseurs et établir les salaires. En revanche, maintenant que les effectifs sont montés à plus de 150 employés et que les ventes dépassent les 300 millions de francs, vous ne pouvez même pas faire semblant de tout faire, il n'y a pas assez d'heures dans une journée. Maintenant, vous avez des employés qui s'occupent des comptes créditeurs, des comptes fournisseurs et des salaires.

Chaque employé que vous avez assigné à une tâche particulière a des connaissances spécialisées et des compétences dans son domaine. Oui, vous pourriez gérer personnellement les salaires s'il le fallait, mais le voulez-vous vraiment ? Le personnel qualifié que vous avez recruté le fera certainement mieux et plus rapidement que vous.

D'un autre côté, on vous a aussi choisi pour vos compétences. Celles-ci incluent certainement le développement et le suivi du budget, l'analyse des performances, la planification des objectifs de l'entreprise et le choix du café que vous buvez tous les matins. Avant de vous conseiller sur les tâches à déléguer, voyons quelques-uns des grands mythes qui entourent le mot "délégation".

Les mythes de la délégation

Vous avez sans doute de bonnes raisons pour ne pas déléguer le travail. Malheureusement, elles risquent d'entraver le bon fonctionnement de votre service et de faire de vous un mauvais manager. Ces mythes vous semblent-ils familiers ? Soyez honnête avec vous-même !

Premier mythe : vous ne faites pas confiance à vos employés

Si vous ne faites pas confiance à vos employés, à qui pouvez-vous vous fier ? Ces braves gens, pleins de bonne volonté, ne sont pas venus s'asseoir à leur bureau tout seuls. Vous souvenez-vous de la montagne de C.V. que vous avez dû considérer avec la plus grande attention, puis diviser en *gagnants, gagnants potentiels et perdants* ? Avez-vous oublié ces heures d'entretiens qui vous ont permis de sélectionner les meilleurs ?

Vous avez embauché vos employés parce que vous pensiez qu'ils étaient talentueux et dignes de confiance. Maintenant, votre travail consiste à leur faire confiance.

On récolte généralement ce que l'on sème. Les membres du personnel sont prêts, aptes et disposés à prendre des décisions ; il vous suffit tout simplement de leur en donner l'opportunité. Si certains d'entre eux ne peuvent répondre à votre demande, c'est à vous d'en déterminer la cause. A-t-il besoin d'une formation complémentaire ? De plus de temps ? Manque-t-il d'expérience ? Peut-être lui avez-vous confié une tâche trop difficile et au-dessus de ces compétences ? A vous de revoir votre copie !

Deuxième mythe : déléguer c'est perdre le contrôle

Si vous déléguez correctement, vous ne perdrez pas le contrôle, au contraire. En revanche, ce qui vous échappera c'est la façon d'y arriver. Imaginez une carte du monde. Combien y a-t-il de manières différentes d'aller de San Francisco à Paris ? Une seule ? Un million ? Certaines sont rapides, d'autres moins directes mais plus intéressantes, ces dernières sont-elles plus mauvaises pour autant ? Non. (Voir Figure 3.1.)

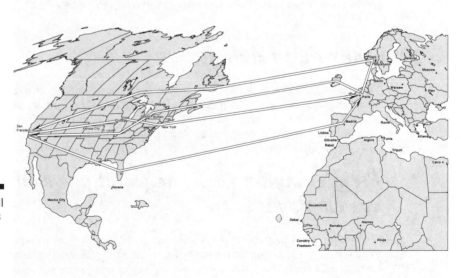

Figure 3.1 : Il y a diverses façons d'aller de San Francisco à Paris.

Toutes les tâches peuvent être réalisées de différentes manières. Vous devez toujours prendre en compte les nouvelles méthodes qui améliorent la qualité. Pourquoi votre manière de faire serait-elle la meilleure ? *Parce que je suis le boss !* Désolé, réponse fausse. Votre travail consiste à laisser vos collaborateurs parvenir aux résultats que vous souhaitez en les laissant libres de leurs choix pour y arriver. Bien sûr, vous devez toujours être présent, prêt à les conseiller, les épauler, les soutenir et répondre à leurs questions. Votre expérience les aidera beaucoup.

Troisième mythe : vous possédez toutes les réponses

Vous plaisantez, non ? Si vous pensez détenir la vérité, nous avons beaucoup de choses à nous dire, alors ! Aussi doué que vous puissiez l'être, vous ne savez pas tout. A moins d'être le seul employé de l'entreprise !

Vos employés, chacun dans leur domaine, représentent une mine d'or d'expérience et de connaissances. Ils sont souvent plus proches de vos clients et plus au courant que vous des problèmes de l'entreprise. Ignorer leurs suggestions et leurs conseils est non seulement irrespectueux, mais surtout aveugle et bête de votre part. N'ignorez pas cette ressource. D'ailleurs, vous la payez, que vous l'utilisiez ou non !

Quatrième mythe : vous pouvez faire le travail plus rapidement qu'eux

Vous avez peut-être l'impression de perdre moins de temps en faisant le travail vous-même, mais ce n'est qu'une illusion. Certes, au début, déléguer un travail demande quelques heures de formations, d'explications et de discussions. Mais ce temps n'est pas perdu et sera certainement mis à profit par ceux à qui vous l'avez consacré.

Cinquième mythe : déléguer c'est perdre son autorité

En fait, c'est tout le contraire : la délégation ne fait que confirmer votre autorité. Vous ne pouvez pas vous dédoubler, il y a des limites à ce que vous pouvez faire. Imaginez que tous les membres de votre équipe travaillent dans un but commun. Ce sera toujours à vous de fixer les objectifs et les délais, et aux employés de décider de la manière de procéder. Et rassurez-vous, votre autorité restera intacte.

En déléguant certaines tâches à vos employés, ils se sentiront pousser des ailes, seront plus sûrs d'eux et feront tout pour mériter davantage votre confiance.

Sixième mythe : seuls les employés seront couronnés de lauriers pour leur travail

Laissez tomber cette idée. Lorsque vous êtes employé, on vous félicite pour avoir rédigé un bon rapport, réalisé une étude de marché remarquable ou créé un nouveau programme informatique. Mais chacun sait, y compris votre patron, que vous êtes à l'origine de ce succès. Même si vous étiez le meilleur *"darn data entry operator"* au monde, cela n'a plus d'importance. Vous êtes maintenant censé développer et gérer une équipe performante. Les compétences exigées sont alors d'une nature différente, mais votre réussite résultera des efforts conjugués de tous.

Les managers intelligents savent que lorsque leurs employés brillent, ils rayonnent aussi. Plus vous déléguez, plus vous donnez à vos employés l'occasion de briller. Donnez-leur l'opportunité d'accomplir un travail important. Et s'ils le font bien, faites-le savoir à tout le monde. N'oubliez pas, vous serez toujours apprécié pour les performances de votre équipe (voir Chapitre 6).

Septième mythe : déléguer réduit votre disponibilité

Faux ! C'est tout le contraire ! D'accord, vous allez perdre un peu de temps au début, mais après, vous pourrez vous concentrer sur des affaires importantes et vous y consacrer. De plus, vous avez confié des tâches à des gens compétents. Alors, heureux ?

Plus vous déléguerez, plus vous serez flexible et disponible, puisque vos employés se chargeront d'accomplir les tâches quotidiennes nécessaires à la bonne marche de l'entreprise ; ce qui vous laissera amplement le temps de gérer les affaires pressantes.

Huitième mythe : vos employés sont débordés

Voilà comment se défiler en beauté ! Si vous ne déléguez pas, nous ne voyons pas par quoi votre personnel pourrait être débordé !

Placez-vous maintenant du côté de vos employés. Non, leur satisfaction du travail bien fait ne diffère pas de celle que vous pouvez vous-même ressentir. Ils veulent réussir autant que vous. Mais y parviendront-ils si vous ne déléguez rien ? Trop de managers ont perdu de bons collaborateurs parce qu'ils ne les ont pas aidés à se réaliser dans leur travail. Et trop d'employés sont devenus des robots sans cervelle parce que des managers obtus ont refusé d'encourager leur créativité.

Neuvième mythe : vos employés ont une vision étroite

Vos employés sont souvent des spécialistes dans leur travail, et si vous ne les aidez pas, ils auront effectivement une vision étroite des problèmes, qu'ils ramèneront tout naturellement au domaine qui leur est familier. Comme nous l'avons vu dans le premier chapitre, votre tâche consiste à leur donner une vision globale du chemin à parcourir.

Malheureusement, trop de managers font de la rétention d'informations, pensant ainsi garder le contrôle sur tous et sur tout. Quelle erreur ! Non seulement vous ralentissez le travail, mais vous braquez contre vous des personnes qui ne demanderaient qu'à vous seconder et à s'investir davantage dans l'entreprise.

Il faut faire confiance à vos employés

En déléguant, vous faites confiance à l'autre. Cependant, il peut arriver que cet autre se trompe, fasse une erreur ; c'est alors à vous de le soutenir et de l'aider en assumant ses fautes. Face à votre directeur, vous ne direz pas : "*Je sais, nous étions censés faire parvenir la proposition au client aujourd'hui, mais Jean a fait une erreur.*" Quand vous déléguez, vous n'abdiquez pas et vous assumez.

Commencer à déléguer est un peu comme faire du saut à l'élastique pour la première fois : vous sautez d'une minuscule plate-forme située à plusieurs mètres au-dessus du sol, et priez pour que la corde ne lâche pas. N'oubliez pas non plus que vos employés sont aussi un petit peu anxieux. L'idée d'entreprendre une tâche nouvelle pourrait bien les faire hésiter. C'est à ce moment-là que vous devez intervenir. Ils ont besoin de vos conseils et de votre expérience pour faire le grand saut !

Les six commandements de la délégation

Déléguer ne ressort pas du domaine de l'improvisation. Il faut avant tout savoir ce que l'on peut déléguer, comment et pourquoi. Pour vous aider dans cette démarche, voici les six premières mesures à prendre :

1. **Informer.** Décrivez exactement ce que vous attendez de vos collaborateurs, donnez-leur des délais et laissez-les entrevoir les résultats que **vous** recherchez.

2. **Expliciter le contenu de la tâche.** Expliquez pourquoi la tâche doit être accomplie, l'importance de sa réalisation pour l'entreprise et les difficultés susceptibles d'être rencontrées au cours du travail.

3. **Déterminer les moyens.** Mettez-vous d'accord sur les moyens à utiliser pour assurer le succès de la réalisation. Ceux-ci doivent être réalistes et possibles.

4. **Accorder de l'autorité.** Il faut accorder une certaine autorité à ceux qui travaillent pour vous et avec vous, afin qu'ils se sentent pleinement responsables.

5. **Soutenir.** Déterminez et fournissez les moyens nécessaires à l'accomplissement de la tâche. Le secret d'une réalisation couronnée de succès exige de l'argent, de la formation et toujours des conseils.

6. **Obtenir l'engagement des employés.** Assurez-vous que votre collaborateur est vraiment prêt à s'investir dans ce travail. Confirmez vos attentes et vérifiez s'il a bien compris le but que vous devez atteindre.

Lorsqu'elle est bien effectuée, la délégation profite autant aux employés qu'au manager. Pourquoi donc ne déléguez-vous pas davantage ? Peut-être ne savez-vous pas ce qu'il faut déléguer. Si beaucoup de tâches peuvent être confiées à d'autres, certaines ne doivent absolument jamais l'être.

Ce qu'il faut et ce qu'il ne faut pas déléguer

Théoriquement, vous pouvez déléguer des tas de choses à vos employés. Non, pas tout ! N'exagérez pas, sinon pourquoi vous paierait-on ? Il y a les tâches à déléguer et celles que vous devez impérativement effectuer vous-même.

Lorsque vous déléguez, commencez par des choses simples, lesquelles, si elles ne sont pas réalisées à temps, n'auront aucune incidence sur le bon fonctionnement de l'entreprise. Au fur et à mesure que vos employés prendront de l'assurance et acquerront de l'expérience, vous leur confierez des tâches plus importantes. Evaluez avec précision les compétences de vos collaborateurs, puis assignez-leur des tâches de leur niveau ou légèrement plus élevées. Donnez-leur des délais de réalisation et contrôlez l'évolution du travail. Une fois que vous aurez compris le système, vous n'aurez plus rien à craindre de la délégation.

Toujours déléguer certaines tâches

Certaines tâches sont faites pour être déléguées. En tant que manager, vous devez saisir chacune des opportunités qui se présentent et déléguer, par exemple, celles qui suivent :

Le travail et les détails

En tant que manager, il n'est rien de pire que de perdre son temps à régler les détails du style : vérifier des pages et des pages de chiffres, passer des jours à essayer de trouver une panne d'ordinateur ou bien vérifier les heures effectives de travail de vos employés. Selon l'expression : 20 % des résultats c'est 80 % du travail, voilà pourquoi vous avez été nommé à ce poste. Allez, en cherchant bien, et souvent pas trop loin, vous trouverez certainement quelqu'un qui se fera un plaisir de s'occuper de cela à votre place.

Maintenant que vous êtes manager, votre rôle est d'orchestrer une équipe pour la diriger vers un objectif commun. Laissez les employés régler les détails, et concentrez vos efforts sur des tâches plus rémunératrices propres à dynamiser le travail de l'équipe.

Rassembler les informations

Naviguer sur le Web pour y glaner des informations sur vos concurrents, passer des heures à lire *Fortune Magazine*, ou emménager dans votre bibliothèque municipale et vous plonger dans des tonnes de références pendant des semaines entières ne sont pas une façon efficace d'utiliser votre temps de manager. Cependant, la plupart des managers s'y laissent prendre. S'il est agréable de lire des journaux, des rapports, des livres ou des magazines, sachez qu'ils détournent des tâches difficiles du management que l'on ne peut remettre à plus tard. On ne vous paie pas pour rassembler les informations, mais pour les interpréter, les analyser et les utiliser si nécessaire.

Des tâches répétitives

Comment gérer les tâches quotidiennes ? Est-ce vraiment à vous de rédiger le compte rendu hebdomadaire de production, de faire tous les quinze jours votre rapport sur les dépenses, de vérifier le budget, et d'éplucher la note de téléphone ? Non, votre temps est beaucoup trop précieux pour vous adonner à ces tâches de routine.

Cependant, votre travail consiste tout de même à définir les caractéristiques de ces tâches. Combien de fois réapparaissent-elles ? Pouvez-vous les anticiper suffisamment tôt pour permettre à un employé de s'en charger avec succès ? Comment former vos employés pour qu'ils puissent les réaliser ? C'est fait ? Alors, il ne vous reste plus qu'à établir un emploi du temps et vous pourrez retourner à vos occupations.

Les rôles de substitution

Vous avez le sentiment de devoir être partout à la fois, n'est-ce pas ? C'est impossible. Mais pas de panique, vos collaborateurs sont là, qui s'occuperont d'organiser les réunions, les conférences, les visites de clients, etc. Votre orgueil va sans doute en prendre un coup, mais sachez que votre présence n'est pas toujours indispensable.

A la prochaine réunion, faites-vous représenter par l'un de vos collaborateurs, duquel vous exigerez, bien entendu, qu'il vous fasse un rapport comportant les points essentiels qui y auront été soulevés. Non seulement vous gagnerez un temps précieux, mais vous pourrez juger des compétences de votre employé en ce domaine.

Les devoirs futurs

En bon manager, vous formerez votre personnel en insistant sur les nouvelles responsabilités qu'il devra assumer. Par exemple, si vous devez planifier le budget annuel de votre département, n'hésitez pas à confier à l'un (ou plusieurs) de vos employés la tâche d'analyser toutes les études de marché qui ont été effectuées en ce sens.

Et ne tombez pas dans le piège d'inscrire systématiquement vos collaborateurs à des stages de formation exorbitants. Si ces stages sont parfois nécessaires, ils sont souvent inutiles. On estime à 90 % les formations faites au sein même de l'entreprise, par des managers compétents et expérimentés.

Eviter de tout déléguer

Il est des tâches que vous ne pouvez absolument pas déléguer et pour lesquelles vous avez justement été nommé à ce poste.

Voir à long terme et fixer les objectifs

Votre position en haut de l'échelle vous donne une perspective unique et une vision globale des besoins de votre entreprise (voir Chapitre 1). Vous seul pouvez voir et prévoir à long terme, c'est l'une des obligations qui vous incombent et que vous ne pouvez déléguer.

Apprécier les performances, discipline et conseils

De tout temps, les relations employés/managers ont souvent été houleuses, difficiles ou inexistantes. Et, dans le tourbillon d'activité d'une journée de travail, rares sont les managers qui pensent à donner un "bonjour" ou un "bonsoir", pourtant si importants.

Tout démarre avec ce genre de détails qui vous feront ou non apprécier de votre personnel. *S'il ne dit même pas bonjour en arrivant, ça promet pour la suite !* Vous devez absolument accorder de l'attention et du temps à vos employés. Ils attendent beaucoup de vous. C'est dans ce climat de confiance et de respect mutuel que vous pourrez efficacement juger de leurs compétences et de leurs qualités, mesurer leurs efforts et connaître leurs limites.

Des positions politiquement sensibles

Certaines tâches sont vraiment trop "politiquement sensibles" pour être assignées à vos employés. Imaginez que vous êtes chargé de faire l'audit des frais de voyages de l'entreprise. Les résultats montrent qu'un membre de l'équipe a fait plusieurs voyages personnels aux frais de l'entreprise. Déléguez-vous alors la responsabilité d'alerter un employé de la situation explosive ? *Dis donc, Suzanne, tu pourrais peut-être parler de ce problème à ma place au conseil d'administration !*

Non, c'est à vous de le faire. C'est à vous d'affronter ce genre de responsabilités. Etre manager est parfois difficile, mais vous êtes aussi payé pour prendre des décisions délicates et en assumer les retombées.

Devoirs personnels

Si, parfois, votre chef vous confie personnellement une tâche à accomplir, c'est qu'il a sûrement de bonnes raisons de le faire : vous avez peut-être des compétences que personne ne possède pour réaliser ce projet. Dans ce cas, il n'est pas question de déléguer ce travail. Vous pouvez cependant faire appel à vos collaborateurs pour rassembler quelques informations.

Des informations confidentielles ou sensibles

En tant que manager, vous êtes au courant de certaines informations que le personnel ne connaît pas comme les salaires, les revenus, les data de propriété ou le résultat des évaluations personnelles. Communiquer ces informations confidentielles aux mauvaises personnes pourrait avoir de graves conséquences. De même, si par une indiscrétion de votre part, vos concurrents étaient au courant de certains projets développés à des coûts très élevés et résultant de longues heures de travail, cela pourrait porter un coup fatal à l'entreprise. A moins que votre personnel ait une bonne - mais vraiment bonne - raison de savoir... Motus et bouche cousue !

Contrôler globalement au lieu de contrôler minutieusement

Maintenant, accrochez-vous, car ça se complique. Supposez que vous ayez surmonté les premiers obstacles de la délégation. Après avoir fourni la formation et les moyens nécessaires à un employé, vous lui confiez une tâche à accomplir. Que faut-il faire ensuite ?

Environ une heure après, vous vérifiez qu'il s'est bien mis au boulot. Deux heures plus tard, vous vérifiez sa progression. Au fur et à mesure que la fin du délai approche, vous augmentez la fréquence de vos visites jusqu'à ce que votre employé passe plus de temps à répondre à vos questions sur sa progression que sur la réalisation réelle de la tâche. Sachez que, chaque fois que vous faites pression sur lui, il se déconcentre et commence à douter de ses compétences. Résultats, son travail est inexact et incomplet. A qui la faute ? Et réfléchissez bien avant de répondre.

Quand la délégation rate

Il arrive parfois que la délégation rate complètement. Comment identifier les signes avant-coureurs des dangers avant qu'il ne soit trop tard, et comment sauver la mise ? Vous pouvez surveiller la performance de vos employés de plusieurs façons :

- **Un système d'observation formalisé :** utilisez un système formalisé pour observer les tâches et les délais. Ce système peut être informatisé ou manuel.

- **Un suivi personnalisé :** ajoutez à votre système d'observation une forme informelle de visites faites à vos employés et vérifiez régulièrement l'avancée des travaux confiés.

- **Tester :** prenez de temps en temps la température en emportant avec vous une partie du travail effectué par vos employés, afin de contrôler que le travail atteint bien les niveaux exigés et convenus.

- **Rapports de progression :** avoir des rapports réguliers sur la progression de vos employés peut vous permettre d'anticiper les problèmes ou d'envisager le succès.

Si vous découvrez que vos employés ont des ennuis, plusieurs solutions s'offrent à vous :

- **Des conseils :** discutez des problèmes avec eux et accordez-vous sur la façon d'y remédier.

- **Revenez en arrière :** si les problèmes persistent malgré tous vos efforts pour les résoudre, ne leur retirez pas le travail, mais soyez plus présent et gardez sur eux un œil vigilant et compréhensif.

- **Réorganisez les activités :** dernière solution en cas d'échec, si vos employés ne peuvent pas effectuer une tâche, retirez-leur (avec le plus grand tact) et confiez-la à ceux qui seront plus aptes à l'accomplir.

Dernière option : après avoir confié une tâche à votre employé, vous ne faites plus rien. Au lieu de surveiller en permanence leur évolution et de proposer votre soutien, vous passez à autre chose. Quand l'heure de vérité arrive, vous êtes surpris de découvrir que le travail est loin d'être terminé. Interrogé sur cet échec, votre employé répond qu'il n'a pu obtenir certaines informations et que, pour ne pas vous déranger, il a décidé de se débrouiller tout seul. Cela part d'un bon raisonnement, mais ralentit dangereusement le travail.

Trouver le bon équilibre est difficile.

 Chaque employé est unique. Certains s'avèrent rapidement très autonomes et prêts à endosser des responsabilités, tandis que d'autres ne peuvent fournir un bon travail que s'ils sont encadrés de très près. Les "anciens" n'ont pas besoin de la même attention que les nouveaux, parce qu'ils ont acquis une certaine expérience.

Déléguez, tout en restant vigilant :

- **Soyez attentif aux besoins de vos employés.** Si votre employé est performant dans son travail sans que vous ayez à le surveiller étroitement, suivez-le de loin. Si l'employé nécessite davantage d'attention, créez un système de visites qui vous permette de suivre son évolution de très près.

- **Utilisez avec diligence un système informatisé ou manuel pour la surveillance des tâches que vous assignez aux employés.** Servez-vous d'un agenda journalier, d'un assistant personnel numérique, ou d'un software de gestion du temps, que vous avez couru acheter après avoir lu le Chapitre 2. La Figure 3.2 montre le module de surveillance de tâches dans Microsoft Schedule+. Prendre l'engagement de s'organiser est important. Faites-le !

- **Maintenez les lignes de communication ouvertes.** Assurez-vous que vos employés aient conscience qu'à tout moment ils peuvent vous faire part de leurs problèmes. Essayez de savoir s'ils ont besoin de plus de formation ou s'ils désirent d'autres outils de travail.

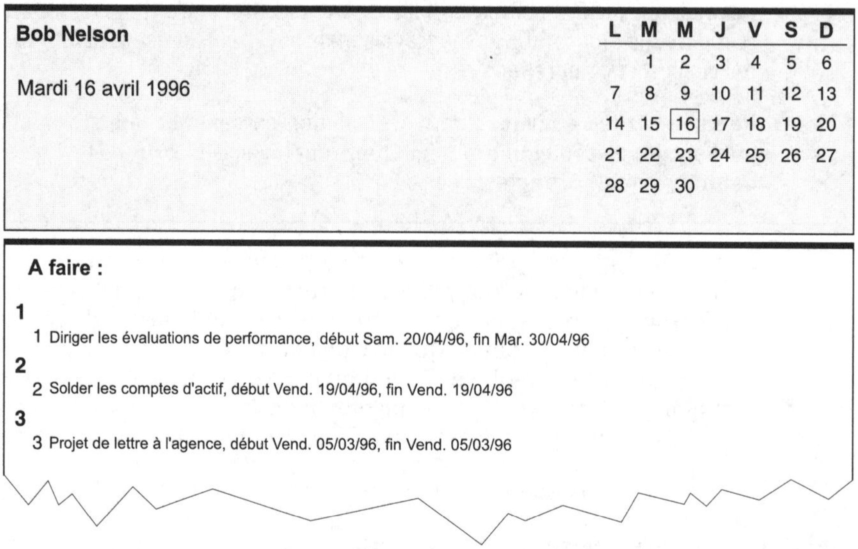

Bob Nelson	L	M	M	J	V	S	D
		1	2	3	4	5	6
Mardi 16 avril 1996	7	8	9	10	11	12	13
	14	15	16	17	18	19	20
	21	22	23	24	25	26	27
	28	29	30				

A faire :

1

1 Diriger les évaluations de performance, début Sam. 20/04/96, fin Mar. 30/04/96

2

2 Solder les comptes d'actif, début Vend. 19/04/96, fin Vend. 19/04/96

3

3 Projet de lettre à l'agence, début Vend. 05/03/96, fin Vend. 05/03/96

Figure 3.2 : Le module de surveillance de tâches dans Microsoft Schedule+

- **Tenez-vous à vos accords passés avec vos employés.** Si un rapport arrive trop tard, cherchez à savoir pourquoi. Malgré la tentation de laisser passer certaines choses (*C'est vrai qu'il traverse une période difficile, chez lui),* les ignorer ne rend service à personne. Assurez-vous de l'investissement personnel de chacun de vos collaborateurs.

- **Récompensez les performances de ceux qui atteignent ou dépassent vos attentes, et conseillez ceux qui n'y parviennent pas.** Si vous ne faites pas savoir aux employés que vous êtes satisfait de leur travail, ils auront l'impression de n'avoir rien fait. Faites-leur remarquer leurs qualités et leurs faiblesses. Vous trouverez plus de détails à ce sujet aux Chapitres 7 et 10.

Testez vos nouvelles connaissances

Quels bénéfices retirez-vous de la délégation ?

A. Vous obtenez une motivation croissante des employés et une équipe de travail plus efficace.

B. Vous pouvez prendre plus de temps à midi pour déjeuner.

C. Vous pouvez blâmer vos employés quand les choses vont mal et vous attribuer les succès quand ça roule.

D. Vous vous préparez paisiblement à la retraite.

Devez-vous utiliser un système formel pour surveiller les tâches des employés ?

A. Non, vous avez tout en tête et même les dates fixées.

B. Non, vous ne souhaitez pas que vos employés pensent que vous êtes un dictateur.

C. Oui, un système formel vous aide à assurer que tout sera réalisé dans les temps.

D. Non, une fois que vous avez confié une tâche à votre employé, vous pouvez vous reposer sur vos lauriers.

Chapitre 4

Menez, suivez ou disparaissez de notre vue

Dans ce chapitre :

Faire la différence entre leadership (capacité à diriger) et management.

Devenir leader.

Définir les caractéristiques du leadership.

Adapter son style de leadership.

Qu'est-ce qui fait un bon leader ? Livres et vidéos inondent le marché et d'interminables séminaires ont traité du sujet. En fait, le leadership demeure une qualité qui en illusionne plus d'un.

Les études montrent que les points communs des bons leaders sont l'optimisme et la confiance. Positifs et sûrs d'eux, ils ont une influence bénéfique sur tous ceux qui les côtoient. Voisins, le leadership et le management sont en fait très différents ; le leadership va beaucoup plus loin que le simple management. Un manager peut être organisé et efficace, sans être un leader, c'est-à-dire un meneur qui poussera les autres à se surpasser. D'après Peter Drucker, le leadership est la base d'une entreprise. Nous sommes tout à fait d'accord avec lui !

Nombreux sont les employés qui aimeraient travailler pour des leaders. *"J'ai l'impression de ne pas avancer, si seulement mon boss pouvait, pour une fois, prendre une décision. En attendant, je ne sais pas ce que je dois faire."* Attendre, ils le font tous, jusqu'à ce que leur chef se rende finalement compte qu'un projet a deux mois de retard. Les cadres supérieurs cherchent des hommes et des femmes capables de leadership. *"Vous devez prendre la responsabilité de votre département et redresser les comptes avant la fin de l'année fiscale !"* Parfois, les leaders doivent faire preuve d'autorité. *"S'il ne remet pas de l'ordre dans le processus de facturation, je vais m'y mettre moi-même !"*

Un leader renvoie une certaine image de lui-même, et pour beaucoup il est une référence. Nous verrons dans ce chapitre quelles sont les compétences et les caractéristiques requises pour faire d'un bon manager un leader. "*Vous voulez dire que je ne peux pas devenir un leader génial seulement en lisant ce livre ?*" Pour devenir un bon leader, il faut avoir compris et maîtrisé certaines bases fondamentales du management (voir Chapitre 1).

Les différences entre le management et le leadership

Etre un bon manager, c'est un exploit. Le management n'est en aucune façon une tâche facile, et acquérir les multiples compétences exigées peut prendre des années. Les meilleurs managers font leur travail efficacement, sans stress ni agitation excessifs. À l'image des régisseurs d'un grand théâtre qui travaillent dans l'ombre, mais qui font qu'une représentation se déroule sans aucun incident, les meilleurs managers sont souvent ceux que l'on remarque le moins.

Les super-managers sont experts dans l'optimisation de l'organisation en vue d'atteindre leurs objectifs. Ils se concentrent sur l'instant présent, s'obligent à résoudre les problèmes au fur et à mesure qu'ils apparaissent, et ne se projettent pas trop loin dans le temps. "*Stop ! Inutile de me raconter ce que vous ferez l'année prochaine ! Je veux des résultats immédiats !*" Mais pouvoir compter sur de bons managers dans une entreprise ne suffit pas.

 Toutes les sociétés ont besoin d'un excellent management ; cependant, celui-ci n'aboutit pas forcément aux résultats escomptés. C'est pourquoi les entreprises ont besoin d'un brillant leadership.

Les leaders cultivent tous une qualité exceptionnelle : pouvoir se projeter dans le futur, afin de prévoir les besoins de l'entreprise et déterminer les moyens qu'elle aura à mettre en œuvre pour être plus performante que les autres. Les objectifs à atteindre des leaders ne diffèrent pas beaucoup de ceux des managers, seule change la façon d'y parvenir.

Les managers ont tous leur politique d'encadrement ; ils utilisent des procédures qui leur sont propres, établissent les emplois du temps, posent des jalons, développent leur système de motivation et décident de la discipline à exercer, etc. "*Quoi ? Vous avez raté l'étape du projet de EDRD ? Vous savez qu'on ne peut pas se permettre d'être en retard, la campagne publicitaire a déjà commencé ! Revoyez cet emploi du temps, s'il vous plaît, et déposez un rapport détaillé sur mon bureau demain pour m'expliquer ce que vous envisagez de faire pour rattraper ce temps perdu.*" Et si une autre étape est ratée, la menace de sanction ou de licenciement est toujours une arme réelle dans l'arsenal des managers.

Les leaders, eux, défient leurs employés d'atteindre les objectifs de l'entreprise en leur donnant une vision alléchante du futur et en révélant leur potentiel. Pensez aux grands leaders de ce siècle ! Le président John F. Kennedy défia le peuple américain de faire atterrir un homme sur la Lune. Il l'a fait. Lee Lacocca défia la direction et les employés de la *Chrysler Corporation* de sauver la compagnie de la faillite et de bâtir une nouvelle industrie qui serait leader sur le marché. Ils l'ont fait. *Idem* pour Jack Welch de *General Electric* qui défia ses employés d'aider le groupe à faire partie des premiers.

Tous ces leaders ont un point commun. Ils ont tous lancé des défis, apparemment insurmontables, mais bien tentant pour qui veut se mesurer aux plus grands. Sans les efforts et la motivation des employés, sans cesse poussés par leurs leaders, les Etats-Unis n'auraient jamais fait atterrir un homme sur la Lune, la marque *Chrysler* aurait disparu et *General Electric* ne compterait pas aujourd'hui parmi les plus grandes entreprises américaines.

Le travail des leaders

Les compétences exigées pour être leader ne relèvent ni de la sorcellerie ni du fantastique. Il suffit aux managers de se servir de ce qu'ils ont appris et de l'utiliser au maximum.

Inspirez l'action

Malgré la réticence de certains managers à le croire, il est des employés pour qui (outre l'aspect financier) le travail est vital. Ceux-là, les leaders les ont bien sûr remarqués et poussés à exprimer leur talent.

Les leaders connaissent la valeur de leurs employés, ainsi que leur capacité à s'investir dans l'entreprise. Pouvez-vous en dire autant ? Bon, alors lisez plutôt ce que ces leaders avaient à dire dans les *Mille et une façons de récompenser les employés,* de Bob Nelson.

- Président et D.G. de la *Ford Motor Compagny*, Harold A. Poling affirme : "L'un des tremplins pour obtenir une opération world-class est de puiser dans le réservoir créatif et intellectuel de chacun des employés."

- Selon Paul M. Cook, fondateur et D.G. de *Raychen Corporation* : "La plupart des gens, qu'ils soient ingénieurs, managers ou simples opérateurs, veulent être créatifs. Ils désirent se réaliser dans leur profession au sein de leur entreprise. Ils veulent apporter leur contribution pour donner à la société plus de confort, une meilleure santé et davantage de motivation."

- Cofondateur et leader de *Hewlett-Packard*, Bill Hewlett déclare : "Les hommes et les femmes veulent faire du bon travail, créez-leur un environnement favorable, et ils le feront."

Malheureusement, peu de managers récompensent leurs employés pour avoir fait preuve de créativité ou pour s'être surpassés dans la réalisation d'un projet. Et trop de managers ne cherchent rien d'autre que des employés qui exécutent des tâches mécaniquement, sans poser ni questions ni problèmes. Quel gâchis lorsque l'on sait que parmi eux il en est dont la créativité ne demande qu'à être révélée...

Usez de votre influence de manager pour aider vos employés à utiliser leur énergie dans leur travail au lieu de la "gaspiller" en s'occupant de la bureaucratie, de la paperasserie, des procédures et autres travaux subalternes.

Les leaders sont différents ; au lieu de vider les employés de leur substance, ils leur insufflent sans cesse une nouvelle énergie. Comment ? En éliminant tout ce qui pourrait nuire à leur créativité et en leur laissant entrevoir ce que sera leur avenir. Parfois même, les leaders mettent en évidence des qualités que les employés ne soupçonnaient même pas.

Proposez des projets alléchants à vos employés, faites-leur entrevoir un avenir radieux au sein de l'entreprise et tracez le chemin qui mène à la créativité. Votre personnel sera conscient de l'effort à faire pour y parvenir, mais réalisera que rien n'est insurmontable.

Communiquez

Les leaders prennent l'engagement de communiquer avec leurs employés et de les maintenir informés. Non seulement les employés voudront davantage s'investir dans leur travail, mais ils feront entendre leurs opinions et leurs suggestions. Les super-leaders gagneront leur confiance en communiquant directement avec eux et en leur permettant de s'informer auprès d'autres leaders de l'entreprise.

Comment établir une telle communication dans votre entreprise ? Considérez les expériences de ces leaders, qui se sont épanchés dans Les *Mille et une façons de récompenser les employés* :

- Selon Donald Peterson, président et D.G. de *Ford Motor Compagny* : "Lorsque j'ai commencé à visiter les usines et à rencontrer les employés, ce qui me rassurait c'était l'énergie positive et exceptionnelle qui se dégageait de nos conversations. L'un d'eux m'a avoué qu'en vingt-cinq ans de maison il avait détesté toutes les minutes passées dans l'entreprise, jusqu'au jour où on lui avait demandé son avis. Cette question changea la nature même de son travail."

- Andrea Nieman, assistante administrative à la *Rolm Corporation*, résume l'attachement de son entreprise aux valeurs de la communication : "*Rolm* reconnaît que les gens sont l'atout premier. La séparation du "nous" et "eux" n'existe pas chez nous ; chacun est important. La direction est visible et accessible. On trouve toujours le temps de parler pour trouver des solutions et proposer des changements."

- Quant à Robert Hauptfuhrer, président et D.G. de *Oryx Energy* : "Donnez-leur la chance de ne pas être cantonné à une tâche bien précise et sans grand intérêt et ils seront transformés ; ils chausseront leurs rollers et se précipiteront au-devant de nouvelles responsabilités."

Lorsque Bob a accédé au poste de directeur chez *Blanchard Training and Development*, il s'est engagé à communiquer avec son équipe, en commençant par les informer des propos tenus à chaque réunion au sommet. Inutile de préciser que le personnel apprécia cette décision.

Les super-leaders savent que le leadership n'est pas à sens unique. Celui des années quatre-vingt-dix est un échange d'idées : les leaders créent une certaine vision des objectifs de l'entreprise que les employés développent par la suite. Tout le personnel se concerte sur la meilleure manière d'atteindre ces objectifs. C'est ça la communication ! Il n'y a pas si longtemps, le management était synonyme de commandement. Aujourd'hui, la plupart des managers ont réalisé que l'entreprise n'était pas une caserne et les employés de simples troufions.

Soutenez et facilitez

Les leaders savent créer des environnements calmes et sereins, dans lesquels chacun, confiant, s'exprime sans crainte. Certains managers devraient pendre exemple sur eux, qui punissent encore leurs employés lorsqu'ils tentent de faire part à leur chef de leurs doutes, de leur difficulté à mener à bien un projet, etc.

Les leaders soutiennent leurs employés et facilitent leur travail. Ce n'est pas le cas de l'ancien patron de Pierre, qui dirigeait son entreprise en véritable dictateur. Tous les membres de l'équipe de management appréhendaient les face à face et redoutaient ses hurlements. Certains d'entre eux portent encore la marque de leur passage dans cette société qui les a psychologiquement éprouvés. Voici quelques réflexions de managers tirées des *Mille et une façons de récompenser les employés* :

- Catherine Meek, présidente de la société de conseil en rémunération *Meek and Associates*, nous dit : "Voilà vingt ans que je fais ce travail, et si je devais ne citer qu'une seule chose des propos recueillis auprès de centaines d'employés, je dirais que les entreprises ont toutes fait un effort quant à la reconnaissance de l'investissement personnel des travailleurs. Nombre d'entre eux m'ont avoué que l'argent n'était pas tout. Et plus d'une fois j'ai entendu ces propos-là : 'Si mon boss pouvait simplement s'apercevoir que j'existe. Il ne s'adresse à moi que lorsque je fais des erreurs. Mais quand je fais du bon travail, je n'entends plus rien.'"

- Selon Lonnie Blittle, un employé de la chaîne de montage pour *Nissan Motor Manufacturing Corporation USA* : "Nos managers ne nous ont jamais tenus à l'écart et nous informaient de tout, au même titre que n'importe quel employé. Et nos mains pleines de cambouis ne les ont jamais repoussés. C'étaient des hommes de terrain."

- James Berdahl, vice-président du marketing pour *Business Incentives*, dit : "Les gens ont besoin d'avoir des responsabilités. Leur permettre de décider a un impact considérable sur leur travail et leur motivation au sein de leur entreprise."

Au lieu de regarder couler leurs employés, les leaders leur envoient toujours des bouées de secours. S'ils autorisent une certaine liberté d'action, les leaders sont très présents et se tiennent prêts à intervenir pour aider leur personnel. Ce dernier est mis en confiance et acquiert peu à peu de l'assurance.

Les atouts majeurs du leadership

Le monde change à la vitesse de la lumière (ou presque). Vous avez tout intérêt à prendre le rythme, parce qu'à notre avis il n'est pas prêt de s'arrêter en si bon chemin. Eh oui, le temps passe, mais le vrai leadership, inébranlable, résiste aux plus fortes tempêtes. Bien sûr, il s'adapte, mais vous verrez ici que les bases principales demeurent les mêmes.

Méfiez-vous des nouvelles tendances

Selon Stanley Bing, le chroniqueur zélé de *Fortune Magazine*, aujourd'hui, la principale tendance du monde des affaires veut que les managers soient de *bons parleurs* et de *bons démarcheurs*. Il faut savoir que "*bon parleur*" signifie *donner l'impression de savoir ce que vous racontez* et "*bon démarcheur*" *donner l'impression de savoir où vous allez*.

Le schéma ci-dessous donne le pourcentage des cadres "bons parleurs" et "bons démarcheurs". S'il y a vingt ans c'était encore possible, vous verrez qu'il est de plus en plus difficile d'être à la fois "bon parleur" et "bon démarcheur" Voici donc quelques conseils de Bong, qui vous seront bien utiles :

- D'abord, être un bon orateur, même lorsque les autres ne semblent pas comprendre ce que vous dites. L'important est d'être perçu comme tel, alors persévérez !

- Si vous n'êtes pas en position d'être un bon orateur, soit parce que l'un de vos supérieurs est bien meilleur que vous en ce domaine, soit parce que vous avez la bouche pleine, devenez un bon démarcheur et ne tardez pas à prouver vos qualités.

- Enfin, n'essayez pas de faire les deux à la fois avant d'être vraiment bon. Il n'y a rien de plus pathétique que de se planter devant des employés morts de rire. Alors, entraînez-vous !

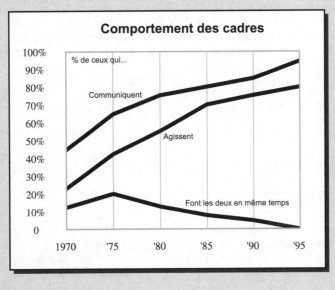

Comportement des cadres

% de ceux qui...

Communiquent

Agissent

Font les deux en même temps

L'optimisme

Pour tous les grands leaders, le futur est toujours le jardin d'Eden. Face à l'adversité et aux difficultés qu'ils rencontrent pour atteindre leurs objectifs, les leaders doivent toujours regarder vers l'avenir avec optimisme et confiance. Ce volontarisme entraînera tous ceux qui entreront en contact avec eux.

Chacun recherche la satisfaction du travail bien fait, guidé par des hommes ouverts, qui croient en l'avenir de l'entreprise. Lequel d'entre nous aimerait travailler pour un chef qui broie du noir à longueur de journée et qui, au lieu de motiver ses employés, les encourage à peaufiner leur CV ?

Nous l'avons déjà dit, l'optimisme est contagieux ; en peu de temps, un bon leader peut transformer une équipe de somnambules en une force vive de travail, et ce pour le plus grand profit de l'entreprise et de ceux qui y participent.

Soyez optimiste et transmettez votre enthousiasme à votre entourage.

La confiance

S'ils sont décidés, les leaders sont absolument sûrs de pouvoir accomplir n'importe quelle tâche. Quoi ? Une montagne de 1 000 mètres nous sépare du but à atteindre ? Pas de problème, encordez-vous, on l'escalade. Vous dites qu'un vaste océan aura raison de nous ? Allez chercher vos palmes. Hmmm… une crevasse sans fond nous empêche d'avancer ? À trois, on saute. Vous êtes prêts ?

Les leaders confiants font des disciples confiants, ce qui explique les succès spectaculaires des entreprises pour lesquelles ils travaillent.

 Soyez un leader confiant et les résultats que vous obtiendrez en épateront plus d'un.

L'intégrité

L'une des caractéristiques qui distinguent les super-leaders des autres, c'est l'intégrité : l'éthique, certaines valeurs et le fair-play. Les gens honnêtes (on pense à vous) veulent suivre des leaders honnêtes. Une étude récente met en avant le souhait des employés de travailler pour des leaders intègres. Un chef équitable et honnête se fera non seulement respecter de ses employés, mais également de ses clients et de tous ceux qui gravitent autour de lui.

La plupart des personnes actives passent un tiers (ou plus) de leur temps au travail. Il va sans dire que l'argent est important et que tout le monde attend avec impatience son salaire pour payer le crédit de la maison ou de la voiture ou acheter des chaussures pour bébé, mais il n'est pas tout. En effet, que leur entreprise fabrique des ampoules, détruise des déchets radioactifs, développe du software ou livre des pizzas, chacun voudra avant tout se réaliser dans son travail.

Les cinq principes moraux et fondamentaux des entreprises

Dans leur livre *Le Pouvoir du management, éthique,* Ken Blanchard et Norman Vincent Peale proposent cinq principes moraux, indispensables à toute entreprise qui se respecte. "Nous pensons que les premiers pas qui mènent au succès de l'entreprise doivent être faits selon un bon code moral établi par des managers intègres."

- **La finalité :** les projets de l'entreprise nous sont directement communiqués par la direction, laquelle nous a également transmis des valeurs que nous avons, ou non, approuvées.

- **L'honneur :** nous sommes fiers de nous et des valeurs morales que nous défendons au sein de notre entreprise.

- **La patience :** en ne perdant jamais de vue qu'un code moral — que nous avons accepté — guide nos actions, nous accomplissons nos tâches en toute quiétude. Peu importe le temps que nous avons passé à obtenir des résultats, l'important est de bien comprendre comment nous les avons obtenus.

- **La persévérance :** nous avons pris l'engagement de vivre selon une certaine éthique. Nous nous assurerons donc que nos actes soient toujours en harmonie avec nos intentions.

- **La perspective :** nos managers et nos employés prennent le temps de faire le point, de réfléchir, de voir où ils en sont. Ils évaluent leurs objectifs et déterminent la meilleure façon d'y parvenir.

Etre décisif

Les meilleurs leaders le sont. Si la même plainte d'un employé se répète, c'est que leur chef n'est pas à la hauteur. Certains managers ne prennent jamais de décision de peur de se tromper. Ils font confiance au temps pour effacer ou étouffer les questions, les doutes ou les hésitations de leurs collaborateurs et rêvent aussi parfois qu'un coup de baguette magique fera apparaître celui ou celle qui décidera à leur place.

Les super-leaders, eux, prennent des décisions. Ne pensez pas qu'ils détiennent la science infuse et connaissent toutes les réponses. Non, mais ils cherchent, se documentent, se renseignent auprès des personnes concernées et seulement ensuite proposent une solution raisonnée.

Soyez décisif. N'attendez pas que l'on réagisse à votre place. Parfois, prendre une décision, même si ça n'est pas vraiment la bonne, vaut mieux qu'un long silence qui sera de toute façon mal interprété.

Chacun son rythme : le leadership de situation

Adopter un style original pour diriger n'est plus suffisant. Non seulement les restructurations, la concurrence ou la politique de marché ont radicalement modifié l'environnement de travail depuis une vingtaine d'années, mais la main-d'œuvre a aussi profondément changé. Si vous voulez être un bon manager, il faut dorénavant utiliser plusieurs styles de management, qui correspondront aux besoins variables de vos employés.

Le leadership de situation consiste à déterminer rapidement le potentiel d'un employé, afin de lui assigner les tâches qu'il pourra accomplir sans difficulté. Il n'y a pas ici de recette miracle, car chaque employé est différent, c'est donc au leader de s'adapter.

Dans le leadership de situation, trois facteurs interviennent, indissociables :

- Délimiter le pouvoir donné par un leader à ses employés.

- Établir le degré de soutien qu'un leader doit fournir à ses employés.

- Déterminer la capacité des employés à effectuer des tâches, occuper des fonctions ou réaliser des objectifs.

 Le leadership ne peut se concevoir s'il n'intègre pas ces quatre grandes lignes directrices, qui devront être adaptées aux besoins de chaque employé :

Diriger

Un leader très directif ne peut soutenir efficacement une équipe expérimentée. En revanche, les jeunes recrues auront besoin d'un encadrement serré qui canalisera leur énergie et leur enthousiasme. Au lieu de se disperser, ils seront pris en mains et travailleront sous l'œil vigilant de leur leader.

Supposez que vous deviez faire réaliser un assemblage complexe de pièces à des employés fraîchement arrivés dans l'entreprise. Si pour toute explication vous leur donnez un mode d'emploi dont le nombre de pages n'a rien à envier à l'annuaire, de toute évidence, ils feront de leur mieux pour comprendre et réaliser seuls ce projet, mais quant au résultat... Au fait, vous aimez les sculptures de César ?

 Là, pour le coup, il faudrait appliquer le leadership directif. Prenez le temps de vous asseoir avec vos employés et de décrire clairement les objectifs à atteindre et la façon d'y parvenir. Ou alors, demandez à l'un de vos meilleurs assembleurs de former les nouveaux employés au cours du processus. Si l'un d'eux commet une faute, corrigez-la immédiatement. Considérez qu'ils sont en apprentissage et freinez un peu leur créativité. Chaque chose en son temps, et pour le moment ils doivent suivre rigoureusement les instructions.

Entraîner

Lorsqu'un leader peut à la fois être directif et soutenir ses employés, on dit de lui qu'il est un entraîneur.

En bon coach, vous devez encourager ceux qui doutent ou semblent baisser les bras ; vous devez vérifier leur travail très régulièrement. D'autres, plus indépendants et plus confiants n'auront besoin de vos conseils que pour être sûrs qu'ils sont sur la bonne voie. Mais n'attendez pas qu'ils vous demandent de les aider (beaucoup, d'ailleurs, n'oseraient même pas le faire), c'est à vous de pressentir leurs besoins !

Dans le sport ou au sein d'une entreprise, les entraîneurs doivent diriger leurs équipes, mais ne participent pas au jeu. Ils fournissent la formation, l'encadrement, assurent une direction claire et un soutien solide.

Soutenir

Un bon leader doit toujours soutenir ses collaborateurs, surtout ceux qui manquent encore de confiance en eux et ont du mal à effectuer seul un travail.

S'ils sont bien encadrés et s'ils sentent et perçoivent les encouragements et le soutien de leur leader, plus rien alors ne pourra les empêcher de faire du bon travail. Lorsqu'ils seront totalement en confiance, ils pourront s'élancer librement, sans filet.

Cela résume bien le véritable rôle du leader, qui est de s'adapter à toutes les situations et de se concentrer sur la meilleure façon de soutenir ses employés. Il doit aussi faire surgir leur potentiel et leurs compétences.

Proposez toujours à vos employés des moments durant lesquels vous écouterez leurs suggestions et discuterez de leurs idées. Lorsque vous les faites participer activement à la réalisation d'un projet qui vous tient à cœur, vous créez une nouvelle motivation et renforcez leur confiance.

Parfois, vous serez agréablement surpris des idées géniales de certains employés. Mais attention, ne rejetez pas en bloc celles qui le sont moins. Profitez-en pour expliquer pourquoi et comment une idée est ou non réalisable. Cet apprentissage est inestimable pour eux. Rendez-vous compte, vous leur apprenez à être autonomes !

Déléguer

Enfin, la délégation s'opère lorsque les leaders n'ont plus besoin d'être très directifs et de soutenir tous les membres de l'équipe. Ce style de leadership concerne les employés qui sont à la fois expérimentés, compétents et sûrs de leur travail. C'est généralement à eux que les missions les plus difficiles sont confiées.

Chacun dans son domaine peut être très compétent. Peut-être que votre chef des ventes atteint régulièrement, et à temps, tous les objectifs fixés, peut-être que celui qui s'occupe du courrier fait tous les jours un travail formidable sans que vous ayez à y mettre votre grain de sel. Ce pourrait être aussi le responsable du service clients qui fixe les étapes pour la réalisation du projet et surveille la progression de l'équipe.

En tant que leader, vous devez faire en sorte que tous vos employés deviennent des "battants". Sans les presser à occuper des postes à responsabilités, plus vite vous déléguerez, plus vite vous pourrez vous concentrer sur ce que vous êtes seul qualifié à faire.

Testez vos nouvelles connaissances

Quelles sont les choses les plus importantes que les leaders font ?

A. Manger en chantant.

B. Payer la note aux déjeuners d'affaires, faire de grands discours et suivre de près l'assiduité des employés.

C. Inspirer l'action, communiquer, soutenir et faciliter.

D. Se préparer au succès en portant des lunettes noires.

Quelles sont les quatre principes fondamentaux du leadership de situation ?

A. Diriger, contrôler, punir et virer.

B. En fait il n'y en a que trois.

C. Diriger, entraîner, soutenir et déléguer.

D. Ils changent tout le temps.

Deuxième partie
Le management : la dimension humaine

"Pour une approche plus agressive, nous avons notre série de posters de motivation 'ou avertissement'".

Dans cette partie...

Nous verrons que le management est avant tout *une affaire de personnes, et* omment les meilleurs managers parviennent à obtenir des résultats sans intimider ou sans tendre la carotte au bout du bâton, mais simplement en établissant de bonne relations professionnelles.

Chapitre 5
Embauche :
le bon choix

Dans ce chapitre :

Déterminer vos besoins.

Recruter de nouveaux employés.

Écouter, mémoriser.

Evaluer vos candidats.

Prendre la grande décision.

*T*ous les managers le savent, trouver la bonne personne au bon moment est parfois difficile. Si vous avez récemment eu besoin de recruter, ce qui suit ne vous sera pas étranger. Tout d'abord, vous passez une annonce et attendez de recevoir les meilleurs C.V. Deux jours plus tard, quelque deux cents canditatures s'étalent sur votre bureau. Vous bondissez de joie en pensant qu'ils sont la preuve que votre entreprise est la meilleure.

Mais à la lecture des premiers C.V., vous déchantez : *"Il ne correspond pas du tout au profil !" "Quoi ? Elle n'a jamais fait ce genre de travail auparavant ?"*

Vous vous dites : "Autant chercher une aiguille dans une meule de foin..." Ne soyez pas si étonné. Aujourd'hui, tout le monde cherche du travail et chacun tente sa chance.

Votre mission, si vous l'acceptez, sera de repérer les candidats les plus qualifiés pour le poste. Vous aurez de nombreux moyens à votre disposition, mais votre budget sera limité. Il faudra être astucieux et débrouillard, mais, plus que tout, avoir une présence d'esprit de tous les instants. Une fois que vous aurez repéré vos candidats, votre tâche sera de sélectionner, d'embaucher et de veiller à ce que cette personne soit bien accueillie au sein de votre société. Vous devez à tout prix faire le bon choix, car à ce niveau-là, les erreurs coûtent cher. Bonne chance. Cette cassette s'auto-détruira dans cinq secondes.

Définir les caractéristiques de vos nouveaux employés

Les employeurs sont à l'affût de candidats compétents. Que cherchez-vous à savoir lorsque vous êtes face à un postulant ? La liste suivante vous donne une idée des qualités que les employeurs prennent en considération.

- **Travailleur :** beaucoup de travail peut souvent combler un manque d'expérience. Vous devez embaucher ceux qui sont prêts à se lancer corps et âme dans leur travail. Inversement, un niveau élevé de connaissances ne peut combler un manque d'initiative ou de volonté. Interroger et écouter avec attention les candidats que vous recevez peut vous donner une petite idée de leurs intentions et de leur motivation.

- **Sociable :** chacun sait qu'au cours d'un entretien, il est difficile de présager du comportement et de l'attitude qu'adoptera la personne recrutée au sein d'une équipe. Cependant, c'est en posant les bonnes questions et en étant très attentifs aux réponses que vous pourrez entrevoir si le candidat semble être coopératif, agréable et sociable.

- **Expérimenté :** diplômé de Stanford, Pierre pensait naïvement que le monde du travail allait lui ouvrir toutes grandes ses portes. Cependant, il lui manquait un élément essentiel, l'expérience. Et si certains, de bonne guerre, s'inventent des travaux qu'ils n'ont effectué et qui ne sont plus vérifiables, quelques questions précises et pointues vous ferons découvrir le pot aux roses.

- **Stable :** vous ne voulez pas embaucher et former quelqu'un qui demain sera déjà à la recherche d'un autre poste. Vous pouvez avoir une première idée de la stabilité potentielle d'une personne en lui demandant pendant combien de temps elle a travaillé pour son employeur précédent et pourquoi elle l'a quitté.

- **Responsable :** vous cherchez à embaucher des personnes qui ne seront pas apeurées par les responsabilités. Des questions sur le style de projets dont ils ont été responsables, et le rôle qu'ils ont joué tout au long de leur réalisation, peuvent vous aider à déceler cette qualité importante. Si le candidat se présente avec des chaussettes rouges, c'est un mauvais point pour lui. Non, arrêtez, pas de blague, on plaisante !

Engager les bonnes personnes est l'une des tâches les plus importantes des managers. Malheureusement, nombreux sont ceux qui l'expédient en consacrant le minimum de temps possible à l'entretien. Dans l'embauche, comme dans la vie, les résultats que vous obtenez sont généralement proportionnels au temps que vous y avez consacré. Si vous vous dévouez afin de trouver les meilleurs candidats pour un poste, vous êtes d'autant plus sûr d'y arriver. Si vous comptez sur le facteur chance, vous serez peut-être déçu de vos découvertes.

Définir le poste à pourvoir

S'agit-il d'une création de poste ou cherchez-vous à remplacer quelqu'un ? Dans les deux cas, avant de lancer le processus de recrutement, vous devez savoir exactement quels critères vous allez utiliser pour évaluer vos candidats. Plus vous êtes clair sur ce que vous recherchez, plus facile et moins arbitraire sera le processus de sélection.

Si le poste est nouveau, voilà l'opportunité de concevoir votre candidat idéal. Ebauchez un profil de l'emploi où toutes les tâches, responsabilités, qualifications et niveau d'expérience nécessaires à ce poste seront décrits. Si le travail exige de l'expérience en programmation de C++, précisez-le. Ne soyez pas timide ! Vous ne pourvoirez pas le poste avec un expert en C++ si vous n'en faites pas la priorité du profil de l'emploi. Plus vous fournirez d'efforts à ce stade-là, plus vous réduirez le risque d'erreurs.

Si le poste existe déjà, redéfinissez-le avec précision. Ici encore, le profil de l'emploi doit refléter exactement les tâches et les conditions requises pour le poste. Si vous aviez du mal à obtenir de votre ancien employé qu'il accepte de remplir de nouvelles tâches, comme rédiger le compte rendu d'une réunion ou préparer le café (c'est encore une blague, quoique...) en ajoutant ces nouvelles charges au profil de l'emploi, vous explicitez clairement quelles sont vos attentes et ne vous exposerez pas à un refus.

Préparer les grandes lignes de l'entretien à l'avance est un atout supplémentaire. Vous pouvez facilement argumenter des raisons pour lesquelles vous n'avez pas embauché les candidats.

Trouver les bonnes personnes

Plus les dirigeants sont compétents, plus l'entreprise est performante. À condition, bien entendu, qu'ils sachent s'entourer des meilleurs.

Il va sans dire qu'un mauvais recrutement peut être non seulement désagréable à vivre, mais désastreux pour l'entreprise, qui parfois mettra plusieurs années à s'en remettre, suivant l'importance du poste occupé. On ne peut que trop insister sur l'importance d'embaucher les bonnes personnes. Voulez-vous passer ouvertement quelques heures supplémentaires pour trouver les meilleurs candidats ou préférez-vous passer des heures interminables à essayer de former un candidat, qui visiblement n'est pas à sa place dans votre entreprise ?

Sélectionner les meilleurs candidats est très important, mais comment les repérer et où les trouver ?

La réponse est simple : *partout*. Bien entendu, si vous recherchez un ingénieur programmateur ou journaliste confirmé, ne passez pas votre annonce dans *Salut les Copains*. Eh ! Au fait, si vous alliez voir chez vos concurrents ? (Voir Figure 5.1.)

"Vous pouvez avoir une carrière excitante dans la physique nucléaire. Demandez simplement une brochure..."

Figure 5.1 : Voici typiquement le genre d'annonce à ne pas faire.

Voici maintenant quelques-unes des meilleures façons de trouver des candidats. Il vous faut avant tout lancer une campagne de recrutement. Mais ne déléguez pas entièrement cette tâche à votre service des ressources humaines. Qui mieux que vous saura dénicher la perle rare ? (Ne voyez là aucune offense envers votre service des ressources humaines !)

- **Chercher d'abord à l'intérieur de votre entreprise :** avant de chercher tous azimuts, faites une petite enquête dans votre société ; qui sait, peut-être y trouverez-vous, à moindre frais, la personne idéale.

- **Les pistons :** avant de lancer un recrutement, parlez-en. Collaborateurs, collègues, amis, parents ou voisins, beaucoup voudront vous recommander quelqu'un de leur connaissance, en qui ils ont confiance. De plus, ce qui n'est pas à négliger, ils sauront vous dresser un portrait de la personne beaucoup plus précis et complet que ne pourrait le faire un simple C.V.

- **Les agences d'intérim :** l'embauche d'intérimaires pour des tâches ponctuelles est devenue une pratique très répandue pour beaucoup d'entreprises. Et si la personne montre des qualités exceptionnelles, rien ne vous empêche de l'embaucher. Si au contraire elle ne convient pas, un coup de fil à l'agence et le remplacement se fait aussitôt ; vous évitez ainsi toutes les procédures de licenciement ou de versement d'indemnités.

- **Les associations professionnelles :** la plupart des professions possèdent leur association, chargée de les conseiller, de les défendre en cas de litiges, etc. Que vous soyez médecin (et fassiez partie de l'Association médicale française), ou camionneur (et apparteniez à l'association des camionneurs de France), vous pouvez, sans problème, trouver une organisation correspondant à votre profession. Il existe aussi des associations d'associations. Les associations liées au métier de la presse sont des lieux idéaux pour passer vos annonces, puisque les lecteurs sont déjà présélectionnés.

- **Les agences de recrutement :** si vous voulez pourvoir un poste qui requiert une certaine spécialisation ou recruter sur un marché restreint sans perdre de temps, laissez quelqu'un d'autre s'occuper du recrutement et de la sélection de vos candidats. Les agences de recrutement parviennent généralement à cibler et à localiser les personnes qualifiées et correspondant au profil. Cependant, pour vos recrutements de haut niveau, il vous faudra sûrement l'aide d'une agence spécialisée de recruteurs de cadres ou de chasseurs de têtes.

- **Internet :** de plus en plus de sociétés utilisent les réseaux d'internet pour recruter. La prolifération des pages de *"corporate World Wide Web"* a apporté une nouvelle dimension au recrutement. Elles vous permettent de faire passer des quantités presque illimitées d'informations sur les postes à pourvoir, en formats de texte, audio, graphique ou vidéo. Vos pages travaillent pour vous 24 h sur 24, 7 jours sur 7.

  Pour avoir des exemples de pages Web particulièrement efficaces qui ont été configurées par des sociétés spécialisées, mettez votre Browser sur : http :\\www.microsoft.com.

- **Recherchons... :** faire passer des annonces dans la presse est parfois un peu coûteux, mais c'est aussi une manière de toucher un large public. L'inconvénient majeur, c'est les milliers de C.V. reçus qui ne correspondent pas au profil et qu'il faut tout de même lire. Mais que fait votre service des ressources humaines ?

Vous pouvez devenir le meilleur manager-recruteur au monde !

Quel type de manager/recruteur êtes-vous ? Passez-vous des heures à préparer les entretiens, revoir les C.V., lire les profils d'emplois, écrire et réécrire des questions jusqu'à ce qu'elles soient parfaitement formulées ? Ou êtes-vous du genre manager débordé qui n'a réfléchi à l'entretien qu'au moment ou le candidat passe le pas de votre bureau ? Il n'y a pas de secret, pour qu'un entretien soit bien mené, il faut l'avoir préparé. Rappelez-vous du temps qu'il vous a fallu pour vous préparer lorsque vous-même cherchiez du travail. Vous n'avez pas simplement franchi le seuil de la porte, pris une chaise et bu le café gentiment offert par la secrétaire, n'est-ce pas ? Vous avez probablement passé des heures à faire des recherches sur les entreprises qui vous intéressaient, vous avez voulu connaître ses produits et ses services, et savoir quelle était sa place sur le marché. Vous vous êtes sûrement préparé aux entretiens avec un ami dans le rôle du patron ou devant votre glace. Ne pensez-vous pas qu'ici il faut faire la même chose, mais dans l'autre sens ?

Poser les bonnes questions

Au cours d'un entretien, les réponses que vous obtiendrez dépendront directement des questions que vous aurez posées. C'est pourquoi il faut y avoir longuement réfléchi avant.

Comment poser des questions géniales ? Richard Nelson Bolles, auteur du guide fantastique de recherche de travail _Votre parachute est de quelle couleur ?_, fait quelques propositions :

- **Pourquoi êtes-vous ici ?** Franchement, pourquoi cette personne est-elle assise devant vous et prend la peine de s'entretenir avec vous aujourd'hui ? Vous n'avez qu'une façon de le savoir, demandez-le-lui. Vous supposez que c'est pour obtenir un poste dans votre entreprise ; mais n'en soyez pas si sûr, vous seriez étonné.

  Bruce Hatz, manager chez Hewlett-Packard, nous raconte l'histoire de ce candidat qui, pendant tout l'entretien, ne cessa de vanter les performances d'une société concurrente, pensant avoir frappé à la bonne porte. (Source : _San Jose Mercury-News_ on America Online, 12/6/95.)

- **Que pouvez-vous faire pour nous ?** Voilà une question importante ! Bien sûr, les candidats vont tous vous aveugler avec leur personnalité sublime, leur longue expérience, leur éthique de travail, leur faculté d'adaptation hors du commun et leur amour du travail en équipe. Alors soyez vigilant et cernez rapidement les vraies personnalités.

  Martha Stoodley, ancienne employée de l'agence de recrutement _Advanced Micro Devices, Inc._, rapporte l'histoire d'un candidat qui commença l'entretien en demandant dans combien de temps il pouvait espérer avoir une prime ou une augmentation. Vous devinez la suite... (Source : _San Jose Mercury-News_, 12/6/95.)

- **Quel genre de personne êtes-vous ?** Difficile de savoir d'emblée si le candidat recruté est un ange ou un démon. Et penser que vous allez passer les trois quarts de votre temps à ses côtés vous pousse à cerner davantage sa personnalité. C'est important ! Si le nouvel employé s'avère efficace, mais aussi souriant qu'une porte de prison, cela promet de bons moments...

- **Avons-nous les moyens de vous acheter ?** Quelle tête ferez-vous si, au cours de l'entretien, vous sentez que vous avez en face de vous la personne que vous recherchez depuis si longtemps et qu'au moment de conclure en annonçant le salaire, vous vous rendez compte que vous n'êtes absolument pas sur la même longueur d'onde ? Gardez en tête que le salaire que vous payez à vos employés n'est en fait qu'une partie d'un ensemble de compensation global. Même si vous n'êtes pas en mesure de rassembler plus d'argent pour les salaires de candidats particulièrement remarquables, vous êtes peut-être en mesure de leur proposer des avantages plus intéressants, un bureau avec vue, un titre plus impressionnant ou la clef pour le sauna, d'habitude réservé au membres de la direction.

Les questions à poser

Que faut-il donc faire pour préparer les entretiens ?

- **Relisez les C.V. de tous les candidats le matin avant le début des entretiens.** Non seulement vous passez pour un mauvais si vous lisez un C.V. pendant l'entretien, mais vous n'aurez plus le temps de modifier les questions en fonction des qualités et des expériences décrites justement dans les C.V.

- **Familiarisez-vous avec le profil de l'emploi.** Connaissez-vous parfaitement toutes les compétences que requiert ce poste ? Franchement, décrire à un candidat des tâches incompatibles avec le poste offert jette un froid.

- **Notez quelques questions avant l'entretien.** Etablissez une liste décrivant le niveau d'expérience souhaité, les compétences et les qualités que vous recherchez chez vos candidats et utilisez-la pour guider vos questions. Evidemment, une question peut en engendrer d'autres auxquelles vous n'aviez pas pensé. N'hésitez pas à les poser ; si elles vous sont venues à l'esprit au bon moment, c'est qu'elles méritent d'être énoncées.

- **Choisissez un lieu calme et agréable.** Votre candidat sera de toute façon mal à l'aise. Vous n'avez pas besoin de l'être aussi. Assurez-vous au préalable que le lieu choisi soit bien ventilé, privé et à l'écart. Il ne faut absolument pas que le téléphone sonne ou que des employés débarquent dans votre bureau. Cela risque non seulement de déstabiliser le candidat, mais aussi de vous faire perdre le fil. Ariane ! Au secours !

- **Eviter de paraître supérieur pendant l'entretien.** Oubliez les vieux trucs déstabilisateurs comme aveugler les candidats avec votre lampe halogène braquée sur eux, monter la température ou scier les pieds de leur chaise. (Certains managers le font toujours !) Réveillez-vous, on est proche de l'an 2000 !

- **Prenez des notes.** Ne comptez pas sur votre mémoire ; aussi bonne soit-elle, vous ne pourrez retenir les propos tenus et les impressions que vous vous êtes fait de dizaines de candidats.

Vous l'avez sans doute compris, les entretiens sont décisifs pour déterminer si oui ou non un candidat fera l'affaire. Après un minimum de bla-bla nécessaire à tout entretien, et tandis que le candidat sort un mouchoir de sa poche pour s'éponger le front, testez donc son sens de l'humour en posant cette question : "Fait-il assez chaud pour vous ?" Entrez ensuite dans le coeur du sujet et posez des questions jusqu'à ce que vous soyez satisfait et pensez avoir toutes les informations nécessaires pour prendre votre décision.

N'oubliez jamais de prendre des notes. Essayez d'éviter la tentation de faire des gribouillages et de dessiner des bonshommes ou la voiture de vos rêves. Notez les points clés des réponses de vos candidats et de leurs réactions à vos questions. Par exemple, s'ils se montrent très nerveux à la question : "Pourquoi avez-vous quitté votre emploi ?", notez cette réaction. Enfin, écrivez tout de suite vos impressions sur les candidats.

- "Exécutant de premier ordre, la star de sa classe."

- "Expérience phénoménale au sein d'un service clientèle. La meilleure candidate jusqu'à présent."

- "Waow ! Il sort d'où, celui-là ?"

Les questions censurées

Le sujet des questions à ne poser sous aucun prétexte mériterait son propre chapitre. Même si vous êtes manager depuis peu, vous savez de toute façon que vous pouvez vous mettre dans des situations compliquées pendant un entretien et que certaines questions peuvent vous mettre dans un sérieux pétrin si vous faites l'erreur de les poser.

N'hésitez pas à censurer certaines questions et à refuser des rendez-vous. Par exemple, accepter l'invitation pour un dîner en tête à tête avec le candidat n'est pas vraiment une bonne idée. A la fin d'un entretien particulièrement long chez *Hewlett-Packard*, une manager invitée par un candidat à dîner nota la proposition, mais la déclina et décida pour finir de ne pas accorder le poste au Prince Charmant. (Source : *San Jose Mercury-News* on America Online, 12/6/95.)

Et puis, il y a les sujets que vous ne pouvez en aucun cas aborder en entretien. Certains, d'ailleurs, sont susceptibles de poursuites en justice. L'entretien est de grande importance dans le processus de l'embauche en ce qu'il se rattache à une possibilité de discrimination. Par exemple, si vous pouvez demander à vos candidats s'ils sont aptes à remplir les fonctions du poste, vous ne pouvez pas leur demander s'ils ont un handicap. Vous devez donc absolument connaître quelles sont les questions qu'il ne faut jamais poser. Voici quelques sujets qui pourraient, s'ils étaient abordés en entretien, créer des ennuis à votre entreprise :

- La race ou la couleur de peau.

- L'origine.

- La sexualité.

- L'état civil (marié, divorcé...).

- La religion (ou s'il est athée).

- Le casier judiciaire.

- La taille et le poids.

- Le montant de ses dettes.

- Les handicaps.

De toute façon, aucun de ces sujets ne peuvent aider à déterminer l'aptitude des candidats à faire leur travail.

Faire l'évaluation de vos candidats

Voici la partie la plus divertissante dans le processus d'embauche, l'évaluation de vos candidats. Si vous avez bien fait vos recherches, vous avez donc une sélection intéressante de candidats convenant le mieux au profil demandé. Avant de prendre la décision finale, il vous faut un peu plus d'informations.

Vérifier les références

Waow ! Quel C.V. ! Quel entretien ! Quel candidat ! Seriez-vous alors surpris de découvrir que ce brillant postulant n'a jamais fréquenté Yale, qu'il n'a jamais participé à cette campagne internationale de marketing et que son dernier patron l'a si peu vu qu'il ne se souvient même pas de sa tête.

Cinq trucs pour améliorer les entretiens

Chaque entretien doit se concevoir en cinq étapes :

1. Accueillir le candidat.

Accueillez vos candidats poliment et discutez avec eux sans cérémonie pour les relaxer un peu. Des questions sur le temps, les difficultés pour se garer dans le coin, ou comment ils ont su que ce poste était disponible, sont toujours pratiques.

2. Faites le résumé du profil de l'emploi.

Décrivez brièvement le poste, le style de personne que vous recherchez et la procédure d'entretien que vous utilisez.

3. Posez vos questions.

Les questions doivent être en relation directe avec le poste et doivent couvrir la formation du candidat et son expérience professionnelle.

4. Repérez les forces et les faiblesses du candidat.

S'il vous semble inutile de demander aux candidats de vous parler de leurs qualités et de leurs défauts, eh bien nous sommes au regret de vous dire que vous vous trompez ! Si certains n'ont aucun défaut à signaler, d'autres, plus sincères, donneront des réponses très révélatrices. Sachez aussi que, parfois, un défaut peut devenir une qualité.

5. Conclure l'entretien.

Donnez l'opportunité aux candidats de vous livrer les informations qu'ils jugent nécessaires pour votre prise de décision. Remerciez-les de leur intérêt et dites-leur quand ils peuvent espérer une réponse.

Un C.V. et un entretien sont de bons moyens, mais la vérification des références est probablement votre unique chance de savoir si vos candidats sont ce qu'ils prétendent être avant de prendre la décision d'embaucher.

Les deux objectifs de la vérification des références sont de vérifier les informations fournies par les candidats et de vous éclairer sincèrement sur qui ils sont et la manière dont ils se comportent sur leur lieu de travail. Lorsque vous prenez contact avec les anciens employeurs, posez seulement des questions sur le travail. Tout comme dans les entretiens, les sujets pouvant être considérées comme discriminatoires sont fortement déconseillés.

- **Vérifiez les références académiques.** Un nombre étonnant de personnes exagèrent ou inventent à propos de leur formation. Voilà la première chose à vérifier. Si vos candidats n'ont pas dit la vérité, vous pouvez parier pour que le reste de leur expérience professionnelle soit truffée de mensonges. Au suivant...

- **Contactez ses anciens employeurs.** L'obtention d'informations de la part d'anciens employeurs devient de plus en plus difficile. Beaucoup d'entreprises craignent, avec raison, d'être traînées en justice pour atteinte ou diffamation personnelle s'ils disent quoi que ce soit de négatif au sujet d'un employé en poste ou non. Cela dit, rien ne vous empêche d'essayer. Vous obtenez une bien meilleure image de vos candidats si vous parlez directement avec leurs employeurs actuels ou précédents au lieu de vous adresser au service des ressources humaines de la société.

- **Renseignez-vous sur le candidat.** Si vous êtes membre d'une association professionnelle ou d'un syndicat, vous avez l'opportunité de questionner les autres membres pour obtenir des informations sur vos candidats. Par exemple, si vous êtes expert comptable diplômé et cherchez à en savoir plus sur quelques candidats pour un poste au sein de votre service, vous pouvez vérifier avec les membres de votre association professionnelle de comptables pour savoir s'ils ont des informations sur eux.

- **Demandez l'aide d'un médium professionnel.** C'est une blague, bien que, selon les témoignages délirants sur la ligne ouverte des médiums nocturne, on finirait par croire qu'on ne devrait jamais rien faire sans consulter son médium ou astrologue. (Voir figure 5.2.) De plus, votre appel peut être réglé avec Visa ou Mastercard. Si cette méthode est suffisamment bonne pour l'ancienne "First Lady" Nancy Reagan, peut-être l'est-elle aussi pour vous !

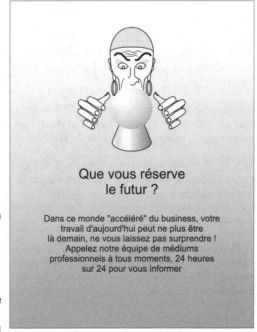

Figure 5.2 : Vous ne trouverez sûrement pas la perle rare de cette façon.

Revoir vos notes

Vous avez pris des notes, n'est-ce pas ? Maintenant, il est temps de les ressortir et de les relire. Passez en revue chaque information concernant les candidats, et comparez-les à vos critères préalablement déterminés. Jetez un oeil sur les C.V., vos notes et les résultats de vos vérifications. Comment se présentent-ils par rapport à vos attentes pour le poste ? Entrevoyez-vous déjà les gagnants et les perdants ? Maintenant, faites deux piles :

- **Gagnants :** ces candidats sont de loin ceux qui correspondent le mieux au poste. Vous n'hésiterez absolument pas à les embaucher.

- **Gagnants potentiels :** ceux-là posent problème pour telle ou telle raison. Peut-être est-ce leur expérience qui n'est pas étendue, ou alors leur présentation ne vous a pas du tout impressionné. Ils sont ni de vrais gagnants ni de vrais perdants. Vous serez d'ailleurs tenté de les embaucher si, après une plus longue investigation, vous n'embauchez finalement aucun des gagnants sélectionnés.

- **Perdants :** pour eux il n'y a pas photo. Ils ne conviennent pas du tout au poste !

Faire un deuxième tour (voire un troisième)

Lorsque vous êtes un manager débordé et sous pression, vous êtes tenté de prendre des raccourcis pour réaliser vos objectifs. Quand trouverez-vous le temps pour accomplir une tâche ou mener à bien un projet ? Le temps est très précieux quand dix autres projets réclament votre attention, et il devient d'autant plus précieux lorsque vous devez embaucher quelqu'un qui occupera un poste clé dans l'entreprise.

 L'embauche est un domaine dans lequel on ne peut pas prendre de raccourcis. Trouver les meilleurs candidats pour vos postes exige un réel investissement de temps et de ressources. L'avenir de la société en dépend.

Selon la politique de votre entreprise, ou si vous êtes indécis sur la meilleure personne à embaucher, vous pouvez décider de faire plusieurs séries d'entretien. Ainsi la sélection initiale se fera-t-elle par des chefs de service. Ensuite, les candidats retenus seront invités à rencontrer un manager. Enfin, les deux ou trois meilleurs rencontrent le "top manager".

Le nombre d'entretiens dépendra de la nature du poste à pourvoir. S'il s'agit d'un poste où aucune compétence particulière n'est requise, un simple entretien téléphonique fera l'affaire. Si le poste est important, plusieurs entretiens personnels seront nécessaires pour déterminer quel est le meilleur candidat.

Embaucher le meilleur

La première chose à faire avant de prendre la décision d'embaucher est d'organiser vos candidats en groupes de gagnants et de gagnants potentiels établis lors de la phase d'évaluation. Le meilleur candidat dans le groupe des gagnants sera le premier, celui qui suit le deuxième, et ainsi de suite. Si vous avez bien fait votre travail, les meilleurs candidats devraient déjà vous sauter aux yeux.

Il s'agit ensuite d'appeler et de proposer le poste à l'heureux gagnant. Ne perdez pas de temps, vous ne savez jamais si ce dernier a passé d'autres entretiens entre-temps. Ce serait dommage de découvrir qu'il vient juste d'accepter un autre poste chez votre concurrent. Si vous n'arrivez pas à avoir la certitude que celui-là est le bon, passez à votre deuxième choix. Continuez dans votre liste de gagnants jusqu'à ce que vous embauchiez quelqu'un ou que vous épuisiez cette liste.

Voici quelques indices qui vous aideront à savoir ce qu'il faut retenir lorsque vous classez les candidats et à prendre votre décision finale.

Soyez objectif

Parfois, vous pouvez préférer certains candidats à cause de leur personnalité ou de leur charisme, quelles que soient leurs compétences ou expérience professionnelle. Attention, apprécier d'emblée un candidat peut vous empêcher de voir ses faiblesses. À l'inverse, vous pouvez passer à côté d'un candidat plus qualifié mais moins sociable qui n'aura pas droit à votre estime et qui, pourtant, aurait été la personne idéale pour occuper ce poste.

Soyez objectif. Prenez en considération le travail qui doit être fait ainsi que les compétences et les qualifications requises. Vos candidats possèdent-ils ces compétences et ces qualifications ? Que faut-il pour que vos candidats soient sérieusement pris en compte pour le poste ?

Ne soyez pas indûment influencé par les "looks, personnalités sublimes, coiffures stylisées ou dangereux cosmétiques". Toutes ces choses ne vous diront rien sur la façon dont vos candidats effectueront leurs tâches. Les faits sont dans les C.V., notes d'entretiens et vérifications de références. Si vous vous en tenez à tout ça, vous ne pouvez pas vous tromper.

Contrôlez vos préjugés !

Non seulement la discrimination est illégale, mais c'est aussi une mauvaise pratique dans les affaires. Nous pourrions en parler longuement, mais nous nous attacherons ici aux choses simples et brèves.

Le talent n'a pas de frontières. Il ne connaît pas de couleur, race, sexe, handicap physique, religion ou pays d'origine. Si vous ignorez le talent à cause de l'emballage, alors vous perdez ; votre organisation aussi. Point final.

Faites confiance à votre instinct

Parfois vous devez choisir entre deux candidats aussi qualifiés l'un que l'autre, ou vous vous trouvez confronté à une décision concernant un candidat plutôt marginal mais prometteur. Dans ces cas-là, vous avez pesé le pour et le contre des données objectives et vous avez dépassé le stade de l'analyse ; cependant, vous ne savez toujours pas lequel choisir. Que faire ?

Ecoutez-vous. Il est grandement temps de libérer votre coeur, vos sentiments et votre intuition. Que ressentez-vous au fond de vous ? Si deux candidats semblent avoir des compétences et des capacités identiques, avez-vous le sentiment que l'un est plus fait pour le poste que l'autre ? Si oui, suivez-le. Même si vous souhaitez que votre décision d'embauche soit aussi objective que possible, dès que vous introduisez le facteur humain dans le processus de décision, il faut accepter un certain degré de subjectivité, si naturelle.

Si, après tous ces conseils éclairés, vous êtes toujours dans le noir, tirez à pile ou face. Si vous êtes satisfait du travail de votre nouvelle recrue, c'est que vous avez pris la bonne décision. Si vous ne l'êtes pas, vous saurez au moins que c'était l'autre.

Après la proposition

Que faites-vous si, sacré nom d'un chien, vous n'êtes pas en mesure d'embaucher qui que ce soit de votre groupe de gagnants ? C'est dur, mais qui dit que le management est facile ? Jetez donc un oeil sur votre liste de gagnants potentiels. Que faudrait-il pour transformer vos meilleurs "gagnants potentiels" en véritables gagnants ? Si la réponse se résume simplement par un stage de formation, ou deux, vous devriez les considérer sérieusement. Ou peut-être ont-ils besoin d'un peu plus d'expérience avant d'être classés parmi les gagnants ? Alors, persévérez dans vos recherches. Après tout, cette personne travaillera peut-être pour vous plus tard !

Si vous êtes obligé de vous tourner vers votre groupe de "presque" gagnants, et qu'aucun candidat ne semble être véritablement à la hauteur, n'embauchez personne. Si vous embauchez quelqu'un de cette façon, vous commettez sûrement une grave erreur. Sachez qu'embaucher est beaucoup plus facile que de congédier. Les dommages causés par cette mauvaise embauche peuvent considérablement affecter vos collaborateurs, vos clients et l'entreprise tout entière, selon le poste occupé. De plus, cela pourrait vraiment vous énerver ! Redéfinissez le poste, réévaluez d'autres employés de chez vous ou, embauchez temporairement pour tester.

Testez vos nouvelles connaissances

Ou faut-il d'abord chercher des candidats qualifiés pour le poste ?

A. Dans la rubrique "petites annonces" de votre quotidien

B. Au sein de votre entreprise

C. Chez vos concurrents

Quelles questions ne devez-vous jamais poser ?

A. Quel joli "Yarmulke", êtes-vous juif ?

B. Quelle belle robe ! Etes-vous enceinte ?

C. Waow ! Votre kilt est magnifique ! Etes-vous né en Ecosse ?

D. Tout ce qui est au-dessus.

Chapitre 6
Motivez vos employés

Comment motiver les employés ? Depuis l'invention du management, cette question a toujours hanté les managers. Rendre plus productifs les employés et les motiver de sorte qu'ils préfèrent leur travail plus que tout au monde est un bon challenge.

La plupart des managers reconnaissent qu'il y a deux façons de motiver un employé : par la récompense ou par la punition. Si vous êtes content d'eux, vous les récompensez avec une petite prime, un peu plus de reconnaissance, des titres plus honorifiques, etc. ; s'ils vous déçoivent, vous les punissez à coups d'avertissements, de destitutions, de renvois, etc. Les théories sur la motivation des employés ne font jamais long feu. Cependant, en pratique, motiver un employé se réduit à ces deux tactiques de base.

Ce chapitre traite du côté positif de la motivation des employés : les récompenses. Désolé si vous êtes surtout intéressé par le côté punitif, il sera traité dans le Chapitre 15. Outre les deux cents ans de recherches sur les comportements, d'après les travaux réalisés à l'université de Ohio, on conclut qu'un employé est plus performant si des techniques de motivation positives sont utilisées.

Nous ne nions tout de même pas la place de la sanction. Parfois, vous ne pouvez faire autrement. Mais avant d'y avoir recours, tentez de faire changer les choses positivement. Félicitations et récompenses encourageront votre personnel et fera de votre entreprise un havre de travail et de bonne humeur.

En dirigeant à l'aide de "renforts" positifs, vous inciterez vos employés à donner le meilleur d'eux-mêmes pour plus de productivité. Quelle combinaison !

Le meilleur principe de management au monde

Voici le grand secret : le meilleur principe de management au monde ! Cette règle, toute simple, vous donnera peut-être quelques heures de travail supplémentaire, mais fera économiser des milliers francs à votre société, voire des millions. Quelle excitation ! Etes-vous prêts pour la révélation du siècle ?

Ce n'est pas aussi simple que vous ne le pensez !

Ne laissez pas la simplicité apparente de cette expression vous leurrer, ce n'est pas du "bidon". Vous croyez peut-être récompenser justement vos employés pour avoir fait précisément ce que vous attendiez d'eux, mais est-ce vraiment ce que vous faites ?

Vous avez deux employés A et B. A est très doué, B est plutôt à côté de la plaque. Vous leur assignez des tâches semblables, A réalise la sienne rapidement et sans fautes ; aussi, vous lui confiez une autre tâche. Quant à B, non seulement il est en retard, mais son travail n'est pas parfait. Comme vous êtes limité par le temps, vous l'acceptez tout de même et corrigez les fautes vous-même.

Qu'est-ce qui cloche ? Vous récompensez plutôt A ou B ?

Si vous répondez qu'il faut récompenser B, vous avez raison ! Ce dernier a appris que rendre un travail médiocre et en retard, ça marche. De plus, il comprend que vous (le manager) allez le corriger. Quelle belle récompense pour un employé qui n'en mérite aucune ! (B vous a formé !)

D'un autre côté, si vous donnez du travail supplémentaire à A pour avoir été diligent et performant, vous le punissez. Monsieur A, qui n'est pas bête, examinera sa récompense pour avoir été "génial" : davantage de travail. Inutile de préciser que A n'appréciera pas, mais alors pas du tout ! Si en plus, vous leur donnez la même augmentation (tout se sait dans une entreprise), la situation empirera.

 Si vous ne réagissez pas, tous vos cadres réaliseront que faire de leur mieux n'est pas dans leur intérêt, et ils ne se tracasseront plus. Ou alors, ils finiront par vous quitter afin de trouver une société qui saura reconnaître leurs qualités et leurs compétences.

La motivation "Smarties"

Lorsque vous donnez à tout le monde la même récompense, prime, augmentation, reconnaissance égale ou lorsque vous accordez à tous la même attention, nous appelons cela une motivation "Smarties". Mais détrompez-vous, cela n'est ni juste ni équitable.

Rien ne peut être plus injuste que de traiter de la même manière des employés de niveaux différents.

Bob raconte l'histoire de ce grand producteur aérospatial qui, par sympathie pour son personnel, décida d'offrir à chacun une grosse dinde pour les fêtes de Noël. Jusqu'ici tout va bien, mais non contents du cadeau, certains pestèrent parce que leur dinde était moins grosse que celles de leurs collègues et pensèrent aussitôt qu'on les punissait pour ne pas avoir été assez bons. Les plaintes arrivèrent aux oreilles des managers qui prirent alors une grande décision : l'année prochaine, toutes les dindes seront pesées avant d'être distribuées. L'histoire pourrait se terminer là, mais non ; lisez plutôt la suite. Alerté, le fournisseur de volailles fut dans l'obligation d'expliquer aux managers que le bon Dieu ne créait pas de dindes de taille égale, et qu'il ne pouvait répondre à cette demande pour le moins incongrue. Face à ce dilemme, les managers, qui ne voulaient pas être les dindons de la farce, firent ce qu'ils avaient à faire, c'est-à-dire accompagner chaque dinde d'un petit mot : "Le poids de votre dinde n'est pas proportionnel à vos performances de l'année." Et après ça, on dira que les managers ne sont pas bienveillants...

On pourrait penser que le personnel, rassuré, s'en tint là. Pas du tout, au contraire, les plaintes se firent plus nombreuses et la situation empira. Certains voulaient avoir le choix entre une dinde et un jambon, d'autres auraient préféré une corbeille de fruits, etc. Et que croyez-vous que fit la direction ? Non, personne ne vola dans les ailes des employés, mais un poste de "manager de dindes" fut créé ! Malgré bien des efforts, le rituel de la dinde s'arrêta net lorsque les managers découvrirent que des employés complètement dindes, euh... complètement dingues, volaient les volatiles des collègues en les sortant de leurs boîtes qu'ils remplissaient de matériel de bureau !

Petit bilan : cette société a-t-elle bien fait de récompenser de façon égale ses employés ? Absolument pas. Destinés au départ à remercier les employés pour leur travail de l'année, non seulement les volatiles coûtèrent cher à l'entreprise, mais créèrent des problèmes qui, jusqu'ici, n'existaient pas.

N'oubliez pas le meilleur principe de management au monde : *on obtient ce que l'on récompense*. Avant de récompenser vos employés, cherchez qui le mérite vraiment.

Une fois ce système mis en place, vérifiez régulièrement qu'il porte ses fruits. Sinon, changez-le !

Qu'est-ce qui motive les employés ?

Voici un deuxième grand secret ! C'est la clé de la motivation de vos employés et l'obtention de ce que vous attendez de leur part. Nul besoin de participer à une conférence, ou de vous joindre à un club hebdomadaire de vidéo de management pour découvrir le secret : chez nous, c'est gratuit !

Les motivations des uns ne sont pas celles des autres.

En d'autres termes, aucune prescription générale ne peut vous aider à motiver vos employés. Chacun a ses facteurs de motivation personnels, et c'est à vous de les découvrir. Déterminer les motivations de chacun n'est pas si facile. Ne vous attendez pas à ce qu'un employé débarque dans votre bureau demain pour vous expliquer ce qui le motive. Par conséquent, c'est à vous de préparer le terrain pour le découvrir.

La façon la plus simple est de le demander à vos employés. Souvent, les managers pensent que la seule motivation est l'argent, et certains sont très surpris d'entendre que la reconnaissance du travail accompli, le besoin d'autonomie ou des horaires flexibles sont les réponses les plus fréquentes.

Vous êtes un manager attentionné et vous voulez découvrir ce qui motive vos employés ? Prenez donc en considération ceci :

- D'abord, créez un cadre de travail serein et soutenez vos employés.

- Puis, faites l'ébauche du programme de récompenses.

- Enfin, soyez prêt à le modifier selon chacun.

Créez un cadre de travail serein et soutenez vos employés

Les nouvelles réalités du monde des affaires des années quatre-vingt-dix rendent nécessaire la recherche de nouvelles manières de motiver les employés. La motivation n'est plus une proposition absolue. Sans cesse sous pression, l'accélérateur enfoncé pour ne pas se laisser dépasser par les concurrents et être le premier à maîtriser les nouvelles technologies, les managers ont bien des difficultés à suivre l'évolution. Ainsi, nombre de managers encadrent des individus qui effectuent des tâches inconnues pour eux, mais qui ont besoin, comme les autres, d'être motivé.

Vous, manager, pouvez créer un lieu de travail riche en soutien de la manière suivante :

- **Soyez sécurisant.** Vos employés sont-ils craintifs lorsqu'ils viennent vous faire part de leurs problèmes ? Si oui, c'est que vous ne les avez pas sécurisés. Tout le monde fait des fautes, comment apprendre sinon ? Si vous voulez avoir des employés motivés, évitez la tentation de les sanctionner dès qu'ils commettent une erreur. Remerciez-les tout de même pour avoir fait quelque chose !

- **Ouvrez les canaux de communication.** La capacité de chaque employé à communiquer ouvertement et honnêtement est non seulement capitale pour le succès de la société, mais elle est aussi très motivante. Aujourd'hui, avoir un système de communication d'informations efficace et rapide peut être ce qui vous différenciera le plus de vos concurrents. Encouragez donc vos employés à s'exprimer ouvertement, à faire des suggestions et démolissez toutes les barrières entravant la communication, comme la départementalisation rampante.

- **Instaurez des bases solides de confiance et respect.** Les employés respectés par leurs managers seront non seulement mis en confiance, mais seront également motivés pour fournir leur maximum. Les inclure dans les décisions les pousse à s'engager plus, à être sincères et loyaux.

- **Votre meilleur atout : vos employés.** Vous avez tout à gagner en répondant aux besoins de vos employés. Défiez-les d'améliorer leurs compétences et leurs connaissances et apportez-leur le soutien et la formation nécessaires. Concentrez-vous sur leurs progrès, reconnaissez, et récompensez leurs efforts.

Vous devez avoir un plan

Les employés motivés ne tombent pas du ciel ; il faut avoir un plan pour renforcer le comportement que vous cherchez. Établir un bon de système de récompenses est fondamental pour obtenir un personnel motivé et effectif. Voici donc quelques conseils :

- **Etablir un lien étroit entre récompenses et objectifs de l'entreprise.** Afin d'être efficaces, les récompenses doivent renforcer le comportement qui mène à la réalisation des objectifs de l'entreprise. Ces récompenses doivent être structurées de manière à augmenter la régularité des comportements souhaités et à diminuer la fréquence des comportements non désirés. Assurez-vous que cela soit bien le cas !

- **Établissez des règles claires.** Une fois les comportements à renforcer déterminés, développez les particularités de ce système de récompenses et créez des règles claires et compréhensibles par tous. Assurez-vous que les objectifs peuvent être atteints et que chaque employé a les moyens d'obtenir des récompenses. Vos réceptionnistes y ont autant le droit que vos cadres supérieurs.

- **Obtenir de l'engagement et du soutien.** Il s'agit ensuite de communiquer ce nouveau système de récompenses à vos employés ! Afin d'obtenir les meilleurs résultats, planifiez et mettez en vigueur ce système de récompenses avec la participation directe de vos employés.

- **Surveiller l'efficacité.** Ce système porte-t-il ses fruits ? Si non, analysez de nouveau les comportements que vous recherchez et assurez-vous que vos récompenses soient étroitement liées. Même les programmes de récompenses les plus spectaculaires ont tendance à perdre de leur efficacité avec le temps, surtout lorsque les employés les considèrent comme acquis. Il faut que votre programme soit actualisé en mettant de côté les récompenses qui ont perdu de leur charme et en y incorporant des nouvelles.

Que récompenser ?

Trop de managers se trompent en récompensant. Cette tendance a conduit à une crise spectaculaire du système traditionnel de motivation et d'encouragements. Observez les statistiques ci-dessous cotées en novembre 1995 dans *Management Accounting* :

- L'écart des salaires des employés et des cadres n'est que de 3 % dans les sociétés américaines.

- 81 % des travailleurs américains prétendent qu'ils n'obtiendraient rien s'ils augmentaient leur productivité.

- 60 % des managers américains disent que leur salaire n'est pas proportionnel à leurs performances.

Au secours ! Il y a un problème quelque part ! Si managers et employés prétendent ne pas être récompensés pour avoir augmenté leur productivité et réalisé des performances, que doivent-ils faire pour l'être ? Comme nous l'avons montré avec les dindes de Noël, les employés sont souvent récompensés pour leur présence quotidienne au bureau. C'est ce pour quoi vous les payez, non ?

Afin qu'un programme d'encouragements soit efficace à long terme, il doit prendre en compte les performances de chacun. Ni plus, ni moins.

Mais attendez une seconde, vous dites que c'est injuste pour les employés qui sont plus doués que les autres ? Si c'est ce que vous pensez, nous allons vous remettre les idées en place immédiatement. Tout le monde peut améliorer ses performances, quels que soient son allure, ses talents et sa productivité.

Supposez que l'employé A produise 100 gadgets par heure, au même rythme tous les jours. Cependant, l'employé B en produit 75 par heure mais augmente sa performance jusqu'à 85 par heure. Qui récompenser ? L'employé B ! Cela montre que tous les efforts effectués par vos employés pour améliorer leur performance doivent être récompensés.

Les exemples ci-dessous sont les résultats de performances que chaque manager devrait reconnaître et récompenser. Quelles sont les performances à surveiller, mesurer et récompenser dans votre entreprise ? Oubliez les heures de présence de vos employés, ça ne compte pas !

- Les défauts baissent de 25 pour mille à 10 pour mille.

- Les ventes annuelles croissent de 20 %.

- La salle des archives du service a été réorganisée et des codes de couleurs ont été créés pour faciliter la recherche et le classement des dossiers.

- Les frais administratifs se maintiennent à 90 % du budget.

- Le courrier est distribué plus rapidement.

Commencez par le positif

Comme nous l'avons vu au début de ce chapitre, vous pousserez vos employés à avoir de meilleurs résultats si vous ne vous focalisez pas uniquement sur leurs erreurs. De nombreux managers commencent toujours par corriger les fautes de leurs employés au lieu de les féliciter pour leurs succès.

Une étude récente a révélé que 58 % des employés prétendent n'avoir reçu que très rarement un remerciement personnel de la part de leurs managers, alors qu'ils avouent que la reconnaissance, verbale ou écrite, est l'une de leur première source de motivation. 76 % prétendent ne jamais en recevoir. Ces statistiques démontrent à quel point ces "tout petits riens" sont importants et expliquent peut-être l'une des raisons majeures de la démission de tant d'employés aujourd'hui ?

Des années de recherches psychologiques ont montré que les renforcements positifs sont mille fois plus efficaces que les négatifs. Sans être trop technique, 1) le renforcement positif augmente la fréquence des comportements recherchés, 2) il crée de bons sentiments chez les employés.

D'un autre côté, le renforcement négatif pourrait bien faire baisser la fréquence de comportements non désirés, mais ne conduit pas forcément aux comportements souhaités. Plutôt que d'être motivés pour mieux faire, ceux qui ne reçoivent que des critiques de la part de leurs managers finissent par les éviter. De plus, le renforcement négatif (surtout lorsqu'il a pour effet de rabaisser les employés) peut être source de tensions entre managers et employés. Ceux qui ne sont pas ravis de leur employeur ont beaucoup plus de mal à faire du bon travail que ceux qui le sont.

Les idées suivantes peuvent vous encourager à rechercher le côté positif de vos employés et à renforcer les comportements idéaux :

- **Accordez-leur le bénéfice du doute.** Croyez-vous sincèrement qu'ils font du mauvais travail ? A moins que le but recherché est de faire couler la société, personne n'aime faire du mauvais travail. Abandonnez les sanctions et tentez plutôt de trouver les causes d'un mauvais travail. Plus de formation, d'encouragements et de soutien devraient être vos priorités !

- **Ayez une grande confiance en leurs capacités.** Si vous croyez que vos employés peuvent être remarquables, ils le croiront aussi. Lorsque Pierre était enfant, ses parents ne le punissaient que très rarement. Point de fessées lorsqu'il s'égarait mais des encouragements : "Nous savons que tu peux mieux faire."

- **Surprenez vos employés à faire du bon travail.** Si, en règle générale, les employés font du bon travail, les managers les surprennent toujours lorsqu'ils se trompent. Essayez donc de les attraper en train de faire du bon travail, pour changer !

Donner une grande importance aux petites choses

Doit-on récompenser les employés pour leurs petites réussites ou attendre qu'ils décrochent la Lune ? La réponse se trouve dans notre manière, à nous tous, de faire notre travail quotidiennement.

En fait, 99 % des gens ne travaillent pas pour collectionner les médailles. Le travail est fait de routines, d'activités quotidiennes, que les employés effectuent généralement sans cérémonie. La journée typique d'un manager serait par exemple de lire les mémos et messages de e-mail pendant une ou deux heures, écouter ses messages vocaux et décrocher son téléphone. Puis il passe deux heures de plus en réunion et une autre peut-être à discuter avec ses collègues. Comptez deux heures supplémentaires pour préparer des rapports et remplir des formulaires, et vous aurez un manager qui consacre un temps très précieux aux prises de décisions, l'impact le plus important sur la société.

American Express reconnaît les grands exécutants

Si vous pouviez augmenter le revenu net de votre entreprise de 500 % en dix ans, seriez-vous prêt à reconnaître vos grands exécutants ? La section de services liés aux voyages de American Express l'a fait en créant son programme de "Grands exécutants" pour reconnaître et récompenser les performances exceptionnelles. Le programme acceptait les nominations de la part d'employés, de surveillants et même de clients. Les gagnants étaient alors éligibles par un comité mondial pour recevoir le Grand Prix. En plus d'un voyage pour deux à New York, ces gagnants recevaient 4 000 $ (un peu plus de 20 000 F) de travellers American Express, un pins en platine et un diplôme.

(Source : Nelson, *1001 Ways to Reward Employees. Mille et une façons de récompenser les employés*)

Ces opportunités en or sont, pour un simple travailleur à la chaîne, le rêve. S'il assemble des moteurs de tondeuses toute la journée (et toujours très bien), quand a-t-il l'opportunité de se faire remarquer par son chef ?

Nous avons fait un grand détour pour vous expliquer que les réalisations majeures sont généralement rares, quelle que soit votre place au sein de l'entreprise. Le travail est une succession de petits accomplissements qui, à terme, en produisent de grands. Si vous attendez pour récompenser vos employés qu'ils fassent une grande œuvre, vous risquez d'attendre longtemps.

Il est donc absolument crucial de les récompenser pour leurs petits et pour leurs grands travaux. Si vous avez placé la barre très haut, n'attendez pas la fin de la réalisation du projet, encouragez-les tout au long du travail.

L'argent : ce n'est pas le plus important (vraiment !)

Vous croyez tous que l'argent est la motivation suprême. Certes, qui n'est pas excité à l'idée de recevoir une prime en fin de mois ? *Tout en rêvant d'être la femme la plus riche du monde, elle se dévouait entièrement à sa société.* Le seul problème, c'est que l'argent n'est pas la seule motivation (loin de là) pour les employés, du moins pas autant que les managers le pensent.

La rémunération : c'est un droit

L'argent est évidemment important. Chacun doit pouvoir se nourrir, payer un loyer, les factures, mettre de l'essence dans sa voiture et s'offrir des petits plaisirs.

Cela dit, les employés considèrent que l'argent qu'ils perçoivent (salaire ou primes) est le terme de l'échange pour le travail qu'ils fournissent à la société. La rémunération est un droit et la reconnaissance un cadeau. Etre reconnaissant vous aide, managers, à obtenir les meilleurs efforts de la part de vos employés.

Lorsque les motivations sont des droits

Les employés qui reçoivent des primes annuelles ou d'autres cadeaux, finissent par considérer cela comme un dû. Pierre a travaillé pour une société qui lui accordait des primes s'élevant environ à 10 % de son salaire annuel. La première fois, il fut très excité, sa motivation monta en flèche, et il jura d'être éternellement dévoué à sa société. Content, mais habitué à ce rituel, Pierre finit par perdre son enthousiasme.

Le paradoxe est que si l'on retirait ces primes à Pierre, il s'énerverait et deviendrait hostile envers ses supérieurs.

Il y a vingt ans, l'expert en management Peter Drucker tomba à pic lorsqu'il démontra dans son livre, *Les Devoirs du manager, responsabilités, pratiques*, que : "Les motivations économiques deviennent des droits plutôt que des récompenses. Les augmentations au mérite sont toujours assimilées à des récompenses de performances exceptionnelles. Elles deviennent des droits en un rien de temps. Nier une augmentation selon le mérite ou n'en faire qu'une petite devient en fait sanction. La demande croissante de récompenses matérielles détruit à vitesse grand V leur efficacité en tant qu'outils de motivation et de management."

L'argent en tant que moyen de motivation est à la fois positif et négatif. Beaucoup de managers ont investi des milliers de francs dans des programmes de récompenses qui n'ont pas vraiment eu d'effet positif sur la motivation des employés. Cela ne veut pas pour autant dire que c'est de l'argent jeté par la fenêtre, mais vous pouvez l'utiliser plus efficacement. De toute façon, vous obtiendrez de meilleurs résultats avec d'autres programmes plus adaptés et moins coûteux !

Maintenant que vous savez que l'argent n'est pas le meilleur moyen de motiver les troupes, trouvez autre chose.

Alors, qu'est-ce qui motive les employés aujourd'hui ?

Selon Dr Gerald Graham de l'université de Wichita State, les choses les plus motivantes (selon les employés) sont :

- **L'initiative des managers :** la reconnaissance la plus valorisante vient directement du chef de service ou du manager et non d'un comité temporaire, ou descendu du ciel.

- **Les moyens basés sur la performance :** les employés cherchent à être reconnus pour leur travail. Les moyens de motivation efficaces sont donc basés sur leurs performances et non sur leur présence.

Vous êtes très pris dans votre travail. Les récompenses financières sont donc ce qu'il y a de plus facile à organiser : passez une demande de prime annuelle au service comptabilité une fois par an et vous voilà tranquille. Toutes ces histoires de récompenses initiées par le manager et basées sur les performances semblent réclamer trop de travail, n'est-ce pas ? Honnêtement, avoir un programme efficace exige moins de travail qu'un programme inefficace. Les meilleures récompenses peuvent être relativement simples, il suffit de vous organiser. *C'est d'ailleurs une partie du rôle de manager aujourd'hui.*

N'oubliez pas que la reconnaissance ne doit pas seulement récompenser les tâches exceptionnelles. N'oubliez jamais que tous les jours, vos employés font en sorte de vous satisfaire.

Voici quelques motivations simples à mettre en place, efficaces et qui prennent peu de temps :

- Des félicitations personnelles verbales ou écrites de votre part pour un travail bien fait.

- De la reconnaissance exprimée en public pour une bonne performance.

- Des réunions qui remontent le moral et célèbrent les succès.

- Du temps libre.

- Demander l'avis des employés et les associer aux décisions.

Dix façons excellentes de motiver les employés

1. Remercier personnellement vos employés pour avoir fait du bon travail, directement ou sous forme de lettre, ou les deux. Faites-le souvent et sincèrement.

2. Prendre le temps de rencontrer les employés et les écouter, autant qu'ils le réclament.

3. Soutenir vos employés tout au long d'un travail.

4. Reconnaître, récompenser et donner des promotions aux meilleurs ; s'occuper des employés moyens, voire marginaux pour qu'ils s'améliorent ou... qu'ils démissionnent.

5. Informer les employés des objectifs de la société : nouveaux produits, stratégies, etc. Expliquer le rôle de tous à chacun.

6. Impliquer les employés dans les décisions, surtout celles qui les affectent. La participation équivaut à l'engagement.

7. Leur donner des possibilités de "grandir" (progresser) et d'apprendre de nouvelles techniques ; les encourager à faire de leur mieux. Leur montrer comment vous pouvez les aider à atteindre leurs objectifs tout en réalisant ceux de la société. Créer un partenariat avec chacun d'entre eux.

8. Donner aux employés le sentiment qu'ils sont propriétaires de leur travail et de leur environnement de travail. Ce sentiment de propriété peut être symbolique (par exemple cartes de visite pour tous, qu'ils en usent ou non).

9. Faire tout votre possible afin de créer un cadre de travail ouvert, qui inspire confiance et soit agréable. Encourager les nouvelles idées, suggestions et initiatives. Laissez-les reconnaître leurs erreurs mais ne les sanctionnez pas.

10. Célébrer les succès de la société, du service et des individus. Prendre le temps de participer à des réunions qui rassemblent tout le monde. Etre créatif et plein d'entrain.

Vous détenez la clé de la motivation de vos employés

D'après notre expérience, les managers croient que les employés déterminent eux-mêmes leur degré de motivation et ont tendance à penser que certains ont naturellement des comportements exemplaires, et d'autres, naturellement mauvais, et qu'ils (les managers) ne peuvent rien y changer. *Votre attitude négative commence vraiment à m'énerver. Changez-la où vous n'irez nulle part chez nous !*

Des études montrent que les managers ont de plus en plus d'influence sur les motivations de leurs employés. Leur sont-ils reconnaissants pour leur bon travail ? Assurent-ils un environnement agréable et de grand soutien ? Evitent-ils le favoritisme ? Prennent-ils le temps de les écouter lorsqu'ils ont besoin de parler ?

C'est vous qui, en grande partie, motivez vos employés. Lorsqu'il faut être reconnaissant et les récompenser, faites-le.

Lorsque vous donnez des récompenses, rappelez-vous qu'ils n'apprécient généralement pas les distributions collectives et détestent le favoritisme ! Ne soyez pas reconnaissant quand ça n'est pas nécessaire ; vous dépréciez ainsi la valeur de la motivation et vous perdez de la crédibilité aux yeux des autres. Votre crédibilité est fondamentale et il faut en faire une base solide sur laquelle vous pouvez construire ; si vous échouez, vous risquez de tout perdre.

Testez vos nouvelles connaissances :

Quelles sont les meilleures façons de motiver vos employés ?

    A. Récompenser et sanctionner.

    B. Effrayer et intimider.

    C. De l'argent, et encore de l'argent.

    D. Ridiculiser et humilier en public.

Quel est le meilleur principe de management au monde ?

    A. Il faut souffrir pour réussir.

    B. Diviser pour mieux régner.

    C. Vous obtenez ce que vous récompensez.

    D. Acheter à bas prix et vendre plus cher.

Chapitre 7
Vous doutez ?
Entraînez !

Dans ce chapitre :

Qu'est-ce qu'un entraîneur ?

Développer les compétences de base de l'entraînement.

Identifier les tournants dans l'entraînement.

Considérer les liens entre le sport et le monde du travail.

*V*ous avez sans doute remarqué que, tout au long de ce livre, les mêmes thèmes apparaissent souvent. Ce n'est pas une erreur, il s'agit simplement de vous faire comprendre qu'ils sont au cœur des préoccupations des managers d'aujourd'hui.

Un des thèmes récurrents est le nouveau rôle des managers qui, de plus en plus, soutiennent et encouragent leurs employés au lieu de leur donner des ordres (ou tout simplement d'exiger d'eux une bonne performance). Les meilleurs managers sont des entraîneurs, des individus qui guident, discutent et encouragent. Grâce à eux, les employés obtiennent de meilleurs résultats et les entreprises sont plus performantes que jamais.

Le Chapitre 4 traitait du leadership de situation. C'est-à-dire l'adaptation du style de leadership d'un manager pour correspondre au niveau de développement des employés. Des quatre styles de leadership de situation (diriger, entraîner, soutenir et déléguer) diriger et déléguer sont les plus évidents et les plus susceptibles d'abus. Les managers débordés sont capables de 1) dire exactement ce qu'un employé doit faire (diriger) ou 2) le laisser agir seul (déléguer).

Entraîner et soutenir demandent plus de temps et d'efforts et sont donc plus souvent ignorés. Dans ce chapitre, vous verrez comment combiner entraînement et soutien.

Pour les employés qui sont en train de développer leurs compétences, connaissances et confiance, l'entraînement est une partie critique de leur apprentissage.

Méditez donc cette maxime :

Raconte-moi, j'oublie

Montre-moi, je m'en souviens

Implique-moi, je comprends.

Vos employés n'apprendront pas si vous leur ordonnez d'accomplir une tâche sans aucune explication ni aucun soutien. Certes, les bons employés s'en sortiront toujours, mais ils auront perdu un temps fou et auront dépensé de leur précieuse énergie à démêler le travail sans votre aide.

Voici deux extrêmes : être prié d'accomplir une tâche et n'être absolument pas soutenu. Entre les deux, pourtant, il existe un juste milieu qui harmonise les rapports entre les employés et les managers.

Qu'est-ce qu'un entraîneur ?

Vous avez maintenant une bonne définition du manager ; cependant, savez-vous véritablement ce que veut dire entraîneur ? Un entraîneur est à la fois un collègue, un conseiller et un meneur. Vous reconnaissez-vous ? Et votre supérieur ? Et le supérieur de votre supérieur ? Oui ou non ?

Nous sommes prêts à parier que vous pensez que le rôle d'entraîneur s'applique à d'autres que vous. Un metteur en scène, par exemple, est presque toujours un acteur accompli. Son travail consiste à trouver les comédiens, établir le planning des répétitions, former et diriger les acteurs, les soutenir et les encourager jusqu'à la fin. Cela vous paraît-il si étranger ?

Entraîner une équipe n'est pas une chose aisée. Mais on peut apprendre, s'entraîner et s'améliorer pour devenir un bon entraîneur. Il y a toujours de la place pour le perfectionnement, et les bons entraîneurs sont les premiers à l'admettre. La liste qui suit souligne les caractéristiques fondamentales de l'entraîneur :

- **Les entraîneurs déterminent les objectifs :** que le but d'une entreprise soit d'occuper la première place sur le marché, d'augmenter ses revenus annuels de 20 %, ou simplement de peindre les murs de la salle de repos en bleu, entraîneurs et employés travailleront a obtenir les résultats fixés.

- **Les entraîneurs soutiennent et encouragent**. Même les meilleurs et les plus expérimentés des employés se découragent de temps à autre. C'est précisément à ce moment-là que les entraîneurs doivent intervenir.

- **Un entraîneur insiste davantage sur le succès de l'équipe que sur le succès individuel.** Le premier souci est la performance globale de l'équipe et non pas les superbes capacités individuelles de chacun de ses membres. Un entraîneur sait que, pour relever un défi, il faut combiner les efforts de tous. Le développement des compétences du travail d'équipe intégrera parfaitement un employé dans l'entreprise.

- **Un entraîneur évalue rapidement les forces et les faiblesses des membres de l'équipe.** Les plus efficaces arrivent à déterminer rapidement les forces et les faiblesses de leurs employés et, en conséquence, personnalisent leur approche. Par exemple, si un membre de l'équipe possède de bonnes compétences analytiques, mais a quelques difficultés à les mettre en pratique, l'entraîneur le soutiendra en lui montrant comment faire. *Regarde, Marc, tu as fais le plus gros, le reste est une question de méthode.*

- **Un entraîneur inspire les membres de son équipe.** Par son soutien et ses orientations, un entraîneur est un référent pour son équipe, qui n'aura de cesse de se surpasser pour atteindre les objectifs fixés.

- **Un entraîneur crée des relations qui permettent aux individus de réussir.** Un entraîneur génial fait en sorte que son lieu de travail soit structuré de façon à permettre aux membres de l'équipe de prendre des risques et d'étendre leurs limites sans peur de remontrances s'ils échouent.

  Un entraîneur est toujours disponible pour conseiller ses employés ou simplement pour les écouter parler de leurs problèmes, si besoin est. *Carole, avez-vous une minute s'il vous plaît pour parler d'un problème personnel ?*

- **Un entraîneur doit susciter l'interaction.** La communication entre entraîneur et employé est un élément fondamental dans le processus de l'entraînement. Les employés doivent être conscients de la place qu'ils occupent dans l'entreprise et prévenir leur entraîneur lorsqu'ils ont besoin de soutien et d'assistance. N'oubliez pas que l'échange d'idées et le dialogue font avancer les choses à pas de géant.

Les lettres de licenciement ne sont pas un modèle d'interaction efficace. Si elles sont distribuées sans avis préalable, elles peuvent vous exploser à la figure. *J'ai bien reçu votre lettre recommandée. On en reparlera devant le juge !*

La transformation de la culture corporative de Kodak

Longtemps leader mondial de la photographie traditionnelle, Kodak a récemment failli être laissé en touche, lorsque des sociétés comme Sony, Hewlett Packard et Casio mirent au point une technologie d'images digitales, qui les placèrent parmi les premiers sur le marché. Malgré les milliards de dollars dépensés depuis dix ans pour la recherche et les nombreuses restructurations, Kodak ne parvenait toujours pas à être compétitif. C'est à ce moment-là que George Fisher, D.G. à Motorola, prit la direction de Kodak.

Commençant par la revente des divisions de produits de santé et domestiques pour 7,9 milliards de dollars, Fisher voulut transformer radicalement la société Kodak. Selon lui, "les choses les plus élémentaires peuvent déstabiliser une entreprise. Les décisions sont trop lentes. Les gens ne prennent pas de risques." Là où les anciens D.G. de Kodak étaient autocratiques et strictement hiérarchiques, Fisher encourage un environnement informel dans lequel les employés peuvent communiquer entre eux et prendre des initiatives. Fisher, qui boit son café tous les matins à la cafétéria avec les employés, ne hausse que rarement la voix et encourage son personnel à lui envoyer des messages e-mail. Il répond toujours en personnalisant ces petits mots.

(Source : *Business Week*, 13 février 1995.)

L'entraînement : brève leçon

Mis à part les principes évidents de l'entraînement, c'est-à-dire soutenir et encourager les employés dans leur poursuite de la réalisation des objectifs de l'entreprise, en usant de son expérience, l'entraîneur devra aussi leur apprendre à atteindre ces objectifs. Une fois toutes les étapes enregistrées et apprises par les employés, l'entraîneur délègue entièrement le travail et la responsabilité de la performance à l'un d'eux.

"Montrer et expliquer" est l'un des meilleurs apprentissages qui soient et se décompose en trois étapes :

1. **Vous faites, vous expliquez. Installez-vous avec vos employés et expliquez-leur la procédure à suivre dans des termes généraux tout en l'effectuant vous-même.**

   Au bureau de Pierre, comme dans la plupart des bureaux, les ordinateurs jouent un rôle essentiel dans le travail. Lorsque Pierre doit entraîner ou assister un nouvel employé à utiliser efficacement une technique de tableur ou de traitement de texte, il l'explique ainsi : "Je clique avec le bouton gauche de la souris sur la commande Insérer dans la barre d'outils et j'ouvre le menu. Puis je clique de nouveau sur

Symbole. Je choisis un symbole du menu, je mets la flèche dessus et clique pour le sélectionner. Ensuite, je clique sur Insérer pour placer le symbole dans le document, puis je place la flèche sur Fermer et je clique à nouveau pour finir l'opération."

2. **Vous dites, ils font. Maintenant, faites faire la même chose à vos employés pendant que vous expliquez chacune des étapes de la procédure.** "Cliquez avec le bouton gauche de la souris sur Insérer dans la barre d'outils et sortez le menu. Très bien. Maintenant, mettez la flèche sur Symbole et cliquez. Super ! Choisissez le symbole que vous voulez sortir du menu, pointez la flèche sur Insérez et cliquez pour placer le symbole dans le document. Très bien, vous avez presque terminé. Pointez la flèche sur Fermer et recliquez pour terminer. Voilà ! C'est parfait."

3. **Ils le font, ils le disent**. Enfin, pendant que vous observez, faites-leur refaire cette opération à nouveau et laissez-leur vous expliquer ce qu'ils font. "A vous Anita, je veux que vous insériez un symbole dans votre document en m'expliquant ce que vous faites."

"D'abord, je clique avec le bouton gauche de ma souris sur la commande Insérer dans la barre d'outils et je sors le menu. Ensuite je mets la flèche sur Symbole et je reclique. Je choisis le symbole que je veux, pointe la flèche dessus et clique pour le sélectionner. Ensuite, je mets la flèche sur Insérer pour le placer dans le texte. Enfin, je mets la flèche sur Fermer et je reclique pour terminer. J'ai réussi !"

L'entraînement : la recherche quotidienne de moments décisifs pour la carrière

En dépit des croyances courantes, 90 % du management n'est pas une *grande* affaire, à l'instar des traits de génie qui créent des marchés là où il n'en existait pas avant, les brillantes négociations qui conduisent à des hauts degrés de coopération des managers ou encore le coup de maître qui catapulte la société dans la cour des grands. Non, 90 % du travail de manager consiste à arrondir les angles et à exploiter les talents.

 Les meilleurs entraîneurs sont constamment à la recherche de virages et d'opportunités quotidiennes qui les rendront disponibles pour les employés.

Transformer les virages en grands succès

Les grands succès, les avances sur les concurrents, les explosions de revenus et de profits, les nouveaux produits sensationnels, sont le résultat de petits travaux menés patiemment, étape par étape, jusqu'à terme. Rendre un système voice-mail plus adéquat aux besoins de vos clients, envoyer un employé à une conférence sur le management, signer un accord génial de ventes, faire l'évaluation utile d'un employé, déjeuner avec un client potentiel, chacun de ces points est un tournant décisif dans une journée de travail.

Voilà donc en quoi consiste le travail de l'entraîneur, au lieu d'utiliser de la dynamite pour transformer radicalement l'entreprise (et prendre le risque de la détruire et avec elle ses employés y compris vous-même). Un coach doit toujours avoir à l'esprit la construction des grandes pyramides d'Egypte. (Voir figure 7.1.) Chaque pierre en soi ne semble peut-être pas fondamentale, mais, associée aux autres, cela donne des monuments qui résistent au temps et aux hommes.

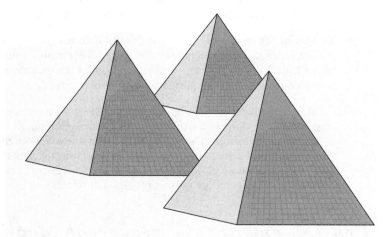

Figure 7.1 :
Les pyramides d'Egypte.

Etre un support pour les employés qui sont à un tournant de leur carrière

Un bon entraîneur doit passer du temps avec ses employés pour les aider à mettre au point une méthode de travail, pour évaluer leurs progrès et leurs facultés. Il les rassure en mettant à leur service ses propres capacités et son expérience. Il récompense les performances et aide les employés à tirer d'importantes leçons de leurs erreurs.

Supposez que vous ayez une stagiaire au service des ventes. Elle est jeune et inexpérimentée, mais brillante et énergique. Elle a pris l'initiative de contacter les clients et de prendre les rendez-vous pour son chef, mais elle doit maintenant conclure son premier contrat. Quand vous lui en parlez, elle avoue être très nerveuse, parce qu'elle a peur de tout rater à la dernière minute. "Help !" Entendez-vous cette petite voix ? Allez-y, elle a besoin de vous.

Ces lignes directrices peuvent vous aider à entraîner votre employée et à répondre à ses préoccupations :

- **Rencontrez-la.** Prenez un rendez-vous avec elle dès que possible. Trouvez un endroit calme où personne ne viendra vous déranger, débranchez votre téléphone ou transférez les appels à la messagerie vocale.

- **Ecoutez-la !** Evitez de sortir de votre chapeau des solutions miracles et de vous prendre pour Monsieur-je-sais-tout. Avant de dire quoi que ce soit, laissez-la parler, exposer ses doutes et vous faire part de ses préoccupations. Faites en sorte que se soit elle qui propose des solutions. Bref, contentez-vous d'écouter.

- **Mettez l'accent sur les choses positives.** Commencez par souligner tout ce que votre employée a bien fait dans cette situation particulière. Donnez-lui le sentiment qu'elle est sur la bonne voie.

- **Proposez des améliorations possibles.** Montrez-lui les choses qui doivent être améliorées et dites-lui ce que vous pouvez faire pour l'aider. Mettez-vous d'accord sur l'assistance dont elle a besoin : formation, budget plus large, plus de temps, etc. Enfin, montrez-lui que vous avez confiance en elle.

- **Soyez théorique... et pratique.** Une fois que vous avez déterminé ce que vous pouvez faire pour aider votre employée, faites-le ! Vérifiez ses progrès périodiquement et offrez-lui votre soutien si nécessaire.

Par-dessus tout, soyez patient. Comprenez que tout le monde est différent. Certains employés comprennent vite, tandis que d'autres ont besoin de plus de temps pour mener à bien un travail. Les différences de compétences ne classent pas les employés du meilleur au moins bon, elles les différencient, c'est tout.

Les outils de l'entraînement

L'entraînement n'est sûrement pas une activité unidimensionnelle, parce que chaque personne est différente. Les meilleurs entraîneurs adaptent leur approche aux besoins spécifiques de chaque membre de l'équipe. Si l'un est indépendant et ne nécessite qu'un encadrement occasionnel, l'entraîneur doit reconnaître la situation de cet employé et lui fournir ce niveau de soutien. Ce soutien peut consister en une vérification occasionnelle et informelle de sa progression en faisant le tour du bureau. Si, en revanche, vous vous apercevez que cet autre a besoin d'être guidé, vous devez l'assister. Dans ce cas, le soutien pourrait consister en des réunions fréquentes et formelles pour évaluer sa progression et lui accorder conseils et supervision nécessaires.

Certains entraîneurs ont mis au point des techniques afin d'obtenir les meilleures performances de leurs employés :

- **Consacrez du temps aux membres de l'équipe.** Le management est avant tout un travail humain. Une partie du travail d'un bon manager et d'un entraîneur consiste à être disponible pour les employés qui les demandent. Si vous ne l'êtes pas, ils pourraient trouver d'autres façons de satisfaire leurs besoins, ou carrément cesser de travailler avec vous. Ayez toujours votre porte ouverte et rappelez-vous qu'ils sont votre première priorité. Managez en faisant le tour des bureaux, et rendez-leur régulièrement visite. *Si j'ai une minute, Hélène ? Bien sûr, j'ai toujours du temps pour vous et cela est valable pour tous.*

Quand l'entraîneur a besoin d'être entraîné

Parfois, même les entraîneurs ont besoin d'être entraînés. Scott McNealy, le D.G. de Sun Microsystems a réussi à combiner dynamisme, passion et contrôles financiers stricts et fit réaliser à son entreprise, en 1995, 6 milliards de ventes, contre 39 millions en 1984. McNealy a poussé le concept des réseaux informatisés depuis des années, bien avant qu'Internet soit devenu le dernier endroit où l'on cause ou, si vous préférez, le dernier cyberespace de communication. Aujourd'hui, Sun contrôle 35 % du marché mondial de fournisseurs World Wide Web et ses réseaux "Ready" d'Internet sont adoptés pour usage interne par de nombreuses sociétés, comme Gap, Federal Express, et AT&T Universal Card Services.

Cependant, malgré ses succès, Scott McNealy embaucha un "D.G. entraîneur" pour être encore plus efficace. L'entraîneur, Chuck Raben du Delta Consulting Group, Inc, demanda aux managers de Mcnealy de l'informer sur les domaines dans lesquels leur chef pouvait se perfectionner. Raben fit une compilation de ces études et résuma les réponses. Le résultat fut que, d'après l'équipe de management du Sun, McNealy devrait écouter davantage ses collaborateurs. Désormais, McNealy se promène avec un Post-it lui rappelant de réagir aux points soulevés par ses managers dans les réunions.

(Source : *Business Week*, 22 janvier1996)

- **Expliquez le contexte et les objectifs.** Au lieu de dire simplement à leurs employés ce qu'ils doivent faire, les bons entraîneurs leur expliquent pourquoi ils doivent réaliser telle tâche et quel apport aura-t-elle pour l'entreprise. *Chris, vous êtes très important pour la vitalité et la santé financière de notre société. En nous assurant que nos clients paient leurs factures dans les trente jours après livraison, nous pouvons investir et régler nos factures comme le loyer, l'électricité, et ton salaire.*

- **Transmettez vos connaissances et définissez vos objectifs.** L'un des points positifs, lorsqu'on a un bon entraîneur, c'est de profiter de son expérience. Pour répondre aux besoins des membres de l'équipe, les entraîneurs transmettent leurs connaissances et leurs perspectives. *Nous étions dans la même situation il y a cinq ans. Je vais vous dire ce que nous avions fait et vous allez me dire si vous jugez que cela est toujours approprié aujourd'hui.*

- **Laissez-les vous faire part de leurs idées.** Les entraîneurs discutent avec leurs employés des problèmes rencontrés. En étant à l'écoute, ils peuvent souvent aider leurs employés dans des moments difficiles et leur faire trouver des solutions par eux-mêmes. *Bon, David, vous m'avez dit que vous pensez qu'un client achèterait le tout à un prix augmenté de 20 %. Comment pouvons-nous présenter cette augmentation des prix, et quelles sont les solutions les plus acceptables ?*

- **Obtenez les ressources nécessaires.** Parfois, il peut arriver que les entraîneurs parviennent à passer d'une performance marginale à une performance exceptionnelle en fournissant tout simplement les ressources nécessaires. Celles-ci peuvent être variées : du capital, du temps, du personnel, des équipements, etc. *Bon, vous croyez que nous pouvons augmenter nos liquidités si on prend quelques assistants supplémentaires ? D'accord, on le tente !*

- **Soyez prêt à tendre la main.** Pour un employé qui en plus de son travail effectue d'autres tâches, la charge est accablante. Les entraîneurs peuvent donc aider ces employés dans leur phase de transition en assignant certaines choses à d'autres, en autorisant les heures supplémentaires ou en prenant des mesures pour réduire la pression. *Jean, pendant que vous apprenez comment régler le problème de ce nouveau réseau de services, je vais vous délivrer de certaines de vos tâches habituelles, Rachel les effectuera. On se revoit en fin de semaine pour voir où vous en êtes.*

Les métaphores de l'entraînement pour le succès dans les affaires

Tous les patrons savent que l'entraînement et le travail d'équipe donnent à l'entreprise une image positive. Dans de nombreuses sociétés, les D.G. embauchent des "athlètes professionnels" et des entraîneurs pour enseigner aux employés l'importance du jeu d'équipe et leur donner le goût de la victoire ; les managers sont les entraîneurs ou les chefs d'équipe, les employés sont les joueurs.

Le parallèle entre le sport et le travail est évident. Les citations ci-dessous sont extraites du livre de Gerald Tomlinson, *Speaker's Treasury of Sports Anecdotes, Stories, and Humor.*

- Lou Holtz, entraîneur de l'équipe de football Notre-Dame dit à propos de son approche de l'entraînement : "Je ne crois pas que la discipline doive être autoritaire. Il faut seulement leur montrer qu'on est là."

- Selon l'ancien entraîneur de Darthmouth Lacrosse, Whitey Burnham, "le bon jugement vient de l'expérience, et l'expérience vient de mauvais jugements".

- Ancien entraîneur chez Houston Oilers, Bum Phillips défend la théorie selon laquelle l'entraînement des joueurs de football peut s'appliquer au monde du travail : "Deux sortes de joueurs de foot ne valent rien du tout sur un terrain : celui qui n'obéit jamais, et celui qui se contente de faire ce qu'on lui a demandé."

- L'entraîneur génial de l'UCLA Basketball, John Wooden, a dit : "Si on ne fait pas de faute, on n'apprend pas. Je suis persuadé qu'un super manager fait aussi des fautes. "

- L'ancien entraîneur de l'équipe de football des Oakland Raiders, John Madden, résume sa philosophie de l'entraînement ainsi : "Je ne voulais pas un jeu époustouflant de temps en temps, mais un bon jeu tout le temps."

Testez vos nouvelles connaissances

Quelles sont les trois fonctions clés de l'entraînement ?

   A. Déterminer les objectifs, entraîner et dialoguer.

   B. Motiver, intimider et blâmer.

   C. Punir, remettre à jamais, perdre son temps.

   D. Il n'y en a pas.

Quelles sont les trois étapes de l'entraînement : "montrer et expliquer" ?

   A. Je montre, tu expliques, nous effectuons.

   B. Vous montrez, ils expliquent, nous entraînons.

   C. Riri, Fifi, Loulou.

   D. Vous faites, vous expliquez ; ils font, vous expliquez ; ils font, ils expliquent.

Troisième partie
Faire aboutir les projets

"Comme équipe de vampires, vous avez fait du bon boulot.
Il y a juste un problème, et peut-être que je n'ai pas
été assez clair sur le sujet, mais je constate
que vous m'apportez tous la même partie du corps."

Dans cette partie...

Lorsque vous avez fixé les objectifs avec vos employés, vous devez être capable de mesurer leur progression par rapport à ceux-ci. Nous allons ici traiter de la meilleure façon de fixer les objectifs avec les employés, de mesurer leur performance et de les évaluer.

Chapitre 8
Déterminer des objectifs : rien de plus facile

Dans ce chapitre :

Etablir un lien entre les objectifs et le projet initial.

Créer des objectifs astucieux.

Limiter les objectifs.

Parler de vos objectifs.

Les mener à terme.

Déterminer les sources du pouvoir.

Demandez à n'importe quel membre d'une équipe "Quel est le premier devoir du manager ?", il vous répondra : "Déterminer les objectifs." Si ce n'est pas la réponse donnée, c'est qu'il y a un problème ! La direction détermine les objectifs de toute l'entreprise. Les managers intermédiaires ont la fonction de fixer d'autres objectifs et de lancer des projets en vue de la réalisation finale des objectifs fixés par la direction. Ainsi managers et employés doivent-ils travailler ensemble pour arriver à un même but.

Managers et employés sont parfois submergés par les objectifs à atteindre. Vous devez absolument éviter l'avalanche en déterminant l'urgence et l'importance de chacun. *Dois-je commencer par réduire le temps d'exécution de mon service, ou finir d'établir le budget que mon chef attend ? Ou peut-être devrais-je restructurer le service clientèle... Lequel est le plus pressé ? Non, finalement, je crois que je vais plutôt lancer cette nouvelle campagne de pub.*

Dans ce chapitre, vous découvrirez que l'accumulation ou l'absence d'objectifs mène au même résultat : du mauvais boulot !

N'oubliez pas que les objectifs vous montrent la direction à suivre, alors ne vous perdez pas en chemin parce qu'on vous attend au tournant.

Si vous ne savez pas où vous allez, vous ne saurez pas que vous êtes arrivés !

Savez-vous que le roman de Lewis Carrol *Alice au pays des merveilles* peut vous être professionnellement très utile ? Si, si. Rappelez-vous la conversation entre Alice et le Chat au sujet de la direction qu'elle doit prendre :

"— Dites-moi, je vous prie, d'ici, quel chemin dois-je prendre, demanda Alice au Chat ?

— Cela dépend beaucoup de l'endroit où vous aimeriez aller.

— Cela m'est égal.

— Dans ce cas, vous pouvez prendre n'importe quelle direction.

— Du moment que j'arrive quelque part.

— Si vous marchez assez longtemps, vous y arriverez, conclut le Chat."

Aller quelque part ne demande aucun véritable effort. Toutefois, si vous cherchez à atteindre un but précis, vous devez planifier le voyage.

Supposez que vous ayez l'idée de créer une nouvelle agence à Nice pour mieux contrôler vos représentants qui tournent dans le sud de la France. Comment réaliser cet objectif ? Vous avez trois possibilités : 1) En improvisant 2) En planifiant et en étudiant tous les cas de figures qui pourraient se présenter 3) En espérant et en priant. Votre choix est fait ?

Si vous avez opté pour la prière, grand bien vous fasse, mais incluez dans vos versets : *Un objectif, c'est un rêve avec un délai.* Amen.

Si vous avez choisi de planifier, nous sommes heureux de vous annoncer que vous avez gagné un superbe voyage d'une journée pour une personne, dans la jolie petite ville de Plume-la-Poule. Et on peut dire que vous êtes de sacrés veinards puisque votre photo apparaîtra dans *Le Management pour les Nuls* ! Félicitations !

Revenons aux choses sérieuses. Voici les raisons principales pour lesquelles il faut toujours déterminer des objectifs lorsque l'on veut faire du bon travail :

- **Les objectifs donnent la direction à suivre.** En ce qui concerne l'exemple précédent sur Nice, il existe probablement mille et une façons de vous occuper de vos représentants du Sud, définir un objectif en est une. Cela vous aidera à concentrer vos efforts et ceux du personnel sur les seules activités vous menant droit au but souhaité. Dans le cas contraire, vous perdrez beaucoup de temps et tournerez en rond.

- **Les objectifs vous montrent le chemin déjà parcouru.** Les objectifs posent des jalons tout au long du chemin à parcourir. Si vous jugez que sept objectifs sont nécessaires au processus et que vous n'en avez accompli que trois, vous savez donc précisément où vous en êtes et ce qu'il vous reste à faire.

- **Les objectifs vous aident à atteindre un but.** Procédez par étapes. Si c'est en buvant votre café lundi matin que vous avez eu l'idée d'ouvrir une agence à Nice, ne courez pas mardi matin à l'aéroport acheter votre Paris/Nice pour voir si tout est bien en place là-bas et si la machine à café fonctionne. Commencez par rechercher les bureaux à vendre dans le coin, réfléchissez au nombre de personnes à embaucher, aux mutations possibles (là, vous risquez d'avoir des demandes à la pelle. Partir travailler au soleil... le rêve !) ; ensuite, il y aura les nouvelles cartes de visite à imprimer, le papier à en-tête, etc. Soyez organisé. Chaque chose en son temps.

- **Les objectifs clarifient le rôle de chacun.** Lorsque vous partagez vos idées avec vos employés, ils peuvent vous aider à y voir plus clair et énoncer des choses auxquelles vous n'aviez même pas pensé. C'est ça, la communication ! À vous maintenant d'assigner des tâches différentes à chacun, mais qui serviront toutes à réaliser l'objectif de départ.

- **Les objectifs poussent les gens à faire des efforts pour atteindre un but concret.** Nous croyons que les employés sont plus motivés lorsqu'ils savent pourquoi ils travaillent sur telle ou telle tâche. Les objectifs donnent non seulement un sentiment d'utilité, mais délivrent aussi de la routine.

Afin que les objectifs soient utiles, ils doivent être directement reliés au souhait initial. Pour être compétitif ou simplement pour ne pas couler, les entreprises lancent sans cesse de nouveaux projets. Les managers et les employés travaillent ensuite ensemble pour déterminer et réaliser les objectifs qui, à terme, concrétisent le projet initial. Voici quelques exemples de projets gigantesques qui motivent toute une entreprise :

- Samsung, grand fabricant coréen d'électronique, de chimie et de machinerie ainsi que pourvoyeur d'assurances, cartes de crédit et autres services financiers, a un grand projet : devenir au plus vite l'une des dix premières "puissances technologiques" mondiales.

- Motorola, connue pour son obsession de la qualité, a décidé de tout mettre en œuvre pour ne plus avoir de défauts de fabrication d'ici l'an 2000.

- Il y a presque un siècle, le président d'AT&T mettait au point un service téléphonique correct, économique et rapide. Maintenant, avec l'explosion de la technologie de l'information créant des opportunités nouvelles pour l'industrie de la télécommunication, AT&T a pour dessein de devenir le leader mondial de l'information.

(Source : James Stoner, R Edward Freeman et Daniel Gilbert Jr., *Management*)

Des objectifs clairs

Toutes les entreprises ont leurs propres objectifs. Certains sont rapidement réalisables (le mois prochain, nous augmenterons la production de deux unités par employé et par heure), d'autres doivent être planifiés à plus long terme (dans les cinq prochaines années, nous pourrons réaliser tels bénéfices). Mais attention, si certains objectifs sont faciles à atteindre, d'autres sont très souvent vagues ou trop flous et parfois même irréalisables. Voici quelques exemples très parlants : les travailleurs à la chaîne ne devront pas avoir plus de vingt articles de rebut par mois ; dorénavant, les employés devront être plus respectueux les uns envers les autres ; les réceptionnistes doivent toujours répondre au téléphone à la troisième sonnerie ; avant la fin de l'année, tous les cadres supérieurs devront maîtriser les cinq langues parlées par nos clients. Como, perque, what ?

Deux questions se posent : comment fixer les bons objectifs et comment parviendra-t-on à les réaliser ? A quoi bon organiser des réunions, déterminer les besoins de l'entreprise et perdre un temps fou pour finalement s'apercevoir que les objectifs fixés sont irréalisables ? Malheureusement, ce scénario est typique de la mauvaise organisation de nombreux managers.

Les meilleurs objectifs doivent être clairs, précis et réalisables. Et pis quoi encore ?

- **Spécifiques.** Pas de caprices. Les objectifs doivent être clairs et sans ambiguïté. Chaque employé doit pouvoir comprendre rapidement de quoi il retourne et où il va.

- **Mesurables.** Si l'objectif n'est pas mesurable, vous ne pouvez pas vérifier que ceux qui contribuent à sa réalisation sont partis dans la bonne direction. Et comment motiver des employés qui n'entrevoient même pas la finalité de leur travail ?

- **Réalisables.** Les objectifs doivent être réalistes et réalisables. Ne demandez pas à vos employés d'entrer dans la quatrième dimension pour aller décrocher la Lune !

- **Atteints par le plus grand nombre** Il semblerait cependant que 80 % de la productivité découlent seulement de 20 % des activités. Cette théorie du 80/20 a été énoncée par l'économiste italien Pareto : par exemple, on sait que 80 % des richesses de nombreux pays sont détenus par 20 % de la population. Cette règle s'applique aussi à d'autres domaines. Les objectifs sont en général réalisés par seulement 20 % de la masse salariale d'une entreprise. (Source : Blanchard, Schewe, Nelson ; & Hiam, *Exploring the World of Business*)

- **Limités dans le temps.** Les objectifs doivent avoir un point de départ, un point d'arrivée et une durée déterminée. En sachant cela, les employés fourniront les efforts nécessaires pour atteindre l'objectif dans les délais fixés.

Les managers doivent travailler main dans la main avec leurs employés et les tenir informés des objectifs de l'entreprise. Vous n'aurez alors aucune mauvaise surprise, puisque vous aurez défini ensemble les grandes lignes.

Petits conseils d'ami :

- **Assigner les bonnes tâches aux bonnes personnes.** Les tâches à accomplir en vue d'atteindre les objectifs de l'entreprise sont beaucoup plus faciles à effectuer pour les employés si elles font partie intégrante de leur travail. Supposez que vous demandiez aux soudeurs de circuits électroniques de votre entreprise d'augmenter leur production de 2 %, l'objectif sera atteint puisqu'il n'est pas étranger à leur travail. Maintenant, demandez-leur de réfléchir à la nouvelle campagne de pub qui doit propulser l'entreprise au rang de N°1 mondial... Rien à voir avec la choucroute ! Ils ne le feront pas (et ils auront raison), parce que ce travail n'entre pas dans leur domaine de compétences.

- **Déterminer le vrai but de l'entreprise.** Que recherche au juste votre société ? Pour *General Electric*, c'est sûrement de devenir la meilleure dans chaque domaine.

    Du vice-président à la standardiste, chacun doit comprendre et prendre conscience de l'importance du but à atteindre.

- **Les objectifs simples sont les meilleurs.** Plus vos objectifs seront faciles à comprendre, plus vos employés seront aptes à vous aider à les réaliser.

    Cependant, il peut également y avoir des objectifs multiples. Dans ce cas, fragmentez-les. Ceux qui demandent plus d'une page d'explication ne sont pas des objectifs, mais des romans. Offrez-les à la bibliothèque de votre quartier et recommencez !

Fixer des objectifs : moins on en a, mieux on se porte

Pierre se souvient de cette histoire comme si c'était hier. Son entreprise avait décidé de développer un plan stratégique à long terme. L'équipe entière de management avait été convoquée pour cet "effort", et plusieurs réunions avaient eu lieu, durant lesquelles il fallait planifier, embaucher du personnel supplémentaire et réfléchir à la meilleure façon d'en informer les employés.

Tout le monde passa ainsi des heures à réfléchir. Pourquoi l'entreprise existait-elle ? Qui était ses clients ? Quelles étaient ses buts ? Quelle était sa mission ? Ses objectifs étaient-ils réalisables ? Peu à peu, les murs de la salle de conférence se tapissèrent de grands papiers blancs sur lesquels on pouvait lire : *Améliorer le service clientèle. Réaliser plus rapidement les projets. Réparer le chauffage et la ventilation dans le bureau du patron.* Et ainsi de suite.

Les managers félicitèrent tous ceux qui avaient participé à ce travail et chacun poursuivit son petit bonhomme de chemin. En quelques jours, les objectifs avaient été oubliés et les papiers blancs soigneusement rangés dans un placard. L'effort phénoménal fourni sombra dans l'oubli. Rapidement, les employés de l'entreprise qui avaient été informés des grands changements qui devaient avoir lieu, et auxquels ils devaient participer, se lassèrent d'attendre. *C'était sans doute un autre petit caprice du management !*

Quelques points soulevés ont tout de même été mis en application. Cependant, la plupart sont vite passés aux oubliettes, ou ont été ignorés ou dépassés par certaines priorités. Vous venez d'avoir l'exemple type d'une équipe ambitieuse, mais gourmande, qui s'est fixée beaucoup trop d'objectifs.

Quelles que soient les compétences de chacun, personne ne possède le don d'ubiquité. À bon entendeur...

Entrez, pour quelques instants, dans la peau d'un jongleur. Avec deux balles, vous réussissez à nous émerveiller, la troisième balle nous subjugue. Vous lancez l'une pour rattraper l'autre, rien de plus. Imaginez maintenant que l'on vous demande de jongler avec douze balles, les yeux fermés et sur un pied ? Vous prendrez vos cliques et vos claques sans même attendre les applaudissements, et vous aurez raison. Ouvrez les yeux, vous êtes dans votre bureau et l'on vous apprend que *le système téléphonique vient de tomber en panne et que personne ne peut venir dépanner avant la semaine prochaine !* Vous prenez vos cliques... Non, c'est une blague. Ne partez pas ! Tiens, on frappe à votre porte, c'est votre patron : *Ces contrats de ventes doivent partir ce soir ! M. Crank attend votre coup de fil.* Horreur et damnation, il faut trouver une solution. Après tout, vous êtes manager, non ?

Bref, avoir trop d'objectifs, c'est comme ne pas en avoir du tout.

Moins les objectifs seront nombreux, plus ils seront réalisables.

Les points suivants vous aideront à sélectionner les bons objectifs et à déterminer leur nombre :

- **Choisissez deux ou trois objectifs.** Vous ne pouvez pas tout entreprendre à la fois ni exiger n'importe quoi de vos employés. Plus de deux ou trois objectifs à réaliser dilueront vos efforts et pourront vous mener à la catastrophe.

- **Choisissez les bons objectifs.** Certains objectifs plutôt que d'autres vous mènent davantage vers la réalisation du projet initial. Sachant que vous êtes payés, normalement, pour effectuer huit heures de travail par jour, commencez par les objectifs qui sont les plus importants et les plus rémunérateurs.

- **Concentrez-vous sur ceux qui sont étroitement liés au projet initial de votre entreprise.** Vous pouvez être tenté de vouloir mener à bien un travail intéressant, stimulant, mais qui n'a rien à voir avec les objectifs fixés par la direction. Mettez-le de côté et concentrez-vous sur les prorités.

- **Repensez à vos objectifs régulièrement et réactualisez-les si nécessaire.** Le monde des affaires est tout sauf statique, et revoir régulièrement ses objectifs est essentiel pour vous assurer qu'ils correspondent toujours à la demande. Si c'est le cas, c'est bon, persévérez. Sinon, retournez à la case Départ.

Calmez votre joie et votre ardeur à faire le maximum de choses à la fois. N'oubliez pas que le management ne consiste pas à collectionner les objectifs, mais les succès.

Objectifs à faire circuler

Avoir des objectifs, c'est génial, mais de quelle manière peut-on en informer les employés ? Vous le savez, les objectifs fixés dépendent du projet initial de l'entreprise. Les établir vous aide à vous assurer que les efforts des employés sont canalisés et tendent tous vers le même but : la réalisation du projet initial. Plusieurs possibilités s'offrent à vous pour communiquer et expliquer le mieux possible ces objectifs à vos employés.

L'objectif annuel de Marmot Mountain

Lorsque Steve Crisafulli fut élu président de *Marmot Mountain* en 1991 (fabricant de vêtements haut de gamme du Colorado), il s'aperçut que la société était en difficulté. Selon lui, *Marmot* n'avait "plus aucun crédit, possédait un système informatique inutilisable et des échéanciers en retard de six mois. Je n'avais encore jamais vu de société dans un tel état." Le plan d'action de Crisafulli fut de fixer des objectifs afin de faire sortir la société de ce bourbier. "La façon de gérer une petite société est de se concentrer sur une ou deux petites choses à la fois."

Crisafulli fut tout d'abord atterré par le système de livraison de la société. Petit exemple : la collection hiver 1989 fut livrée aux clients en janvier 1990 ! L'objectif N°1 de Crisafulli fut de livrer tous les produits Marmot dans les délais. Les employés se mirent d'accord pour réaliser cet objectif pour la collection hiver 1992. Des réunions quotidiennes des équipes de management furent organisées, les managers commencèrent à communiquer entre eux ainsi qu'avec les employés, des inspecteurs de qualité furent envoyés dans les usines pour contrôler les fournisseurs clés, et les budgets de marketing furent augmentés. "Ce qui manque le plus aux petites sociétés, ce sont tout d'abord les moyens et ensuite le temps."

Bref, non seulement Marmot a réalisé son objectif, mais la collection hiver a été livrée avec deux semaines d'avance. Les ventes ont augmenté de cinq millions de dollars au début des années 90, pour atteindre les onze millions en 1994. Depuis, tous les ans, l'équipe de management décide d'un objectif pour l'année suivante. Selon Crisafulli : "Ce système n'a encore jamais échoué. Il n'y a pas de recette miracle, il suffit seulement de vous concentrer sur une chose à la fois, et vous la réaliserez."

(Source : *Inc. Magazine*, août 1995)

Informer le personnel des projets de l'entreprise est primordial. Tous les moyens sont bons pour communiquer, à condition toutefois d'en contourner les obstacles. Les réunions de management exténuantes qui laissent les participants abattus et morts de fatigue peuvent, par exemple, ralentir le travail et démotiver l'équipe, qui ne pense plus qu'à une chose : en finir au plus vite.

Beaucoup de managers craquent à ce point crucial et sont donc incapables de communiquer au personnel ce qu'ils ont eux-mêmes à peine compris.

Communiquez énergiquement et avec un sentiment d'urgence et d'importance. L'enjeu est de taille lorsqu'il s'agit du sort de votre entreprise et du gagne-pain de vos employés !

Les sociétés annoncent généralement leurs projets en grande pompe, par exemple :

- en organisant des réunions géantes qui rassemblent tous les employés.

- en imprimant les règles de bases sur n'importe quel support : cartes de visite, messages internes sur ordinateurs, posters géants, bulletins spéciaux, etc.

- en encourageant les managers à en parler à toutes les réunions.

Comment en parler ? Comme vous voudrez, l'important est de communiquer le plus tôt possible et fréquemment.

En revanche, les objectifs qui mèneront à la réalisation du projet initial relèvent d'une affaire plus personnelle, et vos méthodes pour les communiquer doivent être plus formelles et plus directes. Les points ci-dessous peuvent vous être utiles :

- Les objectifs doivent toujours être écrits.

- Rencontrez personnellement les employés afin d'introduire, de discuter et d'assigner les tâches à chacun d'entre eux.

  Si, pour une raison ou pour une autre, vous ne pouvez avoir un tête-à-tête avec un employé, faites le point au téléphone. Ce qu'il faut à tout prix, c'est faire passer le message, que les employés comprennent les objectifs et puissent à tout moment demander des explications.

  Vous pouvez choisir de faire réaliser vos objectifs à une équipe plutôt qu'à des individus. Dans ce cas, expliquez à l'équipe son rôle ainsi que celui de chacun des membres dans la réalisation de l'objectif. Assurez-vous que tous aient compris exactement ce qu'ils doivent faire. Mettez-les en appétit et lâchez-les. Nous discuterons plus précisément de la fonction des équipes au Chapitre 12.

- Obtenez l'engagement de vos employés (en équipe ou individuellement) à réaliser leurs objectifs avec succès.

  Demandez-leur de préparer et de présenter des plans d'actions expliquant leur façon de procéder pour atteindre les objectifs décidés ensemble. Une fois qu'ils auront commencé à travailler, surveillez régulièrement leur progression pour vous assurer qu'ils sont sur la bonne voie et rencontrez-les afin de les aider à surmonter les éventuels problèmes.

Jongler avec les priorités sans perdre la balle de vue

Nous allons maintenant aborder un sujet délicat. Comment maintenir la concentration de vos employés (et la vôtre) sur la réalisation des objectifs fixés ?

Hallmark communique ses objectifs de diverses façons

Le management d'Hallmark Cards, Inc., le plus grand producteur mondial de cartes, croit sincèrement qu'une entreprise doit communiquer avec ses employés et les tenir informés des grands projets. Le président et D.G., Irvine O. Hockday, Jr., dit : "Le seul et unique atout durable d'une entreprise, c'est l'énergie et l'ingéniosité de son personnel. Afin de l'exploiter, un directeur administratif doit créer une vision, donner du pouvoir aux employés, encourager le travail d'équipe et donner l'envie d'être compétitifs." (*Directeur administratif*, mars 1993)"

Pour susciter cet engagement des employés, Hallmark, en plus du journal de l'entreprise, développa un système interne de publications uniquement destiné à informer les employés des grands projets. Mais au-delà de la publication de bulletins et de magasines, Hockaday s'investit personnellement en invitant régulièrement ses employés à déjeuner, afin d'échanger leurs informations.

Le désir d'atteindre les objectifs génère habituellement beaucoup d'excitation et d'énergie chez les employés. Tout ce dynamisme peut cependant se dissiper très rapidement si personne ne l'entretient. Vous, manager, devez prendre des mesures pour vous assurer que chacun demeure focalisé sur ces objectifs et ne se laisse pas détourner par d'autres affaires. On est d'accord, c'est plus facile à dire qu'à faire !

Rester concentré sur les objectifs peut être extrêmement difficile, particulièrement lorsque vous êtes très occupé et que les objectifs se sont additionnés à vos responsabilités habituelles. Pensez à tout ce qui vous attend tous les jours :

- Combien de fois vous est-il arrivé de vous asseoir à votre bureau pour faire le point des priorités du jour, et de devoir les mettre de côté cinq minutes plus tard après avoir reçu un appel du genre :

  Michel, il faut que vous laissiez tout tomber pour vous consacrer à un rapport pour le directeur général tout de suite ! Il le lui faut dans trois heures maximum.

- Combien de fois avez-vous demandé à un employé venu vous faire part d'un problème d'en régler un autre ?

  Je suis désolé Michel, mais nous verrons ça plus tard. Jeanne et Antoine viennent de se disputer et Jeanne dit qu'elle va tout laisser tomber. On ne peut pas se permettre de la perdre, surtout pas maintenant ! Elle est la clé du projet. Voulez-vous bien régler cette histoire ?

- Combien de fois avez-vous été retardé par une réunion qui devait durer une heure et qui vous a pris l'après-midi ?

  Y a-t-il des questions au sujet des étapes 1 à 14 du nouveau processus de recrutement ? Bon, très bien, passons aux étapes 15 à 35.

En réalité, vous et vos employés pouvez vous faire distraire de mille et une façons et perdre la concentration nécessaire à la réalisation des objectifs. L'un des plus grands problèmes posés aux employés, c'est de confondre activité et résultats. Connaissez-vous quelqu'un qui travaille pendant des heures impossibles, tard le soir et les week-ends, mais qui ne semble jamais parvenir à un résultat ? Le problème pour lui est de ne pas avoir eu de priorité et d'avoir passer trop de temps sur des tâches secondaires qui n'avaient aucun caractère d'urgence. Là est le piège.

La vraie question est de savoir ce que vous faites effectivement en une journée de travail ? Ou mieux, que faites-vous des 80 % de votre temps qui ne produisent en fait pas grand-chose ? Vous pouvez vous sortir de ce piège en organisant vos emplois du temps et en gérant les priorités. Toutefois, vous devez tenir bon et en aucun cas perdre de vue vos objectifs.

Réaliser vos objectifs dépend entièrement de vous ; personne, même pas votre supérieur (surtout pas lui d'ailleurs), ne va vous arranger les choses et vous aider à vous concentrer sur la réalisation de vos objectifs. *Vous* devez prendre le contrôle, *tout de suite !* Si vous ne contrôlez pas votre propre emploi du temps, d'autres le feront pour vous. Alors là...

Comment éviter les pièges d'un trop-plein d'activités :

- **Toujours commencer par votre priorité n°1 !** Ne cédez pas à la tentation de commencer par les choses faciles et de remettre les plus compliquées à plus tard, ou de tout laisser tomber pour aller papoter avec les collègues. Concentrez-vous sur la priorité n°1 et considérez-la comme *un challenge*.

- **Organisez-vous !** Référez-vous au Chapitre 2 pour connaître les raisons d'une bonne organisation et l'importance de gérer votre temps efficacement.

- **Apprenez à dire NON !** Si quelqu'un essaie de vous donner ses problèmes à résoudre, dites : non ! Même si, au fond de vous, il n'y a certainement rien que vous n'appréciez probablement plus que d'accepter de nouveaux challenges et résoudre les problèmes. Ne gaspillez pas votre temps en participant à des activités mineures. Demandez-vous toujours : "Comment cela m'aide-t-il à atteindre mes objectifs ?" Foncez, concentrez-vous sur vos buts et refusez que les autres vous assomment avec leurs problèmes.

Exercer votre "pouvoir" : faites réaliser vos objectifs

Maintenant que vous avez fixé un certain nombres d'objectifs, comment vous assurer qu'ils seront réalisés ? Comment faire de vos priorités, celles des employés ? Les meilleurs objectifs au monde ne valent rien s'ils ne sont pas réalisés. Vous pouvez choisir d'exposer cette étape critique au hasard, ou alors vous impliquer.

Vous avez le pouvoir de réaliser des objectifs.

Le pouvoir est devenu très péjoratif. En réaction à l'autocratie qui a souvent régné au sein des entreprises américaines depuis quelques années, les employés ont demandé à ce que le management tienne compte de certains principes, qu'il soit plus humain et compatissant.

Nous ne pensons pas que le pouvoir génère forcément de mauvaises choses ; tout dépend de la façon dont il est exercé. Chacun de nous l'exerce sur sa famille, sur son entourage. Il peut être positif, à condition de ne pas en abuser. Aujourd'hui, la manipulation, l'exploitation et la coercition n'ont plus leur place au sein des entreprises.

Chacun possède cinq sources primaires de pouvoir, auxquelles sont liées des forces et des faiblesses particulières. Il est important de les connaître afin de les utiliser à notre avantage.

- **Le pouvoir personnel :** c'est votre personnalité. Votre désir de grandeur, la force de vos convictions, vos capacités à communiquer et à inspirer, votre charisme et vos compétences de leadership.

- **le pouvoir relationnel :** les relations que nous entretenons avec nos collègues de bureau contribuent à forger notre pouvoir relationnel. Les sources de ce pouvoir incluent aussi des amitiés avec des directeurs administratifs, des partenaires, des propriétaires, des personnes qui vous doivent des faveurs ou des collègues qui vous ont transmis des informations confidentielles.

- **Le pouvoir de situation :** il découle essentiellement de votre place au sein de l'entreprise. Selon votre fonction, vous serez amené à rencontrer telle ou telle personne. Par exemple, un chef de service aura certainement plus l'occasion de déjeuner avec un client que la personne chargée de l'entretien des bureaux.

- **Le pouvoir du savoir :** afin de voir en action le pouvoir du savoir, observez ce qui se passe la prochaine fois que le réseau informatique de votre société tombe en panne. Vous verrez alors qui détient réellement le pouvoir chez vous (dans ce cas, votre chef informatique). Le pouvoir du savoir découle directement de l'expérience et des connaissances accumulées au cours de votre carrière. Ce pouvoir vient aussi de vos diplômes (pensez à votre MBA) ou de votre formation spéciale.

- **Le pouvoir d'exécution :** il vient du travail que vous effectuez au bureau et sera, ou non, facilité par vos collègues. Par exemple, lorsque vous envoyez une demande de paiement à votre compagnie d'assurance et que plusieurs mois passent sans qu'aucune réponse ne vous parvienne. *Nous sommes désolés, mais votre demande ne figure pas sur notre ordinateur. Etes-vous certain de nous l'avoir transmise ? Il faudrait nous en envoyer une autre.* Vous êtes donc victime du pouvoir d'exécution.

Maintenant que vous connaissez vos faiblesses, tâchez de les transformer en qualités. Vous n'aviez aucun pouvoir relationnel ? Faites l'effort de mieux connaître vos collègues et de vous lier d'amitié avec certains de vos supérieurs. Au lieu de refuser toutes les invitations d'aller prendre un pot après le travail, allez-y, amusez-vous et renforçant votre pouvoir relationnel.

 Si vous cherchez à augmenter votre pouvoir personnel, il y a plusieurs manières de le faire. Vous pouvez vous inscrire dans un club bénévole qui travaille à améliorer les compétences oratoires. Sinon, inscrivez-vous à un stage d'autoscopie.

Soyez conscient de votre pouvoir et exercez-le d'une façon positive qui vous aidera à accomplir vos objectifs. Une petite quantité de petits pouvoirs peut mener loin.

Testez vos nouvelles connaissances

Quelles sont les caractéristiques d'objectifs ASTUCIEUX ?

A. Ils sont illusoires, élégants, lucratifs, réguliers et faciles à atteindre.

B. Ils ont du succès, sont médiateurs, pertinents et réactionnels.

C. Ils sont superficiels, méditatifs, altruistes, rares et "tubulaires".

D. Ils sont spécifiques, mesurables, réalisables, pertinents et limités dans le temps.

Quelles sont les cinq sources du pouvoir dans une organisation ?

A. Le président et les quatre vice-présidents.

B. Cela dépend.

C. Personnel, Relationnel, Situation, Savoir, et Exécution.

D. Je ne vois pas.

Chapitre 9
Evaluer et suivre les performances individuelles

....

Dans ce chapitre :

Quantifier les objectifs.

Développer un système de retour des performances.

Représenter les résultats graphiquement.

Exploiter au mieux vos données.

....

omme nous l'avons vu au Chapitre 8, il est primordial de déterminer des objectifs. Mais qu'ils concernent un individu, une équipe ou une entreprise, des objectifs seuls ne suffisent pas, s'assurer que chacun progresse vers le but à atteindre est aussi nécessaire. Car la performance d'une entreprise dépend de celle de chaque individu qui la constitue. Atteindre des objectifs est précisément le thème de ce chapitre.

Evaluer et surveiller la performance des individus de votre entreprise exige de la souplesse. Avoir sans cesse un œil sur vos employés risque de perturber leur capacité à accomplir correctement leur travail. À l'inverse, ne leur porter aucune attention vous garantit bien des surprises : projet loin d'être mené à terme, réalisé en retard ou hors budget… *Quoi ? ! La conversion du fichier clients n'a pas encore été effectuée ? Il y a déjà deux semaines que j'ai promis au directeur des ventes que ce serait fait ! Des têtes vont tomber maintenant, c'était sympa de bosser avec toi, Georges !*

Rappelez-vous que votre rôle est d'assister vos employés. Evaluer et surveiller leur efficacité ne signifie pas punir leurs fautes ou leur retard. Il s'agit de les aider à avancer selon les prévisions établies et de les rendre capables de juger de leurs moyens pour le faire. Rares sont ceux qui reconnaissent facilement avoir besoin d'aide, quelle qu'en soit la raison. C'est pourquoi il est de votre intérêt de systématiquement vérifier leur progression et de leur en donner un retour régulier.

Pas de suivi : pas de résultat ! Ne laissez pas le hasard décider de la réalisation de vos objectifs. Faites-le vous-même en contrôlant la progression du travail.

Garder l'oeil sur la balle

La première étape consiste à définir les indicateurs du succès de votre objectif. En suivant les conseils du Chapitre 8, vous fixerez avec vos employés des objectifs simples et peu nombreux, dont vous mesurerez les résultats en temps et en heure.

Si vous quantifiez un objectif en termes de chiffres, il n'y aura pas de malentendu possible ; vos employés sauront comment leur performance aura été évaluée et pourront juger eux-mêmes de leur réussite ou de leur échec. Ils comprendront parfaitement que fabriquer 75 pignons à l'heure, avec un taux de rejets de 10 est inacceptable lorsque l'objectif était de 100 pignons à l'heure, avec un taux maximum de rejet de 1. Ne laissez pas de place à l'ambiguïté, vos objectifs doivent être clairs.

La manière d'évaluer la progression de vos employés est fonction de la nature des objectifs. Certains sont mesurables en temps, d'autres en unités de production, ou en termes de remise effective d'une tâche particulière (rapport, proposition de vente...). Voici quelques exemples d'objectifs et leur mesure :

- **L'objectif :** Réaliser un bulletin d'informations d'ici le deuxième quart de l'année fiscale.

  La mesure : La date précise de l'envoi de ce bulletin. (temps)

- **L'objectif :** Augmenter le nombre de cadres de VTT produits par chaque employé de 20 à 25 par jour.

  La mesure : Le nombre exact de cadres de VTT produits par employé et par jour. (quantité)

- **L'objectif :** Augmenter de 20 % la rentabilité du projet au cours de l'année fiscale 1997.

  La mesure : La croissance du pourcentage de bénéfice du 1er janvier 1997 au 31 décembre 1997.

Constater que votre équipe a atteint son objectif est important, mais reconnaître qu'elle a fait des progrès spectaculaires l'est tout autant. Par exemple :

- Vous êtes le manager d'une équipe de chauffeurs. L'objectif que vous fixez avec eux est de ne plus avoir d'accidents. Ce projet est illimité dans le temps. Affichez donc une gigantesque pancarte " 153 jours sans accidents " au milieu du garage. Vos chauffeurs n'en seront que plus encouragés dans leur effort quotidien.

- L'objectif pour votre personnel administratif est d'augmenter le nombre moyen de transactions de 150 à 175 par jour. Afin de suivre leurs progrès, faites le bilan en public des exploits de chacun toutes les semaines. Ainsi, vous les félicitez de leur avancée vers le but final à mesure que la production augmente.

- L'objectif de vos réceptionnistes et hôtesses est d'augmenter de 10 % le nombre de clients qui jugent votre qualité d'accueil excellente. Affichez les résultats de chaque employé, communiquez-les au service du personnel et, pourquoi pas, offrez à déjeuner à votre meilleur employé du mois.

Le secret de l'évaluation et le suivi des performances réside dans le pouvoir du retour. Lorsqu'il est positif (augmentation du rendement, des ventes, etc.), vous encouragez vos employés à poursuivre leur effort. Lorsqu'il est négatif (beaucoup d'erreurs, beaucoup de journées de travail perdues, etc.), le retour produit l'effet inverse. Soyez sensible à cette différence fondamentale si vous ne voulez pas sabrer le moral de votre troupe !

- **Plutôt que de mesurer ceci :** Le nombre de cartouches défectueuses.

  Mesurez cela : Le nombre de cartouches bien assemblées.

- **Plutôt que de mesurer ceci :** Le nombre de jours de retard.

  Mesurez cela : Le nombre de délais respectés.

Le retour doit-il se faire en public ou entre quatre yeux ? A votre avis ?

Notre expérience de manager nous montre qu'exposer le résultat d'une évaluation des performances en public est beaucoup plus profitable. Cela stimule la tendance naturelle à la compétition et invite chacun à donner le meilleur de lui-même pour figurer en tête de classement. Lorsque les résultats sont cachés, vos employés ne savent pas ce qu'ils font par rapport aux autres et ne sont pas poussés à améliorer leur performance. Mais attention, veillez à ne pas encourager de rivalités destructrices, votre entreprise le payerait cher.

Vous voulez des résultats ? Faites en sorte que vos employés se sentent en compétition pour le prix de l'excellence ! Affichez les performances de chacun, bien en vue.

Quoi ? Vous craignez que vos employés ne soient embarrassés ? C'est justement le but ! Sans les humilier devant leurs collègues, servez-vous du pouvoir incroyable de la pression exercée par l'entourage. A moins que les bons derniers de la liste ne s'en fichent, ils feront tout leur possible pour s'améliorer. Et les meilleurs se surpasseront pour garder leur place. Plus tôt que vous ne le pensez, vous aurez une équipe fantastique.

Développer un système de retour des performances

Vous disposez d'une palette de critères infinie pour évaluer ce que bon vous semble. Le tout est de savoir ce que vous voulez évaluer et pourquoi. Pour développer un système efficace de retour des performances et de suivi, procédez sur le modèle PARC (Paliers, Actions, Relations, Calendriers)

Fixer vos points de contrôle : les paliers

Chaque objectif a un point de départ et un point d'arrivée. Entre les deux, des points intermédiaires vous permettront de suivre la continuité de la progression. Chaque palier est un point de contrôle qui permet de se situer par rapport au terme d'un objectif.

Supposez que votre objectif est de déterminer les budgets prévisionnels de la société en trois mois. Une première ébauche de ceux-ci doit être remise aux différents chefs de service le 1er juin. C'est votre troisième palier. Premier cas de figure : nous sommes le 1er juin et rien n'a encore été fait. Vous êtes déjà en retard, réveillez-vous ! Deuxième cas : nous sommes le 15 mai et l'ébauche est prête. Bravo ! Vous êtes en avance et pourrez atteindre l'objectif plus tôt que prévu.

Pour atteindre les paliers : les actions

Les actions correspondent aux tâches nécessaires que doit fournir chaque employé pour atteindre un point de contrôle. Pour franchir le troisième palier de votre projet budget, vos employés vont devoir :

- Examiner les analyses des dépenses de l'exercice précédent et, le cas échéant, déterminer leur rapport avec les activités courantes.

- Examiner les analyses des dépenses de l'exercice en cours et évaluer le montant total des dépenses de l'exercice.

- Rencontrer les membres du personnel de chaque service pour déterminer leurs besoins en formation, frais de déplacements et matériel pour l'année suivante.

- Faire une étude sur les embauches prévues, les départs de personnel et les augmentations de salaire afin d'en évaluer l'effet sur les coûts salariaux.

- Etablir un projet de budget informatisé sur tableur en utilisant les données précédentes.

- Imprimer ce projet de budget, vérifier les résultats, corriger si nécessaire et imprimer de nouveau.

- Présenter le projet de budget au chef du service pour obtenir son approbation.

Chacune de ces actions est un pas vers la réalisation d'une première ébauche des budgets prévisionnels. En décomposant ainsi chacun de vos différents paliers, vous faciliterez le travail de vos employés : ils sauront précisément ce qu'ils ont à faire, ce qu'ils ont déjà fait et le chemin qu'il leur reste à parcourir et pourront ainsi gérer le temps qui leur est imparti.

Un peu de bon sens : les relations d'ordre

S'il est parfois possible d'avancer sans suivre un plan draconien, il est clair que mettre la charrue avant les bœufs ne mène à rien.

Dans l'exemple précédent, il est évident que vous ne pourrez établir un budget si vous n'avez pas encore recueilli toutes les données nécessaires pour le faire. Alors faites preuve d'un peu de bon sens lorsque vous établissez la liste des actions successives qui vous permettront de mener à terme votre projet.

Cependant, il est possible que plusieurs manières de procéder mènent au même résultat final. Alors ne privez pas vos employés de la possibilité de choisir leur propre façon de faire. Avoir quelques responsabilités est toujours gratifiant, et c'est la meilleure école pour apprendre de ses erreurs, mais aussi de ses réussites. Quant à vous, manager, vous y gagnerez des employés heureux et investis dans leur travail.

Déterminer le programme : les calendriers

Comment déterminer la durée totale d'un projet ? Quel temps accorder à chaque étape ? Analyse-t-on les dépenses de l'année en cours en une journée ou en une semaine ?

Ici vous allez devoir mettre à profit toute votre expérience pour prévoir un calendrier réaliste. Par exemple, vous savez qu'il vous faudra quatre jours pour présenter l'objectif en détail à votre équipe, si tout se passe bien. En cas de difficultés, vous pensez que vous aurez besoin de six jours. Coupez la poire en deux : accordez cinq jours pour la présentation du projet. Un calendrier permet un certain degré de variation dans la performance, tout en assurant que l'étape puisse être atteinte dans les temps.

Pour mettre en pratique cette méthode, vos objectifs doivent évidemment être réalistes. Ce n'est pas parce que vous n'avez pas les pieds sur terre que vos employés vont faire des miracles !

Apprendre à mesurer et non à compter

D'après Peter Drucker, le gourou du management, la plupart des hommes et des femmes d'affaires passent trop de temps à compter et trop peu à évaluer la force de leur entreprise. Que veut-il dire par là ? Un projet implique toujours des dépenses. Mais plutôt que de s'attacher à savoir combien cela coûte, les managers devraient plus souvent se demander ce que cela va rapporter. Et en communiquant régulièrement un état de la progression de leur entreprise, ils sauront si oui ou non le projet était viable.

Pour Drucker, un manager qui passe son temps à compter est comme un médecin qui prescrirait des radiographies à tous ses patients. Or, si une radio assure qu'un patient n'a rien de cassé, elle ne donne aucun renseignement sur une éventuelle insuffisance cardiaque… Par analogie, un bilan comptable peut rendre compte de la santé financière d'un entreprise, mais ne fait pas état des parts de marché perdues, faute d'investissements.

Mettre en pratique l'évaluation et le suivi des performances

La théorie, c'est bien, mais maintenant il faut se jeter à l'eau. Voici deux cas réels. Chacun utilise une stratégie différente pour un même but : la réussite.

Cas n° 1 : une performance de première classe

Il y a deux ans, Bob prenait la direction du service fabrication de son entreprise. C'était une véritable pagaille : le suivi des projets était laissé au hasard, chacun travaillait dans son coin, les clients attendaient des semaines ou des mois avant de recevoir les produits qu'ils avaient commandés, et quand ils les recevaient… ils étaient défectueux. Bob, il faut que ça change. Alors à toi de jouer !

Bob commence par analyser le fonctionnement du service et recueille un maximum d'informations concernant les clients internes et externes. Après quoi il établit la liste des choses à faire pour réorienter l'entreprise et la mener au plus haut niveau. La réorganisation totale du système de mesure et supervision des performances est au coeur de son projet.

Etape n° 1 : déterminer des objectifs avec les employés

Les deux premières choses qu'il entreprend consistent à parler avec les employés et à interroger les consommateurs. Cela lui prend un temps fou, mais il finit par rassembler énormément d'informations et commentaires négatifs au sujet du service, des procédures de travail, etc. Les problèmes dont tout le monde se plaint lui explosent à la figure dès le premier jour de sa prise de fonction : un vendeur appelle et demande que l'on modifie d'urgence un projet terminé quelques jours plus tôt. Qui sait où se trouve ce fichier informatique ? Personne ? Dommage…

La performance ne peut exister sans objectifs précis, Bob le sait bien. Maintenant qu'il comprend ce qui gêne le travail de ses employés, il peut discuter de leurs besoins et des modifications qu'ils souhaitent. Le résultat de ces discussions ? Un certain nombre d'objectifs réalisables, déterminés ensemble, ainsi qu'un plan d'attaque pour le service entier. Tout le monde est fin prêt pour la deuxième étape.

Etape n° 2 : modifier le système de restitution des performances

Lorsque Bob examine le système d'évaluation et de suivi des performances des employés, il réalise rapidement que les retours sont sans cesse négatifs. Ils portent toujours sur les problèmes : le retard des projets, les erreurs, les commandes reportées, etc. Aucune trace de retour des bonnes performances.

Bob décide donc de commencer à mesurer les performances positives afin d'établir une base et de bâtir une dynamique constructive. Il installe un système basé sur une seule mesure de performance positive : la quantité de projets réalisés à temps. En l'espace de deux ans, celle-ci passe d'un nombre très faible à 2 700. Bob est très fier de ce progrès spectaculaire et le moral des troupes s'est considérablement amélioré. Plutôt que d'avoir la hantise de recevoir une autre plainte des clients à cause du retard et de ne jamais voir ses efforts appréciés, chaque employé est maintenant enthousiaste et décidé à se surpasser.

Etape n°3 : réexaminer le plan

A mesure que l'efficacité du service se renforce, Bob encourage d'autres améliorations : des devis établis en 24 heures, l'indexation des projets, le classement des fichiers informatiques, la rationalisation de la facturation et bien plus. Il navigue ainsi entre les besoins à long terme de son service en améliorant son organisation générale et les besoins à court terme en assurant que le travail sera fait.

Très vite ses supérieurs ont vent de tous ces changements. A mesure que la performance du service s'améliore, il devient un atout majeur de la compétitivité de l'entreprise sur le marché.

Cas n°2 : aider les employés à donner leur maximum

Il est possible que vos objectifs ne concernent pas l'augmentation de la production ou l'efficacité de vos employés, mais simplement leur ponctualité et leur investissement dans le travail qu'ils effectuent tous les jours pendant leurs huit heures de présence. Sachez que si le *moral* de vos employés est faible, leur productivité l'est aussi.

 Une enquête réalisée auprès des employés d'une grande société américaine a montré que 79 % d'entre eux sentent qu'ils ne sont pas récompensés pour un travail bien effectué, 65 % trouvent le manager irrespectueux et 56 % sont totalement découragés. Bonjour l'ambiance ! Les managers reconnaissent alors qu'il y a un problème, c'est le moins qu'on puisse dire, et développent le projet suivant.

Etape n°1 : créer une stratégie pour encourager certains comportements

Ils créent le " Club des 100 " au sein de la société pour améliorer :

- La présence

- La ponctualité

- La sécurité

La formule est simple : chaque employé reçoit des bons points suivant qu'il a répondu à certains critères préalablement définis. Un total de 100 points donne droit à un prix : un blouson " Club des 100 " aux couleurs de la société. Super, non ?

Etape n°2 : accorder des points

Suivant que l'employé fait preuve ou non de présence, ponctualité et sécurité, il reçoit un certain nombre de points : 25 pour une assiduité parfaite pendant l'année entière, mais seulement 15 lorsqu'il n'est pas préoccupé par ses retards. Des suggestions qui permettent de réduire des frais, d'améliorer la sécurité ou la participation à des projets de service communautaire comme le don du sang organisé par la Croix-Rouge donnent également droit à une récompense.

Le manager garantit que le nombre de points varie selon l'importance de l'effort fait par l'employé et il assure que les objectifs sont difficiles à atteindre, mais pas hors de portée.

Etape n°3 : récompenser les performances des employés

Les superviseurs et managers suivent de près la performance de leurs employés et leur attribuent des points suivant différents critères. Lorsque les employés atteignent les 100 points, ils deviennent membres du Club 100 et gagnent le blouson du club.

Ce programme peut paraître sans intérêt : qui s'intéresserait *réellement* à un blouson " Club des 100 " aux couleurs de la société ? *Vos* employés, voilà qui ! Une employée de cette société a exhibé fièrement son blouson, en expliquant : " Mon employeur me l'a offert parce que j'ai bien fait mon travail. C'est la première fois en 18 ans que je suis reconnue pour ce que je fais tous les jours." Et c'est important.

Et au cours de la première année de ce programme, la société a économisé 5,2 millions de dollars, augmenté sa productivité de 14 % et réduit de 40 % les défauts de qualité de ses produits. Une nouvelle enquête a montré que 79 % de ses employés étaient davantage préoccupés par la qualité de leur travail depuis lors, 73 % signalaient que la société leur portait de l'attention en tant que personnes et 86 % disaient que la société et le manager les considéraient comme "importants" ou "très importants". Pas mal pour un petit blouson à 40 dollars !

Diagramme de Gantt, programme PERT et autres

Plus les objectifs sont complexes, plus il est ardu de suivre de près les performances individuelles. C'est pourquoi il est souvent nécessaire de faire appel à la représentation graphique. Les diagrammes Pert, Gantt et autres instruments de mesure rendent ainsi service à des hommes et femmes d'affaires dans le monde entier, 24 heures sur 24, 7 jours par semaine.

Graphiques à barres

Les graphiques à barres ou diagrammes de *Gantt* (du nom de l'ingénieur industriel Henry L. Gantt) sont certainement le moyen le plus simple et le plus utilisé pour illustrer et suivre de près la progression d'un projet. D'un simple coup d'oeil, un manager peut facilement déterminer à quel stade un projet devrait se trouver à une date précise et peut donc comparer la progression réelle avec celle prévue.

Les trois éléments clés des graphiques à barres sont les suivants :

- **L'échelle de temps :** Cette échelle est une graduation sur laquelle la progression est mesurée. A vous de choisir l'unité la plus pertinente selon votre projet. Dans la plupart des graphiques à barres, l'échelle du temps s'étend le long de l'axe horizontal (l'axe des x pour les matheux).

- **Les actions :** Les actions sont les activités individuelles effectuées par vos employés afin de passer d'une étape à une autre. Elles sont listées, généralement dans un ordre chronologique, le long de l'axe vertical du graphique (l'axe des y, toujours pour les matheux !).

- **Les barres :** Que serait un graphique à barres sans barres ? Elles sont représentées sous forme de blocs vides correspondant à la durée estimée pour chacune des actions. Lorsqu'une action est accomplie, coloriez la barre qui la représente ; vous obtiendrez ainsi une représentation visuelle rapide de l'avancée de votre projet.

Nous utilisons à nouveau notre exemple précédent pour illustrer l'usage des graphiques à barres. La Figure 9.1 présente un graphique à barres typique qui illustre les actions qui mènent à la troisième étape de l'exemple des budgets prévisionnels.

L'échelle du temps s'étend horizontalement, en haut du graphique : du 5 avril au 1er juin, chaque section représente une semaine. Les sept actions nécessaires pour atteindre la troisième étape sont listées verticalement le long de l'axe gauche. Enfin, vous pouvez voir ces belles petites barres qui sont typiques des graphiques de Gantt.

Si toutes les actions sont réalisées selon le graphique à barres, la troisième étape sera atteinte le 1er juin. Si certaines actions se réalisent en plus de temps que prévu, il est tout à fait possible que l'étape ne soit pas atteinte à temps et que *quelqu'un* se retrouve "sur le grill". Inversement, si certaines actions prennent moins de temps, l'étape pourra être atteinte en avance (ça sent l'augmentation !).

Troisième étape : Soumettre un projet de budget

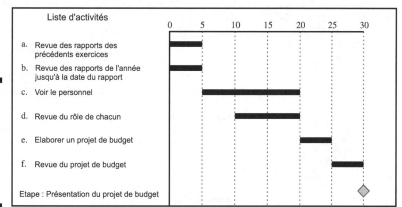

Figure 9.1 :
Graphique à
barres
illustrant les
actions qui
mènent à la
troisième
étape.

Les avantages du diagramme de Gantt sont sa simplicité de lecture et de préparation et son faible coût. Utiliser un graphique à barres est parfait pour un projet simple comme une préparation de budget. Mais si vos projets sont plus complexes, si vous devez construire une navette spatiale, par exemple, trouvez quelque chose de plus approprié.

Les organigrammes

Lorsque les choses commencent à chauffer, les durs à cuire passent à l'action, organigrammes à la main. Les organigrammes illustrent très bien le déroulement séquentiel des actions d'un projet complexe. Ils sont différents des graphiques à barres mais sont aussi construits avec trois éléments :

- **Les actions :** Ici, elles sont indiquées par des flèches qui les relient entre elles jusqu'à la réalisation du projet. Leur longueur n'indique pas la durée de la démarche. Les flèches illustrent les relations séquentielles entre les démarches.

- **Les événements :** Ils sont représentés par des cercles numérotés et ont pour signification la réalisation de telle ou telle action.

- **Le temps :** Les estimations de temps sont précisées sous chaque flèche. En additionnant le nombre d'unités de temps, vous pouvez estimer le temps total nécessaire à la réalisation d'une démarche.

La Figure 9.2 présente un organigramme concernant le même exemple que celui de la Figure 9.1. Comme vous pouvez le remarquer, l'organigramme montre exactement comment chacune des démarches est reliée aux autres.

En suivant le chemin le *plus long* en termes de temps, vous pouvez détermi-ner le *chemin critique* du projet. Ce style d'analyse s'appelle *méthode du chemin critique (MCC)* et suppose que le temps nécessaire à la réalisation de démarches individuelles peut être estimé avec une grande certitude. Cette méthode met à jour les actions qui déterminent le temps minimal pour qu'un projet puisse être réalisé, dans ce cas 30 jours.

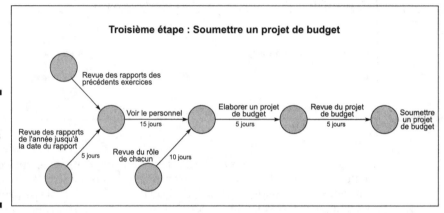

Figure 9.2 : Organi-gramme des actions menant à la troisième étape.

Le PERT, abréviation de Program Evaluation and Review Technique *(techni-que d'évaluation et de révision de programme),* est une variation de la MCC, méthode utilisée lorsque le temps pour la réalisation d'actions individuelles ne peut pas être estimé avec une grande certitude. Grâce à l'utilisation de quelques techniques statistiques intéressantes (zzzzz...), le programme PERT fait la moyenne d'une multitude de durées possibles pour arriver à une estimation de durée pour chaque démarche.

Les logiciels

Heureusement pour ceux d'entre vous qui n'avez pas choisi la filière scientifi-que au lycée, le monde spectaculaire des ordinateurs et des logiciels est aujourd'hui entré dans le domaine du suivi et de la mesure de projets. Ce qui auparavant demandait des heures d'ébauche, de gommage, d'ébauche à nouveau, et ainsi de suite, peut être accompli aujourd'hui en quelques minutes sur un clavier d'ordinateur.

Microsoft Project, l'un des packages de logiciels de planification de projets les plus en vue actuellement sur le marché, vous permet de créer et de réviser vos calendriers de projets rapidement et facilement. Elaborer un projet à l'aide de Microsoft Project est aussi simple que de compter jusqu'à trois :

- Entrer les actions devant être réalisées.

- Entrer la séquence des actions et leur interdépendance à l'égard des autres démarches.

- Entrer les ressources (les personnes et le capital) nécessaires afin d'accomplir la démarche.

A mesure que le projet progresse, vous pouvez entrer les dates de commencement et d'accomplissement, les dépenses actuelles et d'autres choses encore afin d'obtenir une image réaliste de la situation du projet à tout moment. Vous pouvez imprimer ces résultats sous forme de tableaux, de diagrammes ou de graphiques, selon votre préférence, et les garder en guise de référence future.

Vous avez les chiffres, et maintenant ?

Vous avez établi vos objectifs, évalué les performances et obtenu plusieurs pages de données pour chacun de vos employés. Et maintenant ? Maintenant, il faut déterminer si oui ou non les résultats attendus ont été obtenus.

- **Comparez résultats et attentes :** Quel est l'objectif attendu ? Supposez que l'objectif soit de terminer l'analyse des avantages et des inconvénients pour le 1er novembre. Quand cette analyse a-t-elle été terminée ? Bien avant la date limite : le 17 octobre. Super ! La mission a été accomplie avec de l'avance.

- **Enregistrez les résultats :** Notez les résultats, placez-les dans les dossiers que vous tenez pour chacun de vos employés ou affichez-les bien en vue dans le lieu de travail.

- **Faites l'éloge de vos employés, entraînez-les, conseillez-les :** Si le travail a été effectué correctement, dans les temps et selon le budget, félicitez vos employés pour leur bon travail et récompensez-les en conséquence : un petit mot manuscrit faisant part de votre appréciation, un jour de repos payé, une présentation formelle de prix... à vous de voir.

En revanche, si les objectifs n'ont pas été atteints, trouvez pourquoi et demandez-vous ce que vous pouvez faire pour les atteindre la prochaine fois. Si les employés ont besoin de plus de soutien ou d'encouragement, entraînez-les à une meilleure performance. Vous pouvez les écouter, les aiguiller vers d'autres employés, ou fournir vos propres exemples personnels. Si les mauvais résultats proviennent de sérieux défauts, conseillez ou disciplinez vos employés. (Vous trouverez plus de détails à ce sujet au Chapitre 15.)

Les six phases d'un projet

Certaines techniques de management sont si populaires qu'elles passent d'un employé à l'autre, d'une société à l'autre dans un système de communication informel qui fonctionne bien mieux que les systèmes formels de beaucoup d'entreprises. Ces listes ironiques, diagrammes et dessins humoristiques animent les journées de nombreux employés. Un peu d'humour ne fait pas de mal. Les six phases ci-dessous d'une liste de projet se baladent depuis des années. Notre exemplaire semble être de cinquième génération, au moins :

1. Enthousiasme

2. Désillusion

3. Panique

4. Recherche du coupable

5. Punition de l'innocent

6. Eloge et distinctions honorifiques pour les non-participants

Testez vos nouvelles connaissances

Quelles sont les quatre parties du système d'évaluation et de suivi des performances PARC ?

A. Suivi actif, lié et programmé

B. Paliers, actions, relations d'ordre et systématisation

C. Paliers, actions, relations d'ordre et calendrier

D. Rien ci-dessus

Qu'est-ce que le chemin critique ?

A. Le temps minimal pour l'accomplissement d'un projet

B. Le chemin de la moindre résistance

C. Le temps maximal pour l'accomplissement d'un projet

D. L'approche la plus difficile d'un projet

Chapitre 10
Evaluations des performances : un gain de temps

Dans ce chapitre :

Considérer l'importance des évaluations de performances.

Introduire normes et critères.

Développer des évaluations de performances.

Eviter les erreurs d'évaluation.

Améliorer les évaluations.

Discuter des salaires et des plans de carrière.

*P*récises et opportunes, les évaluations de performances sont l'outil indispensable des managers. Cependant, ces derniers les redoutent, et beaucoup d'employés en ont une peur bleue. Les études réalisées à ce sujet révèlent que 40 % des employés américains n'ont jamais eu d'évaluations de performances, quant aux 60 % qui en ont bénéficié, ils n'en ont gardé qu'un vague souvenir. En conclusion, rares sont les employés qui reçoivent des évaluations régulières et formelles, effectuées sérieusement.

La question se pose : les évaluations formelles de performances sont-elles réellement nécessaires ? OUI ! Des managers aux employés, la réponse est unanime. Mais qu'en est-il en réalité ? La plupart des managers connaissent l'importance et la nécessité des évaluations de performances ; elles leur permettent d'augmenter le potentiel des employés et de corriger leurs erreurs. Pourtant, ces évaluations sont souvent trop rares et trop tardives. Résultat : les managers ratent totalement leur cible.

Vous verrez, ci-dessous, les avantages de ces évaluations de performances et les bonnes et mauvaises façons de les effectuer.

Les évaluations de performances : pourquoi s'en donner la peine ?

Objectifs, communication, motivation, résultats : voilà, au moins, quatre bonnes raisons d'effectuer des évaluations formelles des performances. Vous ne le croyez pas ? Lisez plutôt ce qui suit !

- **Elles permettent de faire le point et d'établir de nouveaux objectifs :** tous les employés aimeraient savoir s'ils font du bon travail. L'exercice d'évaluations formelles force les managers à communiquer les résultats des performances, bons ou mauvais, à leurs employés et leur permet de fixer de nouveaux objectifs. C'est l'occasion unique de dresser un bilan comparatif de l'année écoulée entre les attentes des managers et les résultats des employés.

- **Elles font place à la communication :** vous devez constamment comparer les attentes. Essayez donc ceci avec votre manager. Chacun dresse la liste des dix étapes les plus importantes à ses yeux puis vous comparez vos copies. Il y a des chances pour que vos listes divergent. En général, les managers qui effectuent ce genre d'exercice avec leurs employés n'ont que quatre points en commun. Les évaluations de performances aident l'employeur et l'employé à comparer leurs notes et à s'assurer que les tâches et priorités sont en ordre.

- **Elles aident à définir les plans de carrière :** les plans de carrière sont généralement liés au processus formel d'évaluation des performances. Managers et employés sont souvent très occupés et ne prennent pas le temps de discuter des orientations de carrière. Avoir, dans la foulée, dépassé les objectifs de 15 % et remporté de nouveaux marchés peut vous permettre d'accéder à un autre poste dans l'entreprise. Voilà comment faire d'une pierre deux coups.

- **Elles permettent de corriger les erreurs :** en général, on oublie de féliciter un employé pour un dossier parfaitement bouclé et on l'"assassine" pour une erreur commise. *Vous bossez pour la concurrence, ou quoi ? Vous êtes complètement fou !* Les seuls échos professionnels qui parviennent aux oreilles de l'employé sont souvent négatifs et, parfois, sans fondements. Si vous établissez un dossier pour la promotion d'un salarié, vous le défendrez mieux en y incluant les évaluations formelles de performances.

Vous venez de lire quatre bonnes raisons d'effectuer des évaluations de performances formelles. Ah ! autre chose : si par malheur il vous arrivait de licencier l'un de vos employés sans jamais avoir évalué son travail, ne soyez pas étonné d'avoir à vous justifier devant les prud'hommes :

L'avocat : Veuillez nous expliquer précisément pourquoi vous avez résilié le contrat de travail de cet employé ?

Le manager (vous) : Certainement, rien ne me ferait plus plaisir. C'est un mauvais élément, le pire du service.

L'avocat : Au cours des cinq années que mon client a passé dans votre société, avez-vous évalué formellement ses performances ?

Le manager: Euh... eh bien non ! Je voulais le faire, mais je suis très occupé. Je n'ai pas eu le temps. Vous savez ce que c'est...

L'avocat : Non, pas du tout. Vous voulez donc dire qu'en cinq ans mon client n'a jamais reçu d'évaluation formelle de ses performances ? Expliquez-nous alors comment il était censé corriger ses erreurs et améliorer ces performances, soi-disant mauvaises, si vous ne lui en avez jamais fait part ?

Le manager (vous) : Hum, hum....

Ajouter normes et critères à l'équation

Maintenant, vous êtes convaincu qu'il faut effectuer des évaluations de performances, mais peut-être allez-vous demander : "Que dois-je évaluer au juste ?" Merci d'avoir posé cette question. *Voici les normes et les critères !*

Les normes et les critères constituent les règles fondamentales à suivre dans chaque société, et sont aussi les bases de l'évaluation de vos employés.

Par exemple, le fait que tous les employés masculins se sentent obligés de porter costume et cravate est une norme. Aucune règle formelle n'oblige les managers à se vêtir de cette façon, et pourtant ils le font de bon gré, car ils se sentiraient un peu nus sans leurs "uniformes".

Les critères sont les exigences formelles de votre société. Ils incluent ses règles, ses politiques et procédures, ses objectifs de performances, ainsi que d'autres lignes de conduite formellement instituées (verbales ou écrites noir sur blanc). Par exemple, si votre société appartient à un groupe, vous pouvez être amené à changer de société au sein de ce groupe. Cette clause apparaît généralement dans votre contrat de travail. Si vous refusez d'être muté, vous pouvez être sanctionné, voire licencié.

Les normes et les critères sont tous deux utilisés pour l'évaluation du comportement des employés, mais savoir les différencier s'impose.

Les critères sont, en général, bien définis et sans aucune ambiguïté. Si votre entreprise a décidé d'augmenter de 200 pièces par heure sa production de gadgets, le critère est clair. Tout employé qui ne produit que 100 pièces n'a pas atteint le niveau de production souhaité. Celui qui en fabrique 300 a largement dépassé l'objectif (vous devriez alors mettre la barre plus haut !).

Puisque les critères sont clairs, il vous est facile de les utiliser pour mesurer la performance des employés. Ils sont la base solide de toute décision : promotion, réévaluation des objectifs, sanctions, etc.

En revanche, les normes, elles, ne sont pas écrites ; elles sont souvent liées au savoir-vivre et à l'éducation. Les normes sont subjectives, il est donc plus difficile de les utiliser pour mesurer les performances. Par exemple, le respect. Pour tel employé un *"bonjour, au revoir, merci"* suffira, pour tel autre il ne s'agira que de politesse et non de respect : *"J'ai travaillé six mois sur ce dossier, et personne n'a cité mon nom !"*

Ainsi, face à un comportement identique, les perceptions peuvent être différentes. Un *"Salut !"* désinvolte à son manager, dit par un employé "chou-chou" n'aura peut-être pas les mêmes répercussions si c'est la "bête noire" du patron qui le dit : *"Il pourrait, au moins, dire : Bonjour, Monsieur !"*

Les normes sont certes plus floues que les critères, mais tout aussi importantes. Avez-vous déjà eu un collaborateur très talentueux mais franchement casse-pieds ? Pierre a eu un ou deux assistants dont la performance dépassait tous les critères, mais dont le comportement semait la pagaille totale dans le service. Il ne s'écoulait pas une semaine sans que Pierre ne reçoive un appel d'un employé qui s'était fait ridiculisé ou insulté par l'un de ces assistants. Pierre finissait pas passer son temps à écouter les doléances et à réparer les pots cassés. Il a fini par mettre les choses au point avec ses assistants puisque leur attitude grossière et irrespectueuse mettait en péril le bon fonctionnement de son service.

Avoir des petits problèmes relationnels dans une entreprise est monnaie courante – vingt ou cent personnes ne marchent pas du même pas – (heureusement, nous ne sommes pas des machines !). Toutefois, quand ces problèmes prennent de l'ampleur et gênent le bon fonctionnement de l'entreprise, il faut y mettre un terme.

Le processus d'évaluation de performances

Il y a deux façons d'effectuer des évaluations de performances : la bonne et la mauvaise. Quand on connaît l'importance du processus d'évaluation pour l'ensemble des salariés, cadres ou employés, autant choisir la bonne !

Souvent, dans l'esprit des managers, le processus d'évaluation des performances n'est rien moins qu'une corvée. Dans leur hâte à s'en débarrasser, ils ne tiennent compte que des dernières performances enregistrées au lieu d'établir leur évaluation sur l'année entière. Ne parlons pas de l'employé qui n'a eu, jusqu'ici, que de très rares échos sur son travail, fut-il bon ou mauvais, et qui se demande à quelle sauce il va être mangé ? Inutile de préciser que cette stratégie, si tant est que cela en soit une, est à bannir !

Le processus d'évaluation des performances ne se résume pas à une note écrite. Voici cinq étapes qui peuvent vous aider à apprécier toute l'étendue du processus. Suivez le guide :

1. **Fixer des objectifs, des attentes et des critères.**

Pour que vos employés puissent répondre à vos attentes, vous devez leur fixer des objectifs en indiquant des critères nets et précis. N'oubliez pas de communiquer avec eux *avant* l'évaluation et non *après*. Plus vous serez *précis* dans vos demandes, plus vous obtiendrez des réponses et des résultats qui correspondent à vos attentes !

Assurez-vous que vous avez bien défini le poste de travail et le profil souhaité. On ne demande pas à un canari d'aboyer. Discutez ensemble des critères et objectifs à atteindre. Une bonne communication est surtout un dialogue, l'employé a également son mot à dire !

2. **Fournir un retour constant et spécifique.**

Lorsqu'un employé a fait du bon travail, dites-le-lui aussitôt ; quand il a commis une erreur, également. Il est important que vos employés sachent ce que vous pensez de leur travail, que celui-ci soit parfait, à améliorer ou… à refaire ! Et, surtout, évitez de leur signaler uniquement leurs erreurs, vous ne réussirez qu'à leur saper le moral. Des félicitations, un encouragement, une mise au point n'ont jamais fait de mal à personne. Bien dosées, pratiquées régulièrement au cours de l'année, ces observations aideront les employés à mieux répondre à vos attentes.

3. **Préparer une évaluation de performances écrite et formelle.**

Chaque entreprise a ses propres exigences d'évaluation. Certaines sont simples, tiennent sur une seule page et ne demandent que quelques cases à cocher ; d'autres sont de véritables pavés et nécessitent un support rédactionnel important. Quelles que soient les exigences d'une société, l'évaluation formelle de performances doit être le résumé d'événements dont vous avez déjà discuté avec vos employés. Utilisez des exemples, ceux-ci vous aideront à mieux clarifier vos attentes : objectifs, critères, résultats.

Votre évaluation doit coïncider avec la réalité. Aussi, demandez à chaque employé de présenter sa *propre* évaluation de performances. Comparez ensuite vos commentaires avec les siens ; les différences que vous découvrirez feront l'objet de discussions.

4. Rencontrer les employés.

Il faut communiquer ! Pour cela, il faut savoir prendre du temps, et non pas cinq minutes dans un couloir ou devant la machine à café. Choisissez un endroit tranquille et confortable ; l'heure du déjeuner est parfaite. Les réunions doivent être positives et dynamiques, même lorsque vous passez en revue les problèmes de performance. Axez vos discussions sur les solutions que chacun peut apporter afin de *mieux travailler ensemble.*

5. Fixer des objectifs, attentes et critères nouveaux.

Les réunions formelles d'évaluation sont pour tous l'occasion de prendre du recul par rapport aux affaires en cours, d'avoir une vue d'ensemble, de faire le point et de dresser un bilan de la période écoulée. Vous pouvez alors fixer de nouveaux objectifs, attentes et critères pour la période suivante, et repartir ainsi sur de nouvelles bases.

Bien sûr, les évaluations formelles n'ont lieu qu'une fois par an. Mais c'est tout au long de l'année que le manager doit être proche de ses employés : pour les encourager, les féliciter ou les aider à redresser la barre.

Enfin, on ne vous le répétera jamais assez : n'attendez pas que les erreurs s'accumulent pour en parler. Une bourde de plus et c'est la goutte d'eau qui fait déborder le vase, en l'occurrence, vous. Vous hurlez, tempêtez, trépignez pour un pauvre pli oublié. Bref, avec le rouge aux joues et la bave aux lèvres, vous ressemblez à un pittbull, en un mot : vous êtes ridicule…

Les erreurs courantes dans les évaluations

Les évaluations peuvent présenter certains pièges dont il faut apprendre à se méfier. Gardez toujours les exemples suivants à l'esprit :

- **Mettre sur un piédestal :** Claire est merveilleuse, c'est la meilleure vendeuse que vous n'avez jamais eue. Dieu sait si votre société en a besoin pour s'assurer une croissance continue, mais savez-vous qu'elle renâcle à effectuer certaines tâches administratives…

- **Enterrer :** Jean-Luc, votre assistant, a fourni un excellent travail au cours des mois précédant l'évaluation. Malheureusement, la semaine dernière, il a oublié de soumettre à votre plus gros client une proposition de prolongation de contrat publicitaire. Résultat, votre société a perdu le contrat. Qu'est-ce qu'il a pris le Jean-Luc…

- **Avoir des idées préconçues :** vous êtes persuadé que les femmes sont mieux organisées que les hommes. Ainsi, vous donnez tout votre crédit à Claire et attendez que Jean-Luc fasse ses preuves…

- **Comparer :** Claire et Bernard sont d'excellents vendeurs. Il faut dire que Claire est particulièrement brillante, elle a littéralement explosé tous les objectifs. Bernard vous semble soudain moins performant, pourtant il a fait son chiffre… De même, Pascal est tellement brouillon que ses tableaux ressemblent à des idéogrammes chinois. En comparaison, les hiéroglyphes de Pierre vous paraissent lumineux. Serait-il un génie méconnu ?

- **Chercher la ressemblance :** Claire est vraiment formidable, c'est simple, on dirait votre double. Bien sûr, ses comptes rendus de prospection laissent à désirer, mais enfin, personne n'est parfait. Vous ne voyez aucun inconvénient à favoriser sa promotion au sein de la direction commerciale. En revanche, Bernard est aux antipodes de votre caractère. Ce n'est pas parce qu'il a des horaires que vous qualifiez de "fonctionnaire" qu'il s'investit moins dans la société. N'a-t-il pas réalisé ses objectifs ?

- **Etre sympa :** bien sûr, il est plus agréable de féliciter Claire pour le marché qu'elle vient de remporter plutôt que de lui faire remarquer que vous attendez ses comptes rendus de prospection depuis une semaine. C'est plus sympa de dire à Jean-Luc *"Tous nos autres clients ont renouvelé leur contrat"* que de lui expliquer *"Si vous aviez rappelé à temps, le contrat ne nous filait pas entre les doigts".* L'erreur est humaine, mais il n'est pas interdit de la corriger afin d'améliorer les performances de vos employés.

Renverser les rôles : "l'évaluateur" évalué

Depuis quelques années, un nouveau type d'évaluation de performances a vu le jour. En effet, ce ne sont plus les managers qui évaluent les performances de leurs employés, mais les employés qui jugent les performances de leurs managers : c'est le processus d'évaluation vers le haut.

Ce système d'évaluation vers le haut fonctionne si bien que 15 % des entreprises américaines ont suivi le mouvement. Des sociétés comme Federal Express l'ont même institutionnalisé. Qui, mieux qu'un employé, peut juger le travail de son boss ? Ne soyez pas susceptible, cette remise en question peut-être salutaire. Si vous aviez mal défini vos objectifs, comment espérer des résultats fracassants ?

L'évaluation à 360 degrés (vers le haut et vers le bas) est aussi populaire ; elle est utilisée chez Lévi Strauss & Co. ou Boeing Co. Le processus d'évaluation à 360 degrés sous-entend que tous les employés sont évalués par leurs supérieurs, les supérieurs par leurs employés, les employés par leurs collègues… Bref, chacun cherche son chef !

Pourquoi les évaluations échouent-elles ?

Peu d'évaluations d'employés sont effectuées correctement. Elles sont souvent mal rédigées, manquent d'exemples significatifs et ne laissent que peu de place à la communication. Au final, le résultat escompté est décevant.

Certains managers appréhendent cette période d'évaluation, ils ont l'impression de ne pas être à la hauteur. Les employés s'en méfient : s'ils n'ont pas eu de directives précises, comment peuvent-ils corriger le tir ? Par ailleurs, cette période d'évaluation est souvent liée à l'argent et de bons résultats sont synonymes d'augmentation, des résultats moyens vous renvoient à la case départ…

Gardez la balle dans votre camp !

Le processus d'évaluation est, en lui-même, plutôt simple. Certes, il ne suffit pas de faire remplir un questionnaire sur un bout de table et de rencontrer vos employés quinze minutes dans l'année. L'évaluation d'un employé commence dès le premier jour d'embauche, se poursuit chaque jour et s'achève quand l'employé n'est plus sous votre responsabilité, suite à une mutation, une promotion, une démission ou un licenciement.

Le processus intégral d'évaluation consiste à fixer des objectifs clairs avec vos employés, à surveiller leurs performances, à les soutenir et à les motiver, à les conseiller et surtout à leur dire ce que vous pensez de leur travail, que celui-ci soit parfaitement exécuté ou à revoir. Si vous avez eu cette attitude tout au long de l'année, la période d'évaluation venue, vous ne vous transformerez pas en Grand Méchant Loup !

Beau temps… mais orageux en fin de journée. Tout au long de l'année, vous avez laissé vos employés se débrouiller seuls en pensant, à juste titre, que vous n'aviez pas à les materner. Même si vous avez les meilleures intentions du monde, et même si vos employés ont fourni un maximum d'efforts, les priorités peuvent être facilement perdues de vue. Les dates limites risquent d'être reportées, les obstacles sont capables d'empêcher la progression, et la confusion peut freiner l'évolution d'un projet. Si vous n'avez pas élaboré de systèmes pour suivre l'évolution de vos employés, vous vous en rendrez compte… trop tard ! L'orage s'abattra sur le service et personne ne sera à l'abri.

Comme nous l'avons déjà plusieurs fois évoqué, réagissez immédiatement à la première erreur. Immédiatement ne veut pas dire violemment. Il suffit de comprendre pourquoi une erreur a été commise (mauvaise communication, objectif mal défini, étourderie, etc.) pour que celle-ci ne se renouvelle plus. Réagir à la vingtième erreur est la première grosse erreur du manager. Toute la colère engrangée se transforme en haine, et cela ressemble davantage à un règlement de compte à O.K. Corral ! L'entreprise n'est pas le Far West, les managers ne sont pas des cow-boys, rangez vos colts et vos Winchester et discutez tranquillement, ensemble, de ce qui vous préoccupe... au saloon !

Appelez le 17 : on vient de m'agresser !

Pierre se souviendra longtemps de cette superbe matinée de juin qui lui semblait, pourtant, si prometteuse. Il venait d'arriver à son bureau en sifflotant le dernier air à la mode, quand, soudain, son regard s'arrêta sur un dossier jeté négligemment sur son bureau. Les agrafes, placées en rang serrés tout autour de la chemise estampillée "Service du personnel", ne permettaient pas la visite d'un œil indiscret. Cependant, Pierre sentit la curiosité gagner ses mains fébriles. Après tout, ce dossier était posé sur SON bureau... Sans plus tarder, il fit sauter quelques agrafes et plongea ses mains moites dans les entrailles de la chemise cartonnée. Horreur ! Malheur ! Ce dossier contenait la sinistre litanie de ses erreurs commises et patiemment pointées par son patron. Pourquoi tant de haine ?

Une fois remis de cette agression aussi sournoise qu'inattendue, Pierre entreprit une seconde lecture, plus attentive de ce mémo assassin. La méthode de sape utilisée par son supérieur montrait quelques défaillances :

- Premièrement, le mémo ne mettait l'accent que sur une infime partie du travail qui n'avait pas été réalisé. Oubliés les dossiers brillamment bouclés, les affaires rondement menées et les contrats habilement signés.

- Deuxièmement, sur les dossiers visés, le supérieur de Pierre n'avait jamais mentionné de critères particuliers, ni au préalable, ni au cours de l'exécution.

- Troisièmement, la bombe lâchée par son manager ne fut suivie d'aucun effet. Aucune réunion ne fut fixée et aucun entretien personnel n'eut lieu. Après Hiroshima, le désert de Gobi...

Plutôt que de vérifier la progression de Pierre tout au long de l'année, son manager a choisi d'amasser toutes ses erreurs de parcours. Nulle réunion, nul encouragement, juste une embuscade au détour d'une année de tous les dangers. Il est vrai que de prendre en traître prend moins de temps qu'une évaluation continue, on ne s'ennuie pas avec des discussions, des remises en question et des réunions de motivation. Si les attentes du manager de Pierre furent déçues, il y a fort à parier qu'elles le seront encore, s'il ne prend pas le temps, dans le futur, de communiquer et d'expliquer ses objectifs.

Pour évaluer sans surprise : préparer

Si vous remplissez *votre* fonction de manager, il ne devrait y avoir *aucune* surprise pour vos employés. Suivez l'exemple des meilleurs : gardez le contact avec vos employés et donnez-leur un retour continuel sur leur progression. Ensuite, lorsque vous arrivez au stade crucial de l'évaluation formelle, la session ne doit être qu'une récapitulation des événements dont vous avez déjà parlé ensemble au cours de la période d'évaluation. Maintenir un dialogue continu, c'est obtenir le meilleur de vos employés… et de vous-même !

Par-dessus tout, soyez *préparé* à évaluer vos employés.

Pour les réunions d'évaluation, comme pour les entretiens, de nombreux managers s'y prennent au dernier moment, souvent juste avant qu'elles ne commencent : *"Mince, j'avais oublié ! Catherine sera ici dans cinq minutes. Bon, qu'est-ce que j'ai fait de son dossier ? Je sais qu'il est quelque part… !"*

Plans de carrière et négociations de salaires

La pratique courante dans de nombreuses entreprises est d'ajouter aux évaluations formelles (comme s'il n'y avait pas déjà suffisamment de choses à dire !) des discussions sur les projets personnels de carrière. Sans oublier le plat de résistance, les augmentations de salaire.

Dans un premier temps, pour qu'une demande d'augmentation ne s'apparente pas au salaire de la peur, sachez qu'il faut absolument dissocier les différentes étapes. En revanche, il est difficile de capter longtemps l'attention des managers débordés. De nombreuses sociétés s'organisent pour tirer parti de ces quelques minutes au-delà desquelles l'attention des managers n'est plus valable. Ainsi, nous avons ce rituel de management.

Le Net prend la parole

Dans la discussion ci-dessous, effectuée au sein du conseil de Managing People du service *Inc. Magazine* sur America Online, les participants considèrent les avantages et les inconvénients des différents types d'évaluations.

Bizzwriter (Peter Economy) : Quelle est votre opinion au sujet de ce mal nécessaire du management, l'évaluation des performances ?

Fizza (Arthur Manuel, Industrial Engineering/ Assembly Manager, Keithley Metrabyte Division of Keithley Instruments) : Je dois dire que le style d'évaluation qui m'a le plus marqué était un système d'évaluation appelé "Le management par la performance" (MPP). Ce style d'évaluation était effectué par mes collègues. Obtenir des informations par des personnes du même niveau que soi est plutôt révélateur, c'est le moins que l'on puisse dire. On sent ainsi quel genre de manager on est et ce que les autres pensent de sa performance. Le plus grand problème avec ce style d'évaluation, c'est que cela prend un certain temps à réaliser.

Bizzwriter : Les évaluations faites par des collègues peuvent en effet être *très* précises, comme vous l'avez vu.

Abben (James Dierberger, Owner, Synergetics) : Je suis ingénieur. Un jour, j'ai demandé à mon supérieur pourquoi il ne faisait pas évaluer ses compétences par ses subordonnés. Il m'a répondu qu'il n'avait besoin d'aucun conseil. Le temps s'écoula. J'ai mis au point un système d'auto-évaluation effectué par mes employés environ trois ans avant que ce ne soit devenu obligatoire. Cette méthode a porté ses fruits. Ce n'est pas de la fuséologie. Tout ce que ça demande, c'est un peu de créativité et d'ingéniosité. Je voulais que mes employés donnent le meilleur d'eux-mêmes.

Bizzwriter : Merci pour vos informations, Abben. On dirait que ces évaluations ont très bien marché pour vous et votre organisation.

M. WEISBURGH (Mitchell Weisburgh, président, Personal Computer Learning Centers) : Toutefois, il y a certaines choses auxquelles il faut faire attention ; c'est parfois une compétition de popularité. Un manager fera tout son possible pour que ses employés fassent du bon travail. Nous avons essayé de faire évaluer des managers par d'autres managers. Ce fut une catastrophe. Personne n'osait dire la vérité.

Dans un deuxième temps, en reliant directement les augmentations de salaires aux appréciations formelles, vous créez une situation anxiogène. *"J'ai vraiment besoin d'une augmentation cette année pour qu'on puisse s'acheter une nouvelle maison !"* vous dit cet employé qui ne vous écoute même plus parler de ses performances enregistrées tout au long de l'année, tant il craint que son augmentation espérée soit refusée. Le sujet des augmentations doit être abordé après l'entretien d'évaluation.

Dans un troisième temps, mêler les difficultés financières de l'entreprise avec l'entretien d'évaluation brouille les cartes. *"Sarah, vous êtes de loin supérieure au reste du service, mais j'ai les mains liées. J'aimerais vous donner une augmentation mais je ne peux pas."* Quel est le message que votre employé retiendra ? *"Inutile de faire des efforts, ils ne sont pas récompensés."* Nous vous garantissons que vous aurez un employé découragé et vos meilleurs éléments se demanderont s'ils ne perdent pas leur temps à travailler pour votre entreprise. Pourquoi se donner tant de mal ? Ils ont eu la même augmentation que leurs collègues partis en retraite il y a cinq ans : *des cacahuètes !*

Dans un quatrième temps, tout comme le suivi d'un employé, le projet de carrière doit être abordé plus d'une ou deux fois par an. Vos employés et vous-même devez être constamment alertés par les opportunités de perfectionner leurs compétences et de développer leurs capacités. Supposons que vous appreniez, deux mois après l'entretien d'évaluation, qu'il existe des séminaires auxquels votre assistant pourrait participer. Allez-vous garder ces informations pour vous jusqu'à la *prochaine* évaluation, dans neuf mois, ou allez-vous vous le retrouver tout de suite pour en discuter ? Vous n'avez pas intérêt à choisir la première réponse !

Et enfin, l'évaluation formelle et les réunions exigent votre attention totale et celle de vos employés.

Testez vos nouvelles connaissances

Que sont les normes ?

A. Les comportements informels considérés généralement comme étant acceptables sur le lieu de travail

B. Ce qui est apprécié par votre manager

C. Les comportements formels qui guident les actions des employés

D. Les meilleures manières de faire aboutir les choses

Quelle est la première étape du processus d'évaluation ?

A. Déterminer le niveau de vos employés

B. Fixer des objectifs, attentes et critères

C. Aller déjeuner avec votre employé

D. Aucune des trois propositions précédentes

Quatrième partie
Travailler en équipe

"Techniquement, c'est une bête, mais comme manager, il manque de qualités humaines."

Dans cette partie...

Nous verrons comment utiliser au mieux tous les nouveaux outils de communication. Nous nous attarderons également sur les compétences de base indispensables à un travail en équipe.

Chapitre 11
Faire passer votre message

Dans ce chapitre :

La valorisation de la communication informelle par rapport à la communication formelle.

Découvrir de nouvelles façons de communiquer.

Etre à l'écoute des autres.

Informer par écrit.

Présenter les choses clairement.

Aujourd'hui, vous ne pouvez pas être manager si vous n'êtes pas capable de communiquer et d'informer votre personnel.

Il y a à peine une vingtaine d'années (au temps de la Préhistoire), vos principaux outils de communication étaient le téléphone, les lettres, les déjeuners ou les réunions. De nos jours, les moyens de communication se sont multipliés. Sans parler des *e-mail*, *voice mail* et autres *voice pagers*, vous pouvez dorénavant assister à des conférences (vidéoconférences) sans bouger de votre fauteuil, grâce au fax et aux liaisons satellites, vous pouvez joindre n'importe qui, n'importe où. Quoi ! Vous êtes injoignable parce que vous avez un rendez-vous à l'extérieur ? Et les portables cellulaires, c'est fait pour les chiens ?

La communication : la clé de voûte des affaires

La communication est capitale pour la croissance et la survie des entreprises.

Vous allez constater combien la communication *informelle* est fondamentale. De nombreux managers échouent parce qu'ils prennent ça à la légère. Ce ne sont pas les discours occasionnels que vous faites, ni le nombre de mémos parfaitement rédigés ou encore le nombre d'articles au sujet de la théorie du chaos que vous pouvez lire qui vous fera bien communiquer. Non, il faut parler avec vos employés et, le plus souvent possible, seul à seul. Écoutez-les réellement, n'ayez pas l'esprit ailleurs, soyez attentif.

Au cours des vingt dernières années, un changement fondamental est apparu dans la façon de communiquer au sein de l'entreprise. On est passé d'une hiérarchie rigide et sourde à une hiérarchie plus souple et plus à l'écoute.

Autrefois, les employés devaient faire preuve de patience. Pour transmettre un souhait, une revendication ou demander une augmentation de salaire, il fallait transmettre cela par écrit à son supérieur hiérarchique, lequel remettait la demande au chef de service qui jugeait si oui ou non il allait à son tour la transmettre au "big boss". Si ce dernier approuvait le mémo, probablement réécrit plusieurs fois en chemin par chaque manager, il le tamponnait en signe d'approbation et le transmettait au chef de service, lequel... Le processus était lent, mais la procédure était "correcte".

Lorsqu'un employé impatient tentait de sauter les étapes en remettant directement sa demande au patron, il était considéré comme un renégat qui allait contre l'ordre établi.

Aujourd'hui, la hiérarchie a changé. Elle est devenue informelle.

La communication nouvelle est arrivée

L'explosion de la technologie de l'information a entraîné une multitude de façons nouvelles, souvent étonnantes, de communiquer. Que vous le vouliez ou non, elles sont là et définitivement là. Et d'autres sont déjà en route. Vous pouvez choisir de les ignorer et être dépassé, ou les utiliser à votre avantage. Qu'est-ce que ce sera pour vous ?

Pour le manager des années 90, il n'est plus nécessaire d'être dans un bureau pour communiquer avec ses clients ou collègues. Où que vous vous trouviez, vous pouvez utiliser un portable cellulaire. Même au fin fond de la forêt équatoriale, Internet vous renseignera sur la faune et la flore qui vous entourent. Tout ce qu'il faut, c'est avoir les bons outils. Le futur, c'est maintenant.

Non seulement vous pouvez communiquer où que vous soyez, mais aussi *quand* vous voulez. Certaines sociétés ouvrent leurs bureaux à 9 heures et ferment à 17 heures, du lundi au vendredi. Tant pis pour les messages urgents qui arrivent à 17h30... Aussi, lorsque le répondeur téléphonique a fait son apparition, et plus tard les *voice mail*, ce fut une vraie révolution. Si quelqu'un voulait vous joindre en dehors des heures de bureau, c'était enfin possible.

Avec des outils basés sur les microprocesseurs comme le courrier électronique (*e-mail*), *voice mail*, fax et services de livraisons en une nuit, tout va plus vite. Maintenant, non seulement vous pouvez laisser un message à n'importe quelle heure de la journée ou de la nuit dans chaque entreprise à travers le pays, mais si vous utilisez le *voice mail*, vous pouvez lire vos messages (avec la date et l'heure de leur envoi) à distance, et où que vous soyez. Ensuite, vous pouvez envoyer des réponses à ces messages, les transmettre à des collègues ou les archiver pour une utilisation future.

Si de nombreuses entreprises commencent à équiper leurs employés en cellulaires, bipers, ordinateurs portables, etc., elle ne le font pas dans le seul but de rendre leur vie plus agréables. Ce n'est pas un hasard si les employés munis de ce genre de matériel passent plus de temps libre à travailler pour leurs employeurs. Une étude récente indique que les personnes ainsi équipées consacrent environ 25 % de leur temps libre à travailler.

Les hôtels, les compagnies aériennes et même les agences de location de voitures sont dorénavant équipées, afin d'offrir aux personnes en voyage d'affaires les moyens de communications les plus modernes. Il existe même aux États-Unis des hôtels qui, pour 15 dollars de plus que le prix d'une chambre standard, proposent un espace de travail avec un bureau, un téléphone, un fax et la possibilité d'utiliser 24 heures sur 24 des photocopieuses et des imprimantes. Afin de rendre l'offre plus alléchante, les hôteliers ajoutent même un petit déjeuner et le journal.

Tout droit vers la banqueroute

Dans son livre *Le Séminaire de Tom Peters,* Tom Peters décrit comment une communication formelle poussée à l'extrême peut mener à sa perte une entreprise.

Chez Union Pacific Railroad, l'entreprise s'était installée dans une hiérarchie minutieusement réglée qui menaçait de tout faire capoter. Il semblerait que lorsque les inspecteurs découvrirent un problème au niveau des centres de triage appartenant à des clients, plutôt que d'aborder le client directement, ils durent présenter le problème au chef de triage qui le transmit à l'assistant du chef des cheminots, celui-ci le transmettant à son tour au chef des cheminots. Ce dernier expédia le problème au chef de division pour le transport qui, lui, l'envoya à l'assistant général du manager, puis enfin au manager. Après ce long périple, le problème, toujours pas résolu, fut transmis latéralement à l'assistant du vice-président des ventes, au chef du service des ventes et du marketing de Union Pacific, puis au manager régional des ventes et enfin au manager départemental des ventes. *Enfin,* le représentant des ventes fut alerté et avant que le client ne fasse faillite (c'était moins une) le problème fut résolu.

Cet état de choses déplorable demeura jusqu'à ce que Mike Walsh soit nommé DG à la fin des années 80. En l'espace de quatre mois, il élimina six strates de la hiérarchie. Maintenant, lorsque les inspecteurs découvrent des problèmes au niveau des centres de triage appartenant à des clients, ils en informent tout simplement les clients eux-mêmes. La plupart du temps, ces derniers sont d'accord et Union Pacific Railroad effectue les réparations nécessaires. Ce n'était pourtant pas si compliqué.

Les maîtres du temps

Aujourd'hui, le manager est un maître du temps et de l'espace. Vous connaissez l'expression: *On ne peut pas être à deux endroits à la fois.* Mais avec la révolution de l'information, maintenant, c'est possible. Un manager, en utilisant des outils basés sur le microprocesseur et en accès direct, peut être n'importe où, n'importe quand.

Vous voulez fixer des réunions avec les clients dans cinq pays différents, confirmer leur présence, entrer les réunions sur votre calendrier personnel, vérifier toutes vos notes et puis être rappelé pour ces réunions cinq minutes avant chacune d'entre elles, et tout cela pendant que vous vous relaxez dans une chambre d'hôtel à Miami ? Rien de plus facile. Entrez simplement votre message sur votre *communicator* personnel Motorola Envoy équipé d'un modem cellulaire, cliquez sur l'icône *On-screen*, et c'est parti.

Cyrix Corporation, fabricant de microprocesseurs concurrent direct d'Intel, a un effectif chargé des ventes de seulement vingt personnes. En revanche, Cyrix a trouvé la manière de multiplier l'efficacité de son personnel des ventes. Chaque employé des ventes de cette entreprise est entièrement équipé et travaille depuis son domicile. Ses outils de travail ? Bipers, ordinateurs, fax, téléphones cellulaires et même système sophistiqué de *order-processing* qui leur permet de vérifier instantanément la disponibilité des produits. Au lieu d'occuper son personnel avec des réunions, de la paperasserie et une bureaucratie assommante, Steve Domenik, vice-président du marketing chez Cyrix dit, dans le numéro de *Business Week* du 18 mai 1994, que, "en éliminant toutes ces pertes de temps, nous sommes en mesure de concurrencer des sociétés comptant plus de 200 personnes pour un même secteur d'activités".

Selon *Business Week,* l'innovation technologique donne aux petites entreprises l'opportunité de damer le pion à des concurrents plus grands qu'elles. Beaucoup de ces avantages sont la conséquence directe de la capacité naturelle des P.M.E. de travailler *plus vite* que des entreprises plus importantes et donc à la hiérarchie plus lourde.

- Sans entraves bureaucratiques et systèmes d'informations coûteux, les P.M.E. peuvent investir dans de nouvelles technologies qui leur permettent d'être plus rapides et plus efficaces.

- A mesure que les entreprises sont reliées électroniquement, la délocalisation des fonctions effectuées par les grandes entreprises, de la comptabilité au développement de produits, crée des opportunités pour de petits fabricants hautement qualifiés.

- Les tableaux d'affichages électroniques et les services de données *online* permettent aux petites entreprises d'accéder, plus que jamais auparavant, à des informations concernant le marché et d'être informées des "bonnes affaires".

- La conception assistée par ordinateur et les logiciels de fabrication permettent aux petites entreprises de produire rapidement une variété de prototypes à des coûts bas et sans avoir besoin de payer de grands laboratoires de développement de produits.

- Les P.M.E. peuvent facilement utiliser des liaisons d'informations (réseaux) pour créer des grandes entreprises "virtuelles" en gagnant de grosses parts de marché et en permettant à chacune d'elles de se spécialiser dans son domaine.

- L'informatique mobile permet aux petites entreprises d'être compétitives dans le monde entier sans créer de bureaux ou d'agences très coûteuses.

Utilisez au mieux l'informatique et la télécommunication afin de rendre votre entreprise plus rapide et plus compétitive. Plus vite circulera l'information au sein de votre société, plus vite seront réglés les problèmes.

Les fax et le courrier électronique

La *machine fac-similé,* plus connue sous le nom de *fax* (ou télécopieur) est devenue très rapidement une nécessité pour toute entreprise sérieuse. Un télécopieur transmet numériquement des documents comme des lettres, des rapports ou des photos à un autre télécopieur qui imprime une copie du document original. Les deux télécopieurs en communication peuvent être à l'autre bout du couloir ou bien à l'autre bout du monde, le résultat est le même. La technologie des fax a maintenant migré vers les ordinateurs personnels. Au lieu d'imprimer d'abord un document pour ensuite le faxer, vous pouvez transmettre et recevoir des documents directement d'un ordinateur à un autre.

Le courrier électronique, ou *e-mail,* est similaire au *voice mail ;* la seule différence est qu'il possède un système de messagerie *text-drive* au lieu d'être un système activé vocalement. Avec le e-mail, les utilisateurs du réseau informatique peuvent envoyer et recevoir des messages et ajouter des fichiers à leurs messages e-mail. Par exemple, si vous travaillez sur l'ébauche d'un rapport des ventes de produits pour votre directeur, vous pouvez ajouter une copie à votre message de e-mail qui l'informe de votre progression.

Le e-mail permet de réagir très vite. Alors qu'une lettre normale mettrait plusieurs jours pour traverser la France, le e-mail la transmet en quelques secondes, juste le temps d'appuyer sur un bouton.

Utilisez les fax et le e-mail afin de rendre instantanée la transmission d'informations. Ainsi, votre entreprise sera plus rapide et plus réactive aux besoins des clients.

D'après Andrew S. Grove, directeur d'Intel : "les entreprises qui utilisent le e-mail sont beaucoup plus rapides et beaucoup moins hiérarchiques. Il y a deux sortes d'entreprises, celle qui s'en sert et celle qui ne s'en sert pas et qui disparaîtra." (*Business Week*, 18 mai 1994).

Internet

Le 2 septembre 1969, les quelque quarante personnes entassées dans un laboratoire à Boelter Hall chez UCLA ne se doutaient pas le moins du monde qu'elles étaient en train d'assister à la naissance d'un vaste réseau de communications, qui vingt-cinq ans plus tard s'étendrait à tous les continents et serait partie intégrante de millions d'ordinateurs dans le monde entier.

Internet est un réseau d'environ 3 millions d'ordinateurs localisés dans des institutions éducatives, des entreprises ainsi que dans des laboratoires de recherches du monde entier. Sans aucun doute le plus grand réseau informatique de la planète, Internet est utilisé par 20 millions d'individus qui s'envoient des messages e-mail, des cartes de météo, des clips vidéo, des photos ainsi qu'une grande variété d'informations. Ce qui rend Internet si unique c'est qu'il n'est pas la propriété d'un individu ou d'une entité. Au contraire, il existe grâce à l'investissement en ressources informatiques de beaucoup d'entreprises et aux efforts volontaires de milliers d'individus et de sociétés qui agissent comme des managers de systèmes.

Malgré toute l'attention des médias, Internet n'est pas la fin des fins des grandes autoroutes de l'information. D'autres réseaux informatiques existent, et ce depuis un certain temps. Compuserve, America Online et Prodigy sont tous des réseaux commerciaux, aussi appelés *online services,* qui permettent aux utilisateurs d'avoir accès à de vastes bases de données d'informations ainsi que de discuter en direct les uns avec les autres à l'échelle mondiale. Chaque service a sa propre personnalité ; Prodigy, par exemple, fait figurer des annonces commerciales dans une boîte en bas de l'écran, ce qui attire des utilisateurs variés selon leurs goûts personnels ou besoins d'informations.

Tous rivalisent pour offrir aux utilisateurs le service le plus attirant. Les services *online* sont sur le point de devenir rapidement indispensables. America Online, par exemple, offre une grande variété de thèmes, de magazines électroniques, d'outils de référence et des *bulletin boards* intéressants. Certaines des offres actuelles incluent *Business Week* "online", The Nightly Business Report ainsi qu'un espace complet dédié aux petites entreprises. Cet espace contient les informations nécessaires pour ouvrir une entreprise, obtenir une assistance financière et une assistance de Small Business Administration et des *bulletin boards* pour partager les informations et les conseils avec d'autres responsables d'entreprises.

Les ordinateurs portables et les assistants personnels digitaux

Les assistants personnels digitaux, ou *APD,* combinent les fonctions d'ordinateur, de fax, de modem, de communication sans fil et de reconnaissance d'écriture en un petit (environ de la taille d'un livre de poche) "package" fonctionnant à l'aide de piles. Au lieu de travailler avec le clavier standard de la plupart des ordinateurs, les APD vous permettent d'écrire votre "input" sur la surface de travail avec un style spécial. En tant que premier outil numérique à combiner tous les meilleurs éléments de l'âge de l'information, l'assistant personnel digital a ouvert de nouveaux horizons pour les managers vadrouilleurs.

La connexion des ordinateurs avec tous les gadgets digitaux ci-dessus cités a fait faire un grand bond en avant. Ces outils ont atteint un tel niveau de sophistication que l'information peut être générée, éditée, transmise, revue et utilisée sans même être imprimée sur papier. Le téléphone n'est plus si éloigné de l'ordinateur.

Par exemple, l'ordinateur portable "ThinkPad" IBM de Pierre combine plusieurs fonctions : ordinateur, fax, téléphone, centre *voice mail*, traitement de texte, boîte e-mail, calendrier/organiseur personnel, contact manager et (le préféré de Pierre) un flipper en trois dimensions. Il ne pèse que 2 kilogrammes, fonctionne sur piles et sa taille est à peu près celle d'un organiseur personnel. Si Pierre a besoin de faxer un document ou de se connecter sur Internet, pas de problème, il lui suffit de se brancher sur une ligne téléphonique, de toucher un ou deux boutons et l'ordinateur s'occupe du reste. Fastoche, non ?

Avec les ordinateurs portables et assistants personnels digitaux, vous pouvez emporter partout votre bureau avec vous. Utilisez les ordinateurs portables et les assistants personnels numériques afin de faire sortir vos employés de *leurs* bureaux et de les faire entrer dans les bureaux de vos *clients ;* là, l'impact sera direct.

Voice mail et bips (alphapage)

Les répondeurs téléphoniques font maintenant partie de notre quotidien. Qui n'a pas son répondeur ? Le *voice mail,* qui s'en est largement inspiré, est un système numérique qui permet non seulement d'envoyer et de recevoir des messages, mais également de les gérer. Par exemple, l'utilisateur du système *voice mail* a la capacité de prendre un message téléphonique et de l'expédier, avec un message personnel, à un autre utilisateur de *voice mail*. Si la personne qui appelle est aussi sur ce système, l'utilisateur peut envoyer une réponse verbale directement à sa boîte et même enregistrer et émettre des messages à des listes de boîtes *voice mail* sélectionnées.

Mais l'outil qui révolutionne en ce moment le monde de la communication, c'est le téléphone cellulaire et avant lui le téléphone sans fil. Ils fonctionnent en captant des fréquences radio, infrarouges ou électromagnétiques pour transmettre et recevoir des informations. En un mot, la communication sans fil n'est certes pas un concept nouveau (la radio et la télévision existent depuis des décennies), mais elle a cependant généré un extraordinaire enthousiasme.

Le *bip* est l'un des premiers objets de communication sans fil à avoir été très bien accueilli par les entreprises. Un bip est un petit récepteur radio qui affiche le numéro de téléphone de la personne qui a appelé. Il suffit ensuite de rappeler la personne. Des modèles encore plus modernes (et plus chers) affichent le message de la personne qui appelle ou enregistre des messages vocaux. Avec tous les satellites circulant autour de la terre, les bips peuvent recevoir des messages de presque partout. Ce qui est particulièrement intéressant, c'est la dernière génération de bips qui peuvent à la fois recevoir *et* envoyer des messages.

Le *voice mail* et les bips vous permettent d'envoyer et de recevoir des messages n'importe où, n'importe quand et d'être prévenu lorsque *vous* recevez des messages. Utilisez ces systèmes afin de toujours garder le contact avec vos employés, qui eux-mêmes le feront avec leurs collègues et leurs clients.

Téléphones cellulaires et numéros personnels 800, 888 et 500

De plus en plus, la communication se fait sans fil. Selon le manager de produits de AT&T, Lisa Pierce, "la communication sans fil permet l'émergence d'un nouveau monde d'offres par des fournisseurs de service". Comme l'observe Kenneth S. Forbes III, P-DG de MobileDigital Corporation of Alameda, Californie, dans le numéro de mai 1993 de *Nation's Business,* "la communication sans fil est probablement la dernière découverte de notre vie. La capacité de joindre n'importe qui quel que soit l'endroit où je suis en temps réel, et sans être un intrus, est ce qui nous rapproche le plus de la transmission de pensées."

Le *téléphone cellulaire* a considérablement fait progresser les communications sans fil. Un téléphone cellulaire est un objet portable, à piles, qui émet sur une haute fréquence radio spécifique. Si les téléphones cellulaires étaient à une époque réservés à une certaines catégorie sociale, aujourd'hui que leur prix ont chuté, leur popularité les a fait entrer chez chacun d'entre nous.

L'industrie cellulaire est fière d'annoncer ses ventes annuelles qui s'élèvent à plus de 15 milliards de dollars et concerne plus de 11 millions de consommateurs aux États-Unis seulement. Le téléphone cellulaire n'est pas uniquement un jouet pour frimeurs ; outre son utilité qui n'est plus à démontrer, il a aussi apporté la liberté. D'après Mark Adler, éditeur à Washington D.C : "Cela me permet d'avoir mon bureau quel que soit l'endroit où je me trouve." (*Business Week,* 18 mai 1994). Il lui est même arrivé de conclure un contrat d'auteur très important, tandis qu'il regardait sa fille jouer à la marelle.

Les cellulaires et numéros verts peuvent vous rendre plus accessibles pour vos collègues et clients. Assurez-vous que vos employés ont aussi ces outils afin qu'ils puissent communiquer facilement et à des prix abordables avec leurs associés.

Système de vidéoconférence et réunions électroniques

Il n'y a pas si longtemps que ça, si vous vouliez avoir une réunion avec les membres de votre équipe de créateurs à Paris, vos ingénieurs de production à Marseille et vos vendeurs éparpillés un peu partout en France, vous deviez tous prendre l'avion pour vous rejoindre. Quelques heures plus tard, vous vous retrouviez tous au même endroit et en même temps. Pourvu qu'aucun d'entre vous n'ait oublié quelque chose d'important au bureau !

Une fois de plus, les ordinateurs ont sauvé la situation. Avec un ordinateur, une caméra vidéo et des logiciels spéciaux, vous pouvez créer votre propre vidéoconférence, en direct et en couleurs ! Le téléphone c'est bien, mais parfois vous avez besoin de *voir* de vos propres yeux. D'où la nécessité de la vidéoconférence.

- **Sans vidéoconférence :** "Bon, d'accord Bob, j'ai juste fait quelques modifications au niveau des chiffres des ventes et dessiné un nouveau graphique. Maintenant, les ventes se sont accrues et sont passées de 39 millions de dollars en 1995 à 45,5 millions. Cette progression est l'œuvre du bureau des ventes de NorthWestern. Dans le premier quart de 1996, nous avons assisté à une baisse jusqu'au chiffre annuel de 39,1 millions de dollars, due principalement aux faibles ventes des bureaux de South Central et North Central qui étaient hors objectif d'un total combiné de 4,2 millions de dollars. Le deuxième quart de l'année 1996 a vu les ventes monter sensiblement. Il semblerait que nous soyons de nouveau sur notre trajectoire avec un chiffre annuel de 44,7 millions de dollars. Vous avez tout capté, bob ?"

- **Avec vidéoconférence :** "OK Bob, j'ai juste fait quelques modifications du chiffre des ventes et j'ai dessiné un graphique, vous devriez pouvoir le voir maintenant sur votre moniteur. Avez-vous des questions ?"

Vous pouvez également organiser des réunions *virtuelles* où tout le monde peut se voir et se parler en même temps. Fini les heures d'attente dans un aéroport bondé et en grève, les nuits sans sommeil, parce que tous les hôtels étaient complets et que vous avez dormi dans une petite auberge, bien agréable, mais dont la literie était aussi rustique que les meubles d'époque de la patronne. Quoique il y en a que cela amuse ! Pour éviter ce genre de déconvenue, sachez qu'il vous suffit d'allumer votre ordinateur, de mettre la caméra vidéo en marche, et roulez jeunesse !

Ecouter

Communiquer c'est bien, savoir écouter c'est mieux.

Vous êtes très occupé. Vous avez probablement dix millions de choses qui vous trottent dans la tête à tout moment : la proposition que vous devez recevoir avant 17 heures aujourd'hui ; les tableaux du budget qui ne semblent pas être cohérents ; le déjeuner… Et comme si cela ne suffisait pas à votre migraine, votre collaborateur tient absolument à vous tenir au courant des dernières rumeurs : *Savez-vous que Sandra est sur le point d'être virée ?* Avec toutes ces distractions, il n'est pas très surprenant que vous ayez pris l'habitude de n'écouter que d'une oreille vos employés.

Stop !

Lorsque vous n'êtes pas attentif vous roulez à la fois la personne qui s'adresse à vous *et* vous-même. Lorsque vous écoutez activement, vous augmentez la probabilité de comprendre ce que cette personne vous raconte. Selon le sujet dont il s'agit, comprendre peut être *assez* important.

La communication est une rue à double sens. Soyez un écouteur actif. Lorsque quelqu'un a quelque chose à vous dire, soit vous lui faites comprendre que vous êtes trop occupé et que vous le recontacterez plus tard : *Désolé Tony, je dois rédiger ce rapport avant midi. Pouvons-nous nous revoir plus tard ?* Soit vous l'écoutez vraiment, en mettant un instant de côté votre rapport à rédiger ou les grondements de votre estomac qui crie famine.

- **Montrez de l'intérêt :** Par exemple, accordez-lui toute votre attention et posez des questions qui clarifient ce qu'il essaie de faire entendre. Vous pouvez dire : "C'est vraiment très intéressant. Qu'est-ce qui vous a mené à une telle conclusion ?" Il n'y a pas de meilleur moyen pour mettre fin à toute discussion que de bâiller, de regarder le plafond ou de montrer que vous n'êtes pas du tout intéressé par ce qui est dit. Plus vous montrerez d'intérêt à votre interlocuteur, plus il deviendra intéressant.

- **Maintenez votre attention :** Les personnes parlent à la vitesse approximative de 150 mots par minute. En revanche, les personnes *pensent* approximativement à 500 mots par minute. Cet écart laisse le temps à votre esprit de divaguer. Efforcez-vous de rester concentré sur les paroles de l'autre.

- **Posez des questions :** Si quelque chose n'est pas clair ou n'a pas de sens pour vous, posez des questions afin de clarifier le sujet. Non seulement la discussion sera orientée, efficace et précise, mais elle montrera à votre interlocuteur que vous êtes intéressé par ce qu'il dit. L'*écoute réflexive,* résumer ce que l'autre a dit et lui répéter la même chose, est une manière particulièrement efficace de montrer votre intérêt. Par exemple, vous pouvez dire : "Ainsi, vous pensez que nous pouvons vendre notre excédent à d'autres sociétés ?"

- **Trouvez les mots justes :** Qu'est-ce que votre interlocuteur essaie de vous dire ? Ne vous perdez pas dans la forêt de détails qui vous submerge, vous risqueriez de ne pas voir les arbres. Au fil de la conversation, efforcez-vous de trier les informations importantes. Au besoin, n'hésitez pas à poser des questions pour resituer les choses : *"Mais quel rapport cela a-t-il avec la réalisation de nos objectifs ?"*

- **Evitez les interruptions :** Si les questions sont parfois nécessaires pour orienter la discussion, interrompre constamment l'interlocuteur ou permettre à d'autres de le faire *n'est pas* acceptable. Lorsque vous avez une conversation avec un employé, il doit être la personne la plus importante à ce moment précis. Si quelqu'un vous téléphone, ne répondez pas ; après tout, c'est la raison d'être du *voice mail*. Si quelqu'un frappe à votre porte et demande s'il peut vous interrompre, dites que vous irez le voir plus tard. Rien ne doit interrompre vos conversations. (P.S. : Si les rideaux de votre bureau sont en flammes, votre interlocuteur ne vous en voudra pas d'arrêter la discussion.)

- **N'écoutez plus seulement avec vos oreilles :** Selon les experts, près de 90 % de la communication est non verbale ! Les expressions du visage, la posture, la position des bras, des mains et des jambes, les regards, etc. contribuent à communiquer avec l'autre. Tous les sens doivent être en alerte.

- **Prenez des notes :** Se rappeler de tous les détails d'une conversation importante des heures, des jours ou des semaines après qu'elle a eu lieu peut être assez difficile. Efforcez-vous de prendre des notes lorsque c'est nécessaire. C'est une aide formidable à l'écoute et à la mémorisation de ce qui a été dit. De plus, lorsque vous relisez vos notes, vous pouvez mieux saisir toutes les nuances de la conversation.

 Toutes ces "manières" d'écouter vous permettront de mieux comprendre vos employés et collaborateurs, qui apprécieront votre attitude. Alors, écoutez bien et écoutez *souvent*.

Le pouvoir des mots

Face aux moyens techniques mis au service de l'information, vous pouvez penser que les mots écrits, simples, n'ont plus lieu d'être. C'est faux ! La révolution de l'information a en fait augmenté la variété des médias mis au service de l'écriture et a simplement permis que la parole écrite circule plus vite.

 Peu importe que vous écriviez un message e-mail d'une ligne ou un rapport de dix pages, l'écriture est nécessaire. Alors, un conseil : écrivez, écrivez et écrivez.

- **Dans quel but ?** Avant d'écrire demandez-vous pourquoi vous le faites. Quelle est l'information que vous cherchez à communiquer et qu'attendez-vous du lecteur ? Quel est le public ciblé ?

- **Organisez-vous :** Organisez vos pensées avant de commencer à écrire. Noter quelques petites choses ou établissez une liste des points principaux à développer.

- **Écrivez sans chercher à épater :** Ce n'est pas parce que vous avez une feuille blanche sous les yeux et un beau stylo plume que vous devez écrire dans la langue de Molière. Restez vous-même et choisissez des mots simples.

- **Soyez simple, bref et concis :** Chaque mot doit être choisi. Rédiger quinze pages de bla bla pour donner plus de poids à votre lettre, qui en fait ne délivre que deux informations, n'impressionnera personne.

- **Écrivez puis réécrivez :** Vous n'êtes pas écrivain, alors cessez de nous en mettre plein la vue en nous faisant croire que vous avez écrit ça d'un premier jet, sans avoir relu votre copie. Faites un brouillon, écrivez, relisez, rectifiez, corrigez et imprimez.

- **Évitez les mots inutiles.** Une phrase ne doit contenir aucun mot inutile, comme une machine aucune pièce inutile. L'auteur s'obligera à écrire des phrases courtes en évitant la profusion de détails superflus.

Parler en public

Être sur le devant de la scène et parler en public n'est pas chose facile. Un jour ou l'autre, tous les managers auront à subir cette dure épreuve. Tom Peters, un habitué de ce genre de choses, nous livre son expérience : "L'assistance doit boire toutes vos paroles. Luttez contre le trac et oubliez la trouille qui vous chavire l'estomac. Tenir l'assistance en haleine, c'est ça, le vrai pouvoir."

Se préparer à parler

Lorsque vous voyez de grands orateurs en action, vous vous dites que cela doit être naturel, inné. Vous vous trompez, car cela a certainement demandé des heures, voire des années de préparation presque quotidienne qui aboutissent à ces 90 secondes de gloire.

 Un bon exposé ou un bon discours ne s'improvisent pas.

- **Annoncez clairement vos intentions :** Donnez brièvement les grandes lignes de votre discours. Que cherchez-vous exactement à accomplir ? Essayez-vous de convaincre des décideurs à augmenter le budget ou à allonger le délai que vous avez pour la conception d'un produit ? Cherchez-vous à éduquer votre assistance ou à former vos employés à une nouvelle procédure ? Chaque type d'exposé ou d'intervention exige une approche différente.

- **Utilisez des supports visuels :** Après avoir déterminé les points principaux de votre exposé, occupez-vous des points secondaires. Ne soyez pas trop ambitieux, faites des croquis ou utilisez toutes sortes de supports visuels nécessaires pour renforcer et communiquer les idées que vous exposez verbalement.

- **Rédigez une introduction et une conclusion :** Une fois le contenu de votre exposé rédigé, concoctez une petite introduction et une conclusion. L'introduction devra comprendre deux choses : expliquer à l'assistance ce qu'elle doit retenir de votre exposé et son importance. La conclusion est le *point final* de votre exposé. Elle devra en résumer brièvement le contenu, et faire réfléchir l'assistance, qui pourra poser des questions.

- **Préparez vos notes :** Préparer des notes afin de les utiliser comme soutien dans votre exposé est toujours une bonne idée. Non seulement elles vous aident à ne jamais vous égarer et vous mettent en confiance, mais elles sont là aussi pour que vous n'oubliiez aucun des thèmes prévus. Les notes doivent être brèves mais précises.

- **Entraînez-vous à parler :** Une fois que vous avez fait l'ébauche de votre discours, entraînez-vous à le prononcer. Vous pouvez simplement relire vos notes plusieurs fois avant de faire le grand saut, ou faire votre exposé devant un collègue ou même une caméra vidéo afin de corriger les erreurs et de gommer les tics (de langage s'entend). N'oubliez pas : plus vous ferez d'exposés, plus vous vous améliorerez.

 On n'est jamais trop préparé pour affronter une foule de gens qui n'attendent que de boire vos paroles... À votre santé, hic !

Une image vaut mille mots

Des études montrent qu'environ 85 % des informations perçues par le cerveau humain sont *visuelles*.

Un jour, Pierre est sollicité pour faire un exposé devant l'équipe dirigeante de la société. Il doit présenter les dernières performances financières du groupe Western appartenant à la société. Il ne peut tout de même pas dérouler des kilomètres de listing devant son DG ! Personne n'y comprendrait rien.

Mais Pierre, en bon professionnel, a demandé à son collaborateur de faire un graphique à barres qui allait tout résumer, qu'il transféra ensuite sur un transparent destiné à être projeté sur un écran. Le graphique comparait les performances annuelles actuelles à celles de l'année précédente et ne contenait que les informations essentielles pour les décideurs.

Lors de l'exposé, Pierre fit des remarques brèves et précises et se concentra sur son sujet pour ne jamais s'égarer. Le succès fut assuré. Ses directeurs le complimentèrent pour son travail et quittèrent la salle en ayant obtenu les informations qu'ils étaient venus chercher.

Saint Thomas disait : "Je ne crois que ce que je vois." Et vous ?

Si vous en avez la possibilité, présentez *visuellement* vos informations. Comment ? Voici quelques exemples qui pourraient aider l'assistance à y voir plus clair :

- Les photographies

- Les tableaux

- Les expositions

- Les échantillons de produit

- Les prototypes

- Les jeux de rôle

- Les graphiques

- Les cartes

Les outils de présentation, aides visuelles et autres supports, servent à divers usages. D'abord, ils transmettent rapidement les informations, qui seront mieux "imprimées" dans la tête de votre public. Quels supports choisir ?

- **Les polycopiés :** Distribuer des polycopiés à votre public avec des informations que vous projetez de traiter est utile.

  En revanche, ne cédez pas à la tentation de lire ce que vous venez de distribuer ; l'assistance peut le faire mentalement, alors ne commencez pas par l'ennuyer ou, pire, l'endormir.

- **Les transparents :** Les transparents sont probablement les meilleurs supports visuels. Avec votre ordinateur, une imprimante laser, une photocopieuse qui réduit et augmente la taille et des transparents, vous pouvez projetez n'importe quelle information. Microsoft PowerPoint, WordPerfect Presentation et Lotus 1-2-3 sont tous des logiciels de présentation extraordinaires. L'intérêt des transparents est que vous pouvez les modifier n'importe quand, en écrivant dessus.

- **Les diapositives :** Les diapositives de 35 mm sont celles qu'utilisent les "pros" (demandez à Bob !). L'inconvénient est que, une fois la projection commencée, vous ne pouvez plus rien changer sur la diapo. Et si certaines d'entre elles montrent des erreurs, impossible de les effacer, alors assumez !

- **Tableaux noirs et tableaux blancs :** Pour les groupes plus petits, les tableaux noirs et les tableaux blancs, simples et facilement transportables, sont de très bons outils visuels.

Les supports visuels ne doivent pas ralentir ou déconcentrer l'assistance, au contraire. Avant de vous en servir, vous devez connaître parfaitement leur maniement. Enfin, n'oubliez pas que le centre d'attention, c'est *vous* et non pas le projecteur.

Faire l'exposé

Chacun attend avec impatience d'entendre vos trésors de sagesse. Êtes-vous préparé à affronter tous ces regards impitoyables ? Bon, alors suivez le guide :

- **Relaxez-vous !** Pourquoi êtes-vous si nerveux ? Tout est prêt, vos notes sont ordonnées, vos supports visuels sont installés et votre public est sincèrement intéressé par ce que vous avez à dire. Alors, respirez à fond et GO !

- **Saluez votre public :** Arriver en avance est un bon point. Vous pouvez ainsi accueillir les personnes et les saluer personnellement. Vous établissez ainsi un premier contact qui vous mettra en confiance pour la suite.

- **Répondez aux questions :** Soyez prêt à répondre aux questions qui généralement ne se font pas attendre. Ne soyez pas déstabilisé si l'une d'entre elles vous prend au dépourvu. Improvisez, plaisantez, réfléchissez et faites-vous confiance. Vous connaissez parfaitement le sujet, alors pas de panique.

- **Savoir capter l'attention :** Capter l'attention de votre public dès le départ est primordial. Si un brouhaha sans fin vous empêche de commencer votre exposé, ne haussez pas la voix, mais restez debout face à eux sans rien dire. Ils finiront par s'apercevoir que vous existez et n'auront d'yeux que pour vous.

Testez vos nouvelles connaissances

À votre avis, la meilleure façon de communiquer c'est de :

A. Faire des discours, des exposés et des mémos.

B. Envoyer des lettres et utiliser le téléphone.

C. Écouter, parler, écrire et lire.

D Se taire.

À quoi sert l'introduction d'un exposé ?

A. À expliquer les points principaux que vous allez aborder au cours de l'exposé.

B. À montrer à l'assistance que vous êtes un connaisseur en la matière.

C. À vous mener rapidement à la conclusion.

D. À rien.

Chapitre 12
Une affaire d'équipe

Dans ce chapitre :

Simplifier la hiérarchie.
Déléguer.
Reconnaître les avantages du travail en équipe.
Gérer les nouvelles technologies et les équipes.
Dynamiser les réunions.

*L*e monde des affaires est en pleine mutation. Aujourd'hui, chacun, du sommet à la base, est (ou devrait être) responsable de son travail. Ne riez pas, ce n'est pas toujours le cas… Maintenant, on sait (ou on devrait savoir) *qui* fait *quoi, comment* et *pourquoi*. Cela s'appelle *le travail en équipe*.

Qu'est-ce qu'une équipe ? Au minimum deux personnes qui travaillent ensemble afin d'atteindre un objectif commun.

Pourquoi travailler en équipe ? Parce que cela permet de réunir toutes les compétences, afin de résoudre les problèmes de l'entreprise. En clair : conjuguons nos talents ! Pour rester compétitives, les entreprises astucieuses ont appris (les moins astucieuses sont en train de le piger) qu'elles ne pouvaient plus compter uniquement sur le management. Elles doivent dorénavant impliquer les employés, qui sont finalement les personnes les plus proches des clients… et des problèmes. Élémentaire, mon cher Watson !

L'expert en management Peter Drucker a bien cerné la question. "Personne n'est plus important qu'un autre ; chacun est jugé sur sa contribution à la tâche commune, et supériorité ou infériorité n'ont pas lieu d'être ici. Donc, l'entreprise moderne ne peut plus se résumer à un chef et ses subordonnés. Elle doit être organisée comme une équipe." (*Harvard Business Review*, septembre-octobre 1992) En résumé, mettez votre ego dans votre poche.

Ce chapitre traite des changements en cours dans l'univers impitoyable des affaires. Les équipes ont le vent en poupe, il faut donc savoir déléguer, motiver ses troupes, gérer les nouvelles technologies et dynamiser les bonnes vieilles réunions d'antan. Au travail !

La fin de la hiérarchie ?

Les années 90 ont vu un revirement fondamental dans la distribution du pouvoir et de l'autorité dans les entreprises. Jusqu'à présent, elles fonctionnaient en vertu de la hiérarchie… comme à l'armée. Le caporal rend compte au sergent qui, à son tour, rend compte au lieutenant, qui en parle au capitaine, qui demande au colonel, qui en touchera un mot au général. Rompez !

Les grosses entreprises comme Ford, Exxon et AT&T n'étaient pas si éloignées de ce modèle rigide et hiérarchique. Embauchant des centaines de milliers de personnes, elles dépendaient, et dans beaucoup de cas dépendent encore, de légions de superviseurs et de managers pour contrôler le travail des employés. Le rôle premier du manager était de commander et de contrôler de très près les emplois du temps des employés, afin de suivre, au mieux, la réalisation des objectifs.

Des licenciements massifs

Le défaut fondamental de ce modèle hiérarchique est le suivant : superviseurs et managers ne sont guère productifs puisque l'essentiel de leur travail se résume au contrôle et à la vérification. Au pire, ils freinent la marche du travail, car tout dossier est bloqué tant qu'il n'a pas été relu, contrôlé, vérifié et paraphé par leurs soins. Ce problème a longtemps été ignoré puisque l'économie mondiale continuait à croître dans la seconde moitié du xxe siècle. Le ralentissement économique de la fin des années 80 et du début des années 90 provoqua le réveil douloureux de ces entreprises.

Aucune compagnie, quels que soient sa grandeur et son succès, ne fut épargnée par la crise économique. Le 2 janvier 1996, AT&T annonça le licenciement de 40 000 employés. Ce dégraissage s'ajoutait à une première vague importante de licenciements, soit au total 85 000 employés. En tout, quelque six millions de salariés ont perdu leur travail à cause de la récession qui a frappé l'économie américaine au début des années 80. Parmi les victimes des licenciements, on notait la présence de nombreux superviseurs et autres managers intermédiaires.

Alors que ces vagues massives de licenciements laissaient six millions de gens sur le carreau, les entreprises tentaient, quant à elles, de prendre un nouveau souffle :

- **La prise de décisions :** oubliées les semaines, voire les mois, de réflexion. Loin d'une bureaucratie lourde et poussive, les décisions importantes sont prises désormais en quelques heures.

- **La communication** : pourquoi faire compliqué quand on peut faire simple ? Les méandres de la hiérarchie supprimés, la communication devient directe, donc rapide.

L'entreprise réorganisée bénéficie de nombreux avantages non négligeables :

- **Des avantages quantifiables :** en supprimant les niveaux intermédiaires, l'entreprise limite son personnel au strict nécessaire. Par conséquent, elle réduit sa masse salariale, les besoins en équipement, les notes de frais, etc.

- **Le mouvement de l'autorité et du pouvoir :** les nombreux intermédiaires étant éliminés, l'employé devient responsable de ses dossiers. Plus proche du client, il connaît davantage ses besoins et répond mieux à ses attentes.

Vers la coopération

Plus que jamais, dans les entreprises américaines, on récompense les employés pour leur *esprit d'équipe*, et non pas pour leurs succès individuels. Cette innovation dans le monde actuel des affaires est réellement *impressionnante !* Selon David Ehlen, directeur général de Wilson Learning, une entreprise de formation située à Eden Prairie, Minnesota, "l'avancement des équipes est mesuré non seulement par vos contributions individuelles, mais aussi par votre efficacité en tant que membre de l'équipe". (*The Wall Street Journal,* le 12 février 1993)

Ce revirement d'autorité est accompagné d'un changement fondamental dans l'organisation interne des entreprises. Elles s'éloignent de la structure de divisions traditionnelles et fonctionnelles qui jadis séparaient les services les uns des autres. Ces derniers se composent désormais d'employés aux compétences différentes qui travaillent ensemble sur des objectifs communs. Bien sûr, la plupart des entreprises comprennent toujours des services ou des divisions, mais les bons managers encouragent maintenant leurs employés à sortir de ces frontières formelles.

Vive le travail d'équipe ! Il n'a que des avantages :

- **Réduire la compétition improductive :** promouvoir la coopération entre collègues et le travail d'équipe permet d'éviter la surcompétition. Le but n'est pas de gagner des bons points (on n'est plus à l'école !), mais de participer pleinement et intelligemment à un projet commun.

  Le travail axé sur la compétition entre collègues provoque plus de cris et de grincements de dents que de bons résultats. La communication entre les employés ne passe plus, chacun travaille dans son coin et défend bec et ongles son territoire. L'efficacité en prend un coup et l'entreprise est au bord de la crise de nerfs.

- **Partager les connaissances :** le savoir, c'est le pouvoir. Si vous *savez*, vous avez un net avantage sur un individu qui a été laissé dans le noir, surtout si *votre* doigt est sur l'interrupteur. Dans un environnement de travail coopératif, les membres d'une équipe travaillent ensemble et partagent leur savoir et leurs compétences.

- **Entretenir la communication :** travailler en équipe permet l'abaissement des barrières et la libre circulation de la communication entre les services de l'entreprise. Halte au cloisonnement !

- **Atteindre des objectifs communs :** une équipe qui fonctionne bien provoque une saine émulation dans l'entreprise. Chacun, quelle que soit sa fonction, ou sa spécialité, a envie de participer à un projet commun et d'atteindre les objectifs fixés par le groupe. Vous pouvez ainsi boire votre café tranquillement sans craindre de recevoir un coup de classeur dans le dos !

Déléguer

Comme nous venons de le voir, avec une hiérarchie plus souple, les employés deviennent autonomes et responsables. Les résultats sont positifs : quand on connaît bien les besoins de ses clients, on leur apporte des réponses adéquates. Souvenez-vous qu'un client satisfait est un client fidèle !

Bien sûr, déléguer n'est pas toujours chose aisée, et certains managers ont dû apprendre à lâcher du lest, parfois à contrecœur. N'étaient-ils pas les mieux placés pour prendre les bonnes décisions ? Sans doute, dans certains cas. Mais à vouloir tout contrôler, ils en oubliaient d'encourager les initiatives de leurs employés.

Déléguer, c'est gagner !

Aujourd'hui, les managers efficaces n'ont plus peur de déléguer, ils en connaissent la valeur. Non seulement le travail est effectué et les clients sont satisfaits, mais ils peuvent enfin se consacrer à d'autres tâches importantes qu'ils sont les seuls capables d'effectuer comme la formation, la planification, l'organisation, la prospection, etc. L'entreprise revivifiée peut repartir d'un bon pied, comme le soulignent les citations ci-dessous extraites du numéro du 12 février 1993 du *Wall Street Journal* :

- Les 80 employés de Techmetals, une petite entreprise de plaquage de Dayton, Ohio, sont impliqués dans l'agencement de l'usine, le programme et les livraisons. Selon Lee Watson, le directeur des améliorations chez Techmetals : "Responsabiliser les équipes nous a simplement fait devenir une entreprise plus efficace, avec de meilleures conditions de travail et une main-d'œuvre plus spécialisée."

- Au Country Cupboard, un restaurant routier à Lewisburg, Pennsylvanie, les 350 employés ont pris le relais des managers. Selon la copropriétaire Carole Baylor-Hamm, son propre travail en est facilité. Elle peut donc concentrer ses efforts sur les tâches pour lesquelles elle est la plus apte.

  Déléguer, c'est faire confiance. Un patron qui vous fait confiance dans vos prises de décisions, importantes pour le succès de l'entreprise, c'est motivant, non ?!

 Eric Gershman, fondateur et président de Published Image, Inc., un petit éditeur de journaux d'entreprise, à Boston, Massachusetts, a eu beaucoup de mal à réorganiser son entreprise. Il a dû renouveler son équipe d'encadrement, rassurer le moral des troupes et améliorer le service clientèle. Selon Gershman : "Nous avions une entreprise dont les employés croyaient que leur fonction était de faire plaisir à leur supérieur plutôt qu'au client. Nous avions besoin de changer radicalement l'organisation interne." (*The Wall Street Journal,* 26 septembre 1994).

Gershman a trouvé la solution en composant des équipes autonomes et autogérées. Les managers sont devenus des, *entraîneurs*, ils conseillent les employés qui préparent les budgets, fixent les délais et reçoivent des bonus basés sur la performance de leurs équipes. Le résultat est sans appel ! Les revenus ont doublé : de 2 millions de dollars en 1992, ils ont franchi la barre des 4 millions de dollars en 1993. La marge bénéficiaire est passé de 3 % à 20 % au cours de la même période. Non seulement Gershman a atteint ses objectifs financiers pour l'entreprise, mais ses employés sont satisfaits de leur nouvelles fonctions. Pas mal, non ?

Et la qualité ?

Dans les années 80, les entreprises américaines se sont engagées dans une quête de la qualité en emboîtant le pas aux Japonais, imbattables dans les secteurs de l'automobile, de l'électronique et des curiosités gastronomiques (le figu – ce plat délicieux de poisson cru qui peut-être mortel s'il est mal préparé – attire les gourmets du monde entier). Les managers américains ont vite découvert que la clé de voûte de nombreux programmes japonais était la délégation du pouvoir aux employés.

Par exemple, les cercles de qualité – groupes d'employés qui se réunissent régulièrement pour tenter d'améliorer l'organisation interne – se sont largement inspirés de la technique japonaise de la prise de décisions en commun. Les suggestions d'un cercle de qualité, loin d'être prises à la légère, servent l'entreprise dans sa recherche constante de la perfection.

Le management de Motorola l'a bien compris. Les équipes autogérées de sa manufacture d'équipement cellulaire, à Arlington Heights, dans l'Illinois, décident de leurs propres programmes de formation et déterminent les plannings ; elles sont aussi impliqués dans l'embauche et le licenciement des salariés.

Les avantages du travail en équipe

Travailler en équipe offre bien des avantages à l'entreprise. Les employés sont plus opérationnels, les prises de décisions sont rapides et la communication est directe.

Plus petites et plus agiles

Les grandes sociétés ne sont pas toujours compétitives face aux petites et aux moyennes entreprises. La nouvelle donne économique n'a fait qu'accroître la pression. Devant une telle compétition acharnée, les équipes deviennent la planche de salut des grandes sociétés. Ces dernières acquièrent ainsi les qualités principales des P.M.E. : souplesse et rapidité.

Le marché a évolué suite à la pression de la demande, toujours plus exigeante, des consommateurs. La notion "rapport qualité/prix" est devenue "rapport qualité/prix/rapidité". Un client potentiel sait, qu'à qualité égale, il peut toujours trouver moins cher ailleurs, dans des délais toujours plus rapides.

Innovation et adaptabilité

Selon le spécialiste américain en économie Robert Reich, les équipes peuvent aussi être à la pointe de l'innovation : "Au fur et à mesure que les compétences individuelles sont intégrées dans un groupe, la capacité collective à innover est presque sans limites. Au fil du temps, les membres de l'équipe apprennent à connaître les capacités professionnelles de chacun. Ils peuvent alors s'entraider pour mieux travailler, contribuer à un projet particulier ou profiter de l'expérience de chacun. Chaque participant est constamment à la recherche de petits ajustements qui accéléreront et faciliteront l'évolution de l'ensemble. Le but de toutes ces adaptations mineures est de propulser l'entreprise en avant." (*Harvard Business review*, mai-juin 1987)

Les équipes s'adaptent facilement dans un marché sans cesse en mutation. Petite taille et flexibilité leur donnent un net avantage sur les structures concurrentes plus traditionnelles. Comme le dit George Stalk : "Le temps est un outil de compétition plus important que les mesures financières traditionnelles."

(*Harvard Business Review,* juillet-août 1988) Chez Xerox et Hewlett-Packard par exemple, les fonctions de design, d'engineering et de fabrication sont aujourd'hui étroitement liées dans le développement de nouveaux produits, réduisant de façon spectaculaire le temps s'écoulant entre la conception et la production.

Auparavant, les équipes n'étaient utilisées que pour les projets à court terme. Ce n'est plus le cas. D'après Drucker : "Alors que la conception en équipe a traditionnellement été considérée comme applicable seulement à des tâches spécifiques, exceptionnelles et de courte durée, elle est désormais également applicable à des travaux innovateurs et/ou à long terme." (*Harvard Business Review,* janvier-février 1974) En effet, le concept d'équipe a prouvé qu'il pouvait être une solution, sur le long terme, aux besoins de nombreuses entreprises.

Constituer et soutenir une équipe

Avant de constituer une équipe, sachez qu'il existe trois sortes d'équipe : *formelle, informelle et autogérée* (cette dernière combine les attributs des équipes formelles et informelles). Chaque type d'équipe offre des avantages et des inconvénients selon la situation, le calendrier et les besoins de l'entreprise.

Les équipes formelles

Une *équipe formelle* est constituée par le management. Sa fonction est d'atteindre des objectifs spécifiques : le développement d'une nouvelle ligne de produits, l'étude d'un système de traitement de factures ou la mise en place d'un réseau informatique.

- **les équipes spécialisées :** par essence, elles sont temporaires. Leur but est de résoudre un problème spécifique posé à l'entreprise. Par exemple, pourquoi le nombre de rejets pour une pièce de machine a augmenté de 1 sur 10 000 à 1 sur 1 000. Une équipe spécialisée doit apporter rapidement une réponse à la direction.

- **Les comités :** les équipes permanentes sont créées dans le but d'effectuer une tâche continuelle et spécifique. Par exemple, le comité d'entreprise. Ce dernier est le lien entre les salariés et la direction. Ses sujets de préoccupations sont variés et passent de l'organisation du repas de fin d'année à la défense des droits d'un salarié. Les membres d'un comité d'entreprise changent tous les deux ans, mais le comité poursuit sa tâche, quels que soient ses membres.

- **Les équipes dirigeantes :** celles-ci sont composées d'un manager, ou d'un superviseur, et de tous les employés placés sous sa responsabilité. De telles équipes sont par nature hiérarchiques et représentent la façon traditionnelle dont les tâches sont communiquées des managers aux employés. Par exemple : les équipes de ventes.

Les équipes formelles ont leur importance au sein de l'entreprise. Ce sont elles qui véhiculent l'information de l'employé au manager ou d'employé à employé. Assignées à des tâches précises, elles doivent les résoudre et rendre des comptes.

Les équipes informelles

Les *équipes informelles* se forment spontanément avec des employés partageant les mêmes affinités. Même si elles n'ont pas de tâches ou d'objectifs spécifiques, elles n'en demeurent pas moins importantes :

- elles fournissent une source d'information indépendante de la voie hiérarchique.

- elles offrent une tribune où chacun peut exprimer ce qu'il ressent sans craindre d'être sanctionné.

Par exemple, un groupe d'employées de NYNEX Corporation, une grande entreprise américaine de télécommunications, a créé des *cercles de mentoring* afin de combler le vide laissé par le manque de managers féminins. Organisés en groupes de huit à douze employées, les cercles jouent le rôle de mentor en apportant conseils et soutien dans la gestion des carrières.

Les groupes *ad hoc* sont des équipes informelles d'employés dont les compétences peuvent apporter une réponse à une question donnée. Par exemple, pour résoudre un problème concernant l'enregistrement des changements de paye dans le système de traitements et salaires de l'entreprise, vous n'inviteriez pas les employés du service des livraisons.

Les équipes autogérées

Les *équipes autogérées* combinent à la fois les attributs des équipes formelles et informelles. Généralement organisées par le management, elles se modifient en fonction de l'évolution des responsabilités de chacun. Ces équipes comportent jusqu'à trente employés qui se réunissent pour trouver des solutions aux problèmes communs des employés.

Afin d'être efficaces, les équipes autogérées doivent être :

- composées de personnes issues des différents services de l'entreprise.

- de taille réduite, parce qu'on communique mieux à dix personnes qu'à trente.

- autonomes, afin d'agir rapidement et à bon escient.

- multifonctionnelles, parce que c'est la meilleure façon de garder à l'esprit les différentes étapes de la production.

Les constructeurs automobiles américains ont une longue histoire de conflits, souvent violents, entre leur direction et leur main-d'œuvre, dominée par les syndicats. Toutefois, chez Saturn Corporation, le subsidiaire innovateur de General Motors, les équipes ont aidé à changer cette tradition. Elles sont à l'origine de la coopération entre management et employés. Selon Mich Bennett, président de Union Local 1853 : "Il y a encore conflit, mais il est géré différemment. Il n'est pas confrontation. Il est davantage un plaidoyer pour trouver une meilleure solution." (*Training,* juin 1992).

Chez Saturn, il est obligatoire d'appartenir à une équipe. À la production, les employés travaillent dans des équipes autogérées qui décident de la formation, de l'embauche, du budget et des plannings. Chaque équipe, constituée de cinq à quinze employés, se surveille elle-même. Comme le souligne D. Rypkowski, le vice-président du syndicat de United Auto Workers (UAW) : "Même si leur participation dans la marche des affaires est relativement minime, ils apprécient mieux les objectifs de l'entreprise et ce qu'il en coûte en termes de dollars." (numéro de juin 1991 de *Personal Journal*).

De plus en plus, là où le management est prêt à lâcher du lest, en matière d'autorité absolue, et à déléguer, les équipes autogérées relèvent le défi et contribuent largement au succès de leurs entreprises. En effet, le succès de nombreuses entreprises tient au succès de la mise en œuvre de ces équipes.

Retour à la réalité

Dans l'entreprise idéale, lorsque les équipes ont réellement du pouvoir, elles :

- choisissent leurs propres leaders.

- désignent leurs propres membres.

- établissent leurs propres objectifs et engagements.

- définissent et effectuent la majeure partie de leur formation.

- sont récompensées.

Malheureusement, il y a très peu d'entreprises idéales. Une enquête effectuée auprès des membres d'une équipe a montré qu'il y avait encore beaucoup d'améliorations à apporter dans le fonctionnement même de l'équipe. Les personnes interrogées sentaient clairement que la confiance au sein du groupe, son efficacité, ses décisions et son rôle pouvaient être largement améliorés.

Une étude récente réalisée dans dix entreprises différentes par l'expert en management Bob Culver auprès de managers, leaders et membres d'équipe, a démontré que les véritables équipes ont un pouvoir limité puisque les décisions *réelles* sont encore prises au niveau de la direction. Fort de cet enseignement, vous n'avez plus qu'à appliquer les recommandations suivantes pour lutter contre l'inefficacité des "vraies-fausses équipes".

- **Déléguez vraiment :**

  Donnez aux membres des équipes l'autorité et le pouvoir nécessaires pour prendre de vraies décisions, stratégiques et à long terme.

  Laissez l'équipe choisir ses leaders.

  Laissez l'équipe déterminer ses objectifs et ses engagements.

  Assurez-vous que tous les membres de l'équipe soient entendus.

- **Veillez au grain :**

  Composez une équipe homogène afin d'éviter les incompatibilités de caractère.

  Donnez-lui une véritable autonomie afin d'éviter l'intrusion d'un manager intermédiaire.

  Unifiez les objectifs des managers et des membres de l'équipe.

  Temporisez le stress dû à la compression de personnel.

  Permettez aux équipes de prendre plus de décisions.

- **Pour une meilleure efficacité :**

  Laissez les membres de l'équipe discipliner les éléments les moins performants.

  Veillez à réduire la pression dans la course aux meilleures performances.

  Formez aussi bien les membres d'une équipe qu'un manager ou un leader.

La nouvelle technologie et les équipes

D'après un article récent de *Fortune Magazine*, les trois forces dominantes façonnant les entreprises de demain sont les suivantes :

- l'implication plus importante des équipes autogérées dans le fonctionnement de l'entreprise.

- le nouveau rôle des managers, qui deviennent des entraîneurs.

- l'évolution de la technologie qui permet de diffuser rapidement l'information (objectifs, résultats, nouvelles tâches etc.).

L'information doit être complète, ciblée et libre de circuler afin que ses destinataires puissent agir en connaissance de cause.

La maîtrise des nouvelles technologies rend inutile la présence de managers intermédiaires dans les prises de décisions. La formation aux nouvelles technologies devient alors indispensable. Personne, dans l'entreprise, n'y échappe. Les managers doivent acquérir de nouvelles connaissances dans ce domaine afin de tenir leur rôle d'entraîneur, et les employés pour accomplir leur tâches.

Les réunions : mettre les équipes au travail

Pour faire le point, communiquer ou fixer des objectifs, on n'a encore rien trouvé de mieux que les bonnes vieilles *réunions*.

Les réunions efficaces sont payantes

Alors que les plus grosses entreprises américaines réduisaient le nombre de leurs salariés et leurs revenus depuis dix ans, General Electric cherchait de nouvelles manières de s'agrandir. De 1984 à 1993, les revenus de General Electric sont passés de 27,9 à 60,5 milliards de dollars et ses profits, de 2,3 à 5,2 milliards. Un tel succès s'explique par les changements majeurs opérés par General Electric au sein de son organisation interne :

- Selon Jack Welch, directeur général de General Electric depuis 1981, l'entreprise allait connaître le succès si elle s'éloignait de l'ancien modèle de réunions autocratiques dirigées par une hiérarchie pesante. La solution de Welch était d'initier un concept de réunions à travers toute l'entreprise. Ces réunions de *mise au point* rassemblent des employés et des managers dans des forums ouverts. À chaque question, une réponse est apportée.

- Les stratégies de l'entreprise sont façonnées lors des réunions réguliè-res des directeurs, chacun représentant l'une des unités de GE. Au cours de ces réunions énergiques, les participants sont encouragés à explorer toutes les possibilités envisageables et à être ouverts aux nouvelles idées. Les projets récents de GE à Mexico, en Inde et en Chine, sont le résultat direct de ces réunions.

- À Bayamòn (Puerto Rico), les employés intérimaires de GE dirigent seuls les réunions. Un *conseiller* (terme employé par GE pour les employés salariés) peut intervenir, mais uniquement à leur demande.

Les résultats de l'expérience de Bayamòn sont parlants. Un an après l'ouver-ture du site, les employés avaient dépassé de 20 % l'objectif de production souhaité, soit bien mieux que leurs homologues américains.

Mais ne rêvez pas. Toutes les réunions ne sont pas aussi formidablement efficaces. La "réunionnite aiguë" n'est pas le remède à tous les maux de l'entreprise. Mal dirigée, une réunion peut même avoir des effets catastrophi-ques : perte de temps, efficacité nulle, objectifs mal compris etc.

Pourquoi les réunions sont-elles inefficaces ?

Le temps passé en réunion, c'est du temps que vous n'avez pas consacré à vos dossiers. Lorsqu'on sait qu'un employé passe, en moyenne, 25 % de son temps de travail en réunion et que ce chiffre est multiplié par deux pour les managers, on a tout intérêt à rendre ces réunions rentables.

Mais pourquoi les réunions sont-elles inefficaces ?

- **il y a trop de réunions :** et trop de réunions tuent les réunions. Le problème d'ailleurs n'est pas tant celui de la quantité, mais plutôt celui de la qualité.

- **elles ne sont pas préparées :** certaines réunions sont prématurées, l'ordre du jour est incomplet, les intervenant ne maîtrisent pas le sujet et les participants se demandent ce qu'ils font là.

- **monsieur "Je-sais-tout" :** dans un groupe, il y a toujours une personne qui croit tout savoir, le dit haut et fort, devient le centre d'intérêt et empêche ainsi les autres de s'exprimer.

- **elles durent trop longtemps :** dès que l'ordre du jour est réglé, on fait durer le plaisir, on se répète (au risque, la fatigue aidant, de se contre-dire), on bâille et on gribouille des petits dessins cabalistiques sur ses notes, qui deviennent illisibles.

- **la réunion n'a pas de centre d'intérêt :** on parle, on fait une incise, on ajoute une parenthèse, on sort du sujet, on passe à autre chose et on ne sait plus ce qu'on voulait dire.

Les sept clés de la réunion réussie

Ne désespérez pas, il existe une formule magique pour réussir ses réunions :

- **soyez préparé :** il ne vous faut qu'un peu de temps pour lire les dossiers et rassembler vos notes, l'efficacité de votre préparation sera visible aussitôt.

- **ayez un ordre du jour :** c'est votre carte routière, votre plan de réunion. Avec lui, vous ne vous perdrez plus dans les méandres de discussions oiseuses. Les objectifs apparaissent clairs et précis. Multipliez l'efficacité de l'ordre du jour, en le distribuant aux participants avant la réunion, ceux-ci pourront ainsi se préparer.

- **commencez à l'heure et terminez à l'heure (ou plus tôt) :** vous éviterez ainsi les coups d'œil intempestifs et agaçants à l'horloge murale. On vous saura gré de votre concision et de votre précision ainsi que du respect que vous témoignez à l'égard des participants en leur rendant leur liberté dans les délais.

- **ayez moins de réunions :** convoquez une réunion uniquement lorsque cela est absolument nécessaire, elle n'en sera que plus efficace.

- **pensez en termes d'inclusion et non d'exclusion :** ne convoquez aux réunions que les salariés dont la présence est indispensable, mais ne négligez personne sous prétexte que sa tête ne vous revient pas. On ne sait jamais, c'est peut-être elle, justement, qui va apporter la solution à vos problèmes.

- **restez dans le sujet :** l'ordre du jour est là pour vous le rappeler, ne vous en éloignez pas. Libre à vous d'aborder d'autres sujets, mais après la réunion. Vos fabuleuses vacances à Palavas-les-Flots n'intéressent peut-être pas l'ensemble des participants, alors évitez de les garder en otages.

- **demandez un retour :** il vous permettra de mesurer l'impact de votre réunion et vous aidera, au besoin, à rectifier le tir lors de la prochaine réunion.

Testez vos nouvelles connaissances

Quels sont les trois types d'équipes ?

A. Formelles, informelles et autogérées.

B. Les bonnes, les moyennes et les mauvaises.

C. Remarquez, il n'existe que deux sortes d'équipes : officielles et non officielles.

D. Aucune.

Quel est en moyenne le temps perdu en réunion ?

A. Si je parviens à rattraper mon sommeil en retard, aucun temps n'est perdu.

B. Exactement 100 %

C. Approximativement 25 %

D. Aucun, puisqu'elles sont efficaces.

Chapitre 13
La politique de votre société

*L*orsque vous parlez de la politique d'entreprise à un manager, soit il vous démontrera à quel point c'est une dynamique essentielle sur le chemin de la réussite, soit il vous racontera comment sa carrière, ou celle d'un de ses collègues, a été ruinée parce qu'il s'en était écarté de quelques pas… Aucun manager n'est indifférent à cette question.

La politique interne d'une société est une force positive qui défend ses intérêts. Elle est au cœur des relations que vous avez avec vos employés et vos supérieurs. Elle vous donne des indices de l'orientation que doit prendre votre travail et définit les informations auxquelles vous avez accès. Dans le respect de cette politique vous pourrez vous constituer un réseau de relations qui soutiendra l'avancée de votre carrière. Mais attention, à trop se vouer au culte de l'image "politiquement correcte", on finit par oublier son travail… vos collègues et votre société risquent d'en pâtir.

La plupart des managers connaissent l'effet de la propagation de remarques positives, qu'elles concernent leurs subordonnés ou leurs supérieurs. Chacun finit par avoir la monnaie de sa pièce, même dans le milieu des affaires. C'est ainsi que ceux qui font des remarques positives sont en général bien vus par tous et que personne n'apprécie celui qui déprécie les autres… Choisissez votre camp !

D'après Peter Drucker, "Toute décision comprend deux éléments : ce que vous voulez vraiment faire et ce que vous êtes réellement en mesure de faire." Si vous voulez en faire plus que ce dont vous êtes capable, travaillez dans le même sens que la politique de votre société. Elle est la seule à pouvoir vous aider à franchir le fossé qui existe entre vos objectifs et vos capacités.

Ce chapitre vous aidera à cerner la politique de votre entreprise, à donner de vous une image de manager efficace et à vous défendre lorsque votre position est mise en danger.

Connaître la politique de votre entreprise

Comment fonctionne votre société ? En tant que manager, vous devez parfaitement savoir où vous mettez les pieds. Sinon, vous risquez de les mettre dans le plat plus d'une fois ! Alors avant de casser du sucre sur le dos du directeur des ressources humaines, assurez-vous que ce n'est pas le fils du patron… Si tel est le cas, faites preuve de tact lorsque vous exposez les difficultés que vous rencontrez avec son service. Renseignez-vous bien, vous éviterez des gaffes impardonnables.

Faire le point

Posez des questions ! C'est la meilleure façon d'obtenir des informations. Mais, là encore, soyez diplomate. Plutôt que de demander à qui vous devez en mettre plein la vue pour être augmenté, demandez quel est le meilleur moyen de faire approuver quelque chose qui est hors budget…

En faisant preuve d'un peu de jugeote, vous saurez qui vous entoure et à qui vous adresser. De plus, vous passerez pour quelqu'un de poli, ambitieux et proche de ses collègues… bref, vous serez bien en vue dans le peloton de tête. Ceux qui ont de bonnes relations réussissent plus facilement que ceux qui n'en ont pas, ne l'oubliez pas. Servez-vous de vos yeux et observez comment les choses marchent réellement. Pour vous aider dans cette démarche, voici quelques point sur lesquels vous devez vous pencher :

- **Découvrez comment ceux qui vous paraissent efficaces procèdent pour faire avancer les choses :** Combien de temps passent-ils à instaurer un dialogue avec leurs supérieurs avant de faire une demande officielle d'augmentation de budget ? Que délèguent-ils et à *qui ?* Lorsque vous trouvez des individus particulièrement efficaces dans votre société, prenez exemple sur eux.

- **Observez comment les autres sont récompensés pour leur travail :** Le manager donne-t-il rapidement et avec enthousiasme des récompenses afin de clarifier ses attentes ? Lorsqu'un projet donne de bons résultats, qui porte les lauriers : l'équipe qui y a participé ou seulement le manager ? Faites-vous une idée de ce que la direction encourage et tentez de correspondre au profil du futur candidat à la récompense…

- **Quelle est la discipline en vigueur ? :** Vos managers punissent-ils sévèrement les erreurs minimes ? Le font-ils en public ? Tous sont-ils rendus responsables de leurs décisions, agissements et erreurs quelle que soit leur implication dans un projet ? Si vous constatez que la direction n'autorise pas la prise de risques, préférez travailler dans l'ombre et agissez avec réserve en public.

- **Soyez diplomate :** Lors d'une réunion, gardez-vous de qualifier une idée de travail de " complètement absurde et sans intérêt ", même si tel est le fond de votre pensée. Mettez-y les formes : proposez à tout le monde de réfléchir au résultat probable d'un tel projet et de peser le pour et le contre. Néanmoins, s'il est d'usage que tout le monde s'exprime librement, ne vous privez pas d'être honnête.

Identifier les individus influents

Connaître la politique de votre entreprise et son fonctionnement ne suffisent pas, encore faut-il savoir *qui* est influent. Pourquoi ? Parce que ce sont ces personnes qui peuvent vous permettre de rendre votre service plus efficace et servir d'exemple à vos employés et à vous-même. Comment les reconnaître ? C'est simple : elles prennent des décisions sans en référer à leurs supérieurs, utilisent les dernières expressions techniques en vogue et interviennent toujours en réunion, ne serait-ce que pour demander de quoi il est question.

Les plus influents ne sont pas forcément les plus haut placés dans la hiérarchie. Par exemple, vous pensez que Gérard, l'assistant du chef de service, n'est rien de plus que son coursier attitré. Mais qui est responsable de l'agenda de son supérieur ? Qui fixe les heures de réunion du service ? Qui a un droit de veto ? C'est Gérard ! Et c'est à lui que vous aurez affaire avant de rencontrer le chef du service. Eh oui, Gérard est bien plus influent que son statut ne vous le laissait supposer.

Si vous ne savez pas comment identifier les individus les plus influents de votre entreprise, demandez-vous :

- Qui vient-on souvent solliciter lorsqu'on a besoin de conseils ?

- Qui est considéré comme indispensable par tous ?

- Qui a son bureau tout près de celui du P-DG ?

- Qui déjeune avec le président, les vice-présidents et autres membres de la direction ?

  Maintenant que vous savez qui se partage le pouvoir, vous pouvez vous rendre compte que tous n'ont pas le même style. Nous avons la conviction que les catégories suivantes peuvent vous aider à comprendre comment travailler avec chacun d'eux. Reconnaissez-vous quelques-uns de vos collègues ?

- **Ceux qui font bouger les choses :** En général, ils ne restent jamais très longtemps derrière leur bureau, mais rencontrent souvent des clients ou des futurs partenaires à l'extérieur. Ceux qui ont du mal à faire leur propre travail et qui ne sont pas assez solides pour assumer la moindre responsabilité ne leur ressemblent certainement pas.

- **Les doyens :** Travailleurs et fiers de leur entreprise, ce sont ceux qui cherchent à faire une percée lente, mais sûre et à long terme, en se dévouant entièrement à leur travail. Ils sont de bon conseil et possèdent toujours une masse considérable d'informations. Vous pouvez compter sur leur soutien et leur aide, surtout si vos idées défendent les intérêts de l'entreprise.

- **Les commères :** Ils savent toujours tout avant tout le monde et le font savoir. Leur confier quelque chose, c'est s'assurer de le faire circuler… alors mesurez vos paroles en leur présence.

- **Les secouristes :** Ce sont ceux qui vont attendre que vous soyez en très mauvaise posture avant de vous tendre la main. Ils ne se priveront pas de vous faire remarquer : " Heureusement que j'étais là pour sauver le projet… tu peux me remercier ! " Méfiez-vous-en et gardez-les bien informés de votre avancée pour qu'ils ne viennent pas vous subtiliser vos lauriers.

- **Le poseur de veto :** Comptez sur lui pour réduire à néant vos meilleures idées avec un simple commentaire du genre : " Oh, ça… On a déjà essayé mais ça n'a pas marché. Tu n'as pas quelque chose de plus percutant ? " Si vous tenez à développer vos projets, éloignez les poseurs de veto de votre cercle de décision. Trouvez d'autres employés influents qui sauront les faire approuver et les perfectionneront de telle sorte qu'ils satisfassent ces empêcheurs de tourner en rond.

- **Les experts :** Ils sont techniquement compétents et valorisent légitimement leurs opinions. Capables de prendre en charge un projet sans en revendiquer la paternité, ils vous seront d'un appui précieux. Apprenez à les connaître car vous pouvez leur faire confiance.

- **Les pleurnicheurs :** Ah ! les éternels insatisfaits ! Quoi qu'on leur propose, ils ne sont jamais contents. Vous associer à eux vous mènera inévitablement à un pessimisme dont vous aurez du mal à vous défaire.

Pire encore, vos supérieurs vous prendront pour l'un d'eux. Evitez ce piège si vous tenez à faire une belle carrière et préférez des partenaires optimistes.

Redessiner l'organigramme de votre société

L'organigramme *officiel* de votre société peut vous être utile. Vous en avez une illustration Figure 13.1. Mais sachez que cette organisation théorique ne correspond pas forcément à ce que vous pouvez constater réellement. Un organigramme *réel*, qui tient compte de ces variations, vous sera bien plus utile.

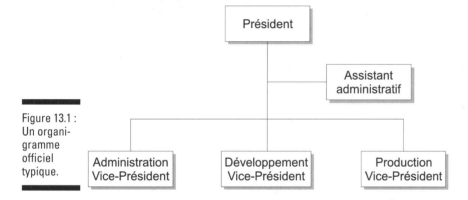

Figure 13.1 :
Un organigramme officiel typique.

Commencez par réaliser l'organigramme officiel de votre société. Fort de vos impressions et observations, modifiez-le pour construire un organigramme réel. Utilisez les questions ci-dessous comme guide :

- **Avec qui les plus influents travaillent-ils ?** Représentez tout leur réseau de travail, mais également leurs amis et leurs liens de parenté éventuels avec certains membres de l'entreprise.

- **Qui fait partie d'un clan ?** Assurez-vous de n'oublier personne, car s'adresser à l'un des membres d'un clan équivaut à s'adresser à tous…

- **Qui fait partie des commères ?** Utilisez des pointillés pour représenter leur réseau de communication relativement peu influent et des lignes épaisses pour celui qui l'est plus.

- **Qui sont vos concurrents ?** Entourez ceux qui risquent d'obtenir une promotion à votre place. Faites-en l'objet d'une attention particulière.

- **Qui ne figure pas dans l'organigramme ?** Ne les oubliez pas, car demain ils pourraient y figurer. Et vous ? Attention de ne pas disparaître... Prenez donc soin des relations que vous entretenez avec tous vos collègues, à l'intérieur comme à l'extérieur de votre lieu de travail.

En procédant ainsi, vous obtiendrez un organigramme qui expose *réellement* qui est influent et qui ne l'est pas. La Figure 13.2 en est un exemple. Ne passez pas à côté d'indices précieux qui vous informent sur chacun. Vous pourrez ainsi mettre à jour votre organigramme. " Tiens, le directeur interrompt systématiquement son assistant lors des réunions. Il a finalement moins d'influence que je ne le pensais, ce bon Gérard. " Mais attention, vous pouvez vous tromper. Il est parfois difficile de connaître les relations que chacun entretient au sein d'un service qui n'est pas le vôtre et ceux qui vous paraissaient avoir du pouvoir en ont peut-être moins que d'autres qui l'exercent moins ouvertement.

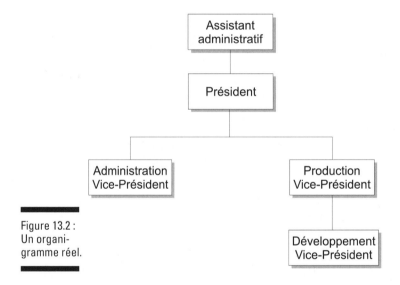

Figure 13.2 :
Un organigramme réel.

Soigner votre image

Accordez une attention particulière à votre image tout au long de votre carrière. Sinon, vous risquez d'être mis à l'écart lorsque des décisions importantes concernant votre société sont à prendre. Soyez donc toujours rationnel, faites votre possible pour être au courant de tout ce qui affecte votre travail et, enfin, maîtrisez vos émotions. Vous donnerez ainsi une image impeccable de vous-même.

Soyez rationnel

C'est fondamental. Vos employés souhaitent que vous leur accordiez votre confiance, ils attendent que vous déléguiez certains de vos pouvoirs, que vous fassiez preuve de compréhension, d'empathie à leur égard… mais avant tout que vous soyez rationnel et maître de la situation. Comment accepteraient-ils de suivre vos directives si vous êtes complètement irrationnel ?

Si vous faites preuve d'attitudes irrationnelles, on pensera que vous n'êtes pas capable de maîtriser la situation.

L'auteur d'un nouveau projet ne défendra jamais ses idées en disant "Eh bien, j'avais envie d'essayer, sans raison particulière", tout comme une bonne secrétaire dira que vous êtes en réunion lorsqu'un de vos clients vous appelle et que vous êtes en train de boire un café…

Montrez que vous savez de quoi il est question

A mesure que vous montez dans la hiérarchie, vous êtes confronté à un manque croissant d'information de première main. Apprenez alors à montrer que vous êtes parfaitement au courant de ce dont parlent vos collègues. En donnant de vous l'image de quelqu'un de bien informé et sûr de lui, vous persuaderez les autres que vous êtes effectivement bien informé et sûr de vous.

Ainsi, souriez toujours et montrez que vous êtes attentif aux paroles des autres en faisant de petits signes de tête de temps à autre. Quelques petites phrases comme celles qui suivent vous permettent d'en savoir plus sur le sujet sans rien laisser transparaître de vos lacunes :

- "Nous étions arrivés à la même conclusion lorsque nous nous étions penchés sur le problème. Qu'envisagez-vous ?"

- "Je suis tout à fait d'accord. C'est précisément ce que je disais à Durant l'autre jour."

- "Je suis content d'entendre votre opinion à ce sujet. Elle valide ce que je dis depuis le mois dernier."

  N'adoptez pas l'attitude de certains managers qui reprochent aux autres leur manque d'informations lorsqu'ils accèdent au pouvoir et évitez à tout prix ce genre de remarques :

- " Pourquoi n'ai-je encore jamais vu ce rapport ?"

- "Vous vous attendez à ce que je vienne à bout de ces chiffres ?"

- "En quoi cette stratégie diffère-t-elle de celle que nos concurrents ont adoptée en 1995 ?"

Si c'est à vous que l'on adresse ces remarques, soyez prêt à y répondre :

- "Je vous ai envoyé une copie du rapport il y a deux semaines. En voulez-vous une autre ?"

- "Le résumé est page 2. Je serais ravi de vous aider à l'examiner dès maintenant."

- "C'est *très* différent. J'ai préparé une note qui expose la spécificité de notre stratégie. Quand aimeriez-vous la lire ?"

Maîtrisez vos émotions

L'être humain est normalement enclin à éprouver de la colère, de la tristesse ou de la peur. Mais se laisser aller à des débordements d'émotions au sein d'une entreprise est en général mal vu. Dans ce domaine, le monde des affaires peut être particulièrement austère. Pourquoi ceux qui s'habillent pour réussir choisiraient-ils des costumes bleu foncé ou gris, sinon ? Ne pas être maître de ses émotions est souvent associé à de la faiblesse ou à de l'instabilité.

Soyez alerte dès que vous sentez que vous allez vers les débordements d'émotion suivants. Faites une pause, isolez-vous dans votre bureau ou dans la salle de repos, respirez à fond dix fois et lisez le Chapitre 14 pour apprendre à mieux gérer le stress.

- **La colère :** Evitez de vous mettre en colère, même si la situation le mérite. Serrez les dents ! Vous pourrez ensuite expliquer calmement à vos collègues et employés ce qui a provoqué votre envie d'exploser. C'est beaucoup plus constructif que des éclats de voix.

- **Pleurer :** C'est gênant pour tout le monde et pas du tout glorifiant pour votre carrière... Attendez d'être rentré chez vous pour vous soulager si vous le pouvez. Sinon, retirez-vous dans votre bureau ou dans celui d'un collaborateur.

- **L'envie :** Les envieux ne sont pas de bons éléments au sein d'une société. N'exposez pas de la haine, du dégoût ou toute autre émotion assimilée à de l'envie. Apprenez à féliciter l'un de vos collègues pour sa promotion même si vous êtes persuadé que vous la méritiez plus que lui.

- **La joie :** La joie dans les affaires provient de surprises agréables. Or, les surprises indiquent que quelque chose n'était pas prévu et traduisent donc un manque de contrôle. Alors faites-vous une faveur : gardez votre joie pour le gâteau d'anniversaire qui vous sera offert par votre service.

La communication : en maîtriser les rouages

L'une des meilleures façons de savoir comment vous vous intégrez dans une entreprise est de voir comment vous communiquez. Si vous pouvez plaisanter et utiliser le meilleur du jargon corporatif, vous êtes sur la bonne voie pour devenir un individu influent avec qui il faut compter.

Maîtriser les rouages de la communication demande un peu d'entraînement. Vous pouvez arriver à lire entre les lignes en observant le comportement de votre interlocuteur, ou en ayant de bonnes sources d'information.

Les outils du succès ?

Pour une projection de pouvoir maximale, certains choisissent parmi les articles suivants. Beaucoup sont persuadés que les objets ci-dessous augmentent à coup sûr leur pouvoir aux yeux des autres. Mais il n'en est rien. Au contraire, ils indiquent souvent une profonde insécurité due à un manque de pouvoir *réel*.

Le téléphone portable : Il sonne chaque fois que vous êtes en réunion. Après avoir répondu, vous vous excusez et partez en expliquant que vous avez un client important en ligne. Quelle astuce pour vous défiler quand cela vous arrange !

La boîte de médicaments : Ne faites pas semblant d'avoir un ulcère ! Montrer votre engagement à l'équipe en posant ostensiblement vos médicaments sur votre bureau n'est pas du meilleur effet.

La montre Rolex : Evidemment, c'est tape-à-l'œil. De cette façon, tout le monde pourra vérifier que vous êtes en retard...

Le stylo Mont Blanc : L'habit ne fait pas le moine et le stylo de luxe ne transforme pas quelques notes griffonnées en un projet génial...

Croire les actes et non les paroles

Faites très attention au comportement de celui qui vous parle.

Par exemple : vous demandez une augmentation à votre manager. Régulièrement, il vous dit qu'il attend l'accord de la direction. Mais lorsque vous l'observez, vous remarquez qu'il n'appelle pas son supérieur à ce sujet, qu'il ne vous a pas fourni les documents administratifs nécessaires à une telle requête et qu'il n'est pas capable de vous donner la date à laquelle il pourra répondre à votre demande. Bref, il ne fait rien pour vous. Pour contrecarrer cette situation, faites en sorte de figurer plus haut sur la liste de ses priorités en lui suggérant ce qu'il devrait faire pour obtenir votre augmentation. Peut-être aurez-vous à faire ce travail de base vous-même ; cela pourrait indiquer que votre supérieur n'est pas quelqu'un d'influent dans votre société. Faites alors tout votre possible pour attirer l'attention de personnes plus puissantes qui pourraient suggérer que vous méritez effectivement une augmentation.

Lire entre les lignes

Ne prenez pas les messages écrits au pied de la lettre. Apprenez à lire entre les lignes. Par exemple, vous lisez dans le bulletin d'informations de votre entreprise l'annonce d'une complète réorganisation de plusieurs services :

Avec le départ de J.R. McNeil, le service de marketing et le service clientèle vont maintenant faire partie de la division des ventes et de l'administration sous la direction d'Elisabeth Olse, vice-présidente provisoire. L'unité sera par la suite mise sous la supervision directe du directeur des ventes, Tom Hutton.

Cette annonce peut sembler claire de prime abord. Mais si vous lisiez entre les lignes, vous seriez probablement en mesure de conclure que :

J.R. McNeil, qui n'a jamais semblé s'entendre avec le directeur des ventes, a finalement fait quelque chose de suffisamment grave pour se faire virer. Tom Hutton a apparemment fait une belle offre auprès du siège pour ajouter le service à son empire, probablement parce que ses ventes s'étaient accrues de 30 % l'année dernière. Elisabeth Olse est désignée pour faire le sale travail de Tom : se débarrasser du personnel improductif. Tom prendra donc ses fonctions sur de bonnes bases : des dépenses diminuées de 20 % et une augmentation de bénéfice pratiquement garantie pour sa première année à ce poste. Tout cela s'accorde à merveille avec sa stratégie personnelle d'avancement. (P.S. : Il semblerait qu'un message de félicitations à Tom est à l'ordre du jour.)

De tels messages ont été travaillés des douzaines de fois par tellement de personnes qu'ils paraissent logiques et valides lorsque vous les lisez pour la première fois. En y regardant de plus près, vous y lirez bien autre chose. Bien entendu, vous devez faire attention à ne pas en tirer de mauvaises interprétations. Peut-être que J.R. a trouvé une meilleure place ailleurs et que l'entreprise a profité de son départ pour réorganiser le service… Echangez vos hypothèses avec d'autres pour juger de leur validité.

Soutirer des informations

Vous pouvez obtenir des informations en étant le confident d'un maximum de personnes. Montrez un intérêt sincère pour les affaires des autres et ils parleront d'eux ouvertement. Quand ils commencent à parler, vous pouvez changer de sujet, parler du travail, des problèmes qui lui sont liés et éventuellement de sujets plus sensibles. Mais attention, l'échange doit être maintenu. N'hésitez donc pas à divulguer aussi quelques informations si vous ne voulez pas que votre interlocuteur ait l'impression de subir un interrogatoire.

Une fois que vous avez noué une relation de confiance, vous devez être vigilant pour ne pas confondre rumeur et informations réelles. Commencez par suivre ces quelques conseils :

- Trouvez au moins trois façons différentes de soutirer des informations.
- Vérifiez les informations que vous obtenez avec deux sources différentes.
- Promettez l'anonymat autant que faire se peut.
- Connaissez les réponses aux questions que vous posez.
- Ne soyez pas agressif.
- Supposez que la réponse initiale est superficielle.
- Posez la même question de diverses façons.
- Soyez réceptif quelle que soit l'information qu'on vous donne.

Les règles implicites de la politique d'entreprise

Chaque entreprise possède ses propres règles. Rarement discutées, elles concernent les attentes de la direction envers les employés et peuvent déterminer votre succès… ou votre échec. A vous de les déceler.

L'interprétation du règlement intérieur de l'entreprise

Les codes de conduite au sein d'une société sont rarement respectés à la lettre. Ils sont en général le fruit d'une directive du sommet ayant pour but de résoudre un problème particulier. Imaginez que l'un de vos commerciaux a l'habitude de ne changer de costume qu'une fois toutes les semaines, même en été, et qu'il arbore en plus des tâches douteuses sur sa chemise et qu'il a une haleine à faire tomber les mouches… Prendre deux à trois minutes pour lui expliquer qu'il devrait faire des efforts quant à sa tenue aurait probablement réglé l'affaire. Mais c'est rarement la démarche qui est appliquée. Le management préfère souvent confier à une "équipe spécialisée" le projet de développer un code d'habillement et d'hygiène personnelle dans l'entreprise. Une fois le travail effectué, il n'est pas certain que l'individu le plus concerné comprenne que ce code s'adresse tout particulièrement à lui. Et il est même possible qu'il approuve ouvertement le nouveau code "pour tous ceux qui en ont besoin"…

Afin de faire le meilleur usage du règlement intérieur de votre entreprise, considérez l'emploi des règles suivantes :

- Référez-vous au règlement intérieur uniquement lorsqu'il soutient clairement et précisément ce que vous voulez faire.

- Considérez ce qui ne vous convient pas comme étant destiné aux autres.

- Dites que vous désapprouvez ces codes de conduite parce qu'ils sont basés sur des rumeurs d'abus ou sur une mauvaise interprétation des choses.

- Lorsqu'un conflit survient au sujet du respect de certains codes, déclarez qu'il sont trop spécifiques (pour une application générale) ou trop généraux (pour des cas particuliers).

- Utilisez l'argument que tout bon règlement doit permettre une certaine souplesse.

Le fait est que parfois les exigences de la direction ne sont pas viables pour une équipe. Votre fonction est de le reconnaître et de travailler pour obtenir qu'elles soient modifiées. Par exemple, si vous voulez donner à vos employés la possibilité de fixer leurs propres emplois du temps alors que la politique de l'entreprise l'interdit, vous devrez faire tout votre possible pour que le management accepte les modifications que vous demandez.

Ne sous-estimez jamais le pouvoir des règles implicites. Dans de nombreuses entreprises, il arrive qu'elles soient plus importantes que celles qui figurent noir sur blanc parmi les codes de conduites internes.

Soyez aimable avec tout le monde

Plus vous aurez d'amis sur votre lieu de travail, mieux vous vous porterez. Si vous n'en avez aucun, commencez à développer des relations amicales avec vos collègues les plus proches, puis avec ceux qui travaillent dans d'autres services. Vos chances d'avoir une promotion augmenteront de façon appréciable. N'hésitez pas à leur proposer de l'aide dans des situations difficiles et faites appel à eux quand vous en avez besoin.

Rappelez-vous : vous ne pouvez jamais savoir à qui vous devrez rendre des comptes dans le futur. Alors, dit le dicton : *Souriez aux personnes qui montent, car vous les rencontrerez peut-être quand vous redescendrez.*

Développez votre réseau de relations en aidant régulièrement les nouveaux venus dans l'entreprise. Suivez leurs premiers pas et expliquez-leur tous les rouages de votre société. Une fois qu'ils auront pris de l'ancienneté et auront été affectés à d'autres postes, ils ne vous oublieront pas. C'est ainsi que vous aurez des contacts solides qui pourront à leur tour vous fournir des informations et de l'assistance.

Un manager rusé garde toujours un grand nombre de contacts et relations amicales à différents postes au sein de son entreprise. Voici comment vous pouvez procéder :

- **Promenez-vous dans l'entreprise :** Ce n'est pas en restant perpétuellement enfermé dans votre bureau que vous serez connu de tous. Renvoyez vos e-mails et rappelez vos interlocuteurs en personne aussi souvent que vous le pouvez. Non seulement vous nouerez des liens directs, mais vous serez également amené à rencontrer d'autres personnes.

- **Participez aux activités proposées par votre C.E. :** Vous ferez ainsi la connaissance d'autres employés aux fonctions diverses dans une atmosphère détendue. Que vous appréciez le football, les échecs ou le bridge, vous trouverez certainement quelque chose qui vous tente. Alors, n'hésitez pas.

- **Inscrivez-vous aux groupes de réflexion :** Qu'il s'agisse d'organiser des exercices de sécurité ou de désigner le responsable du nettoyage du réfrigérateur de la salle de repos, là encore, vous ferez des rencontres intéressantes pour votre carrière.

Il n'y a pas d'autre intérêt que l'intérêt personnel

Obtenir ce que *vous* voulez est plus facile lorsque vous donnez aux autres ce qu'*ils* veulent. Gagnez l'assistance des autres en leur montrant ce qu'ils peuvent en tirer en retour. Exposez clairement ce que vous leur proposez en échange :

- **Une faveur retournée :** Vous pourrez certainement leur renvoyer l'ascenseur, ou simplement leur offrir un bon déjeuner.

- **Des informations :** Nombreux sont ceux qui sont à l'affût des informations les plus croustilleuses concernant la direction ou les employés. Vous pouvez peut-être leur faire part du scoop que vous détenez…

- **De l'argent :** Il reste un peu d'argent dans votre budget dont vous n'avez pas besoin pour mener à terme votre projet, et c'est justement la somme qui fait défaut à vos collègues… Proposez de faire basculer votre crédit sur celui de leur service.

- **Une recommandation :** les supérieurs ont confiance en votre jugement. Votre volonté de recommander un collègue pour une promotion à un poste plus important ou de témoigner de la reconnaissance que vous lui portez d'avoir réalisé une performance extraordinaire en vous aidant est en général bien accueillie. Tout le monde sait que les bons mots glissés aux bonnes oreilles peuvent faire toute la différence pour une carrière.

Mais attention, respectez la légalité et l'éthique de rigueur dans votre entreprise. Récompenser ceux qui vous ont aidé en leur donnant des informations ou de l'argent ne veut pas dire rompre le secret professionnel ou détourner des fonds !

Tenez-vous bien aux fêtes de l'entreprise

Les affaires sociales sont des moments privilégiés pour ceux qui cherchent à avoir de l'avancement. Mais ne croyez pas qu'autour d'un buffet, la hiérarchie n'existe plus. Si les fêtes organisées dans une entreprise offrent aux supérieurs l'opportunité de montrer qu'ils sont des êtres tout à fait "ordinaires" et aux subordonnés celle de poser des questions et de rire des blagues de leur chef, elles sont aussi des moments où il faut être *extrêmement* prudent.

Faites attention à ce que vous dites et surtout à qui vous vous adressez. Les fêtes d'entreprise ne sont pas l'occasion de se laisser aller ou de dire à votre supérieur ce que vous pensez réellement de lui, même s'il a bu un verre de trop. Faites preuve de finesse et de retenue, mais montrez également que vous êtes parfaitement à l'aise : osez discuter avec des gens qui ne font pas partie de votre service.

- Les individus influents s'approprient en général les lieux les plus en vue dans la pièce : face à l'entrée. Ils peuvent également rester près du buffet : c'est là que tout le monde passe au moins une fois dans la soirée. Faites comme eux et vous arriverez peut-être à faire monter en flèche votre *propre* évaluation de pouvoir.

- Utilisez le centre de la pièce afin d'intercepter les individus à qui vous souhaitez particulièrement parler ou approchez-vous du buffet lorsque vous avez vu qu'ils s'y dirigeaient.

- Au cours de vos conversations, gardez le sourire et évitez de parler de travail avec votre supérieur. Ne prolongez pas une discussion si votre interlocuteur n'a plus rien à vous dire et qu'il est au bord de l'ennui. *Ne léchez pas les bottes* de vos supérieurs, vous perdrez plus de respect que vous n'en gagneriez.

- Quittez la fête immédiatement après le départ du cadre le plus important. Si vous êtes forcé de partir plus tôt, expliquez-lui pourquoi.

Le management de votre manager

Vous devez être doué pour que les idées de votre manager aillent dans le même sens que les vôtres. Faire en sorte qu'il fasse ce qui vous profitera directement est une lourde tâche. Les techniques suivantes ont évolué au cours du temps, mais peuvent vous être utiles pour le " management " de votre manager.

- **Maintenez votre manager informé de vos succès :** "Cette dernière vente me place au-dessus des objectifs pour le mois."

- **Apportez-lui votre soutien aux réunions :** "Mme Gatsby a raison : nous *devons* réellement améliorer notre système pour pouvoir répondre plus vite à nos clients."

- **Faites son éloge devant ceux qui sont susceptibles de le lui rapporter :** "Mme Gatsby est certainement le meilleur manager pour qui j'ai travaillé."

- **Citez votre manager comme un exemple à suivre :** " Cette femme est entièrement dévouée à l'idée de nous placer en tête. La semaine dernière, elle m'a confié que l'entreprise était bien plus qu'une simple carrière : elle est toute sa vie. "

Il est important d'avoir de bons rapports avec votre manager, mais il est encore plus intéressant d'en avoir avec ses supérieurs. Le manager de votre manager est souvent susceptible d'avoir une grande influence sur votre carrière.

Soyez volontaire pour un projet chéri du supérieur de votre manager. Si vous faites du bon travail à cette occasion, peut-être vous demandera-t-on d'assurer un autre projet. Si une telle opportunité ne se présente pas, tentez de trouver un sujet d'intérêt commun avec lui. Commencez par lui en parler au hasard d'une conversation, puis proposez-lui de reprendre plus en détail cette discussion. Faites néanmoins attention à ne pas mettre trop de pression sur votre manager, il ne doit pas penser que vous venez marcher sur ses plates-bandes.

Avancer avec vos mentors

Avoir un *mentor* est essentiel pour vous assurer un succès à long terme au sein de votre entreprise. C'est en général votre supérieur direct qui vous donne des conseils et vous aide à guider vos progrès. Il pourra vous conseiller si vous avez des décisions à prendre quant à votre carrière et défendra vos intérêts aux niveaux supérieurs de l'entreprise auxquels vous n'avez pas un accès direct.

La personne que vous choisissez en tant que mentor (ou qui vous choisit comme c'est plus souvent le cas) doit avoir une influence significative auprès de la direction pour faire entendre vos mérites et vous mettre en valeur. Si vous le pouvez, essayez d'avoir le soutien de plusieurs personnes. Mais ne soyez pas impatient, cela prend du temps.

Cherchez un mentor en trouvant une occasion pour demander des conseils. Lorsque vous trouvez quelqu'un dont les recommandations vous sont extrêmement utiles, adressez-vous à lui chaque fois que vous en avez besoin. Au fil du temps, vous pourrez lui demander son avis sur vos affaires en général et sur votre avancement en particulier. Mais faites toujours preuve de tact et de finesse si vous ne voulez pas paraître suspect :

- **La mauvaise approche :** " M. Fairmont, je sais qu'au service marketing, beaucoup de mauvaises rumeurs circulent au sujet de votre relation avec Suzy. Je pourrais essayer de les étouffer s'il y avait quelque chose à gagner. Vous voyez ce que je veux dire : vous vous occupez de moi et je m'occupe de vous. Qu'est-ce que vous en pensez ? "

- **La bonne approche :** " Voici le rapport spécial que vous aviez demandé, Mme Gravet. C'était réellement astucieux de corréler les préférences de couleurs avec la taille des commandes dans la région Est. Vous semblez avoir un bel avenir devant vous dans la société. "

Soyez digne de confiance

Etre le disciple loyal d'un exécutant exceptionnel au sein d'une entreprise revient à avoir un mentor. Trouver des personnes sur qui l'on peut compter est difficile, alors si vous vous montrez digne de confiance, vous serez susceptible de devenir l'associé estimé d'un brillant collègue. A mesure que celui-ci gravira les échelons, il pourra vous entraîner dans son ascension. Mais il arrive que quelqu'un qui monte redescende aussi vite, alors ne placez pas tous vos œufs dans le même panier.

Vous protéger

Vous pouvez faire les frais des ambitions démesurées de quelqu'un d'autre. Si vous êtes un manager rusé, prenez des précautions pour vous protéger et défendre vos employés d'une concurrence déloyale. Nous allons vous montrer comment procéder.

Archivez vos documents

Archivez tous vos documents relatifs à la progression de vos projets, surtout lorsque vous avez rencontré des difficultés qui les ont retardés. Des dossiers complets vous permettront de vous justifier si vous faites l'objet de reproches et vous assureront que certains éléments ne seront pas oubliés ou improprement utilisés contre vous par des individus sans scrupules. La forme d'archives peut varier, mais les suivantes sont les plus courantes :

- Des mémos de confirmation

- Des rapports d'activité

- Des classeurs de projets

- Des dossiers de correspondance

- Des notes

Ne promettez pas ce que vous ne pouvez pas tenir

Evitez de faire des promesses ou de vous engager si vous ne voulez pas ou ne pouvez pas tenir parole. Si vous n'êtes pas sûr de vous, attendez avant de vous prononcer sur un délai, une garantie de qualité ou un prix.

- **Evitez de répondre :** Si vous êtes forcé de prendre un engagement ferme, estimez à la hausse les délais, besoins en personnel ou en capital, et ne promettez rien de plus.

- **Gonflez toujours les délais :** Vous pourrez ainsi garder une certaine marge de manœuvre. Et si vos employés terminent leur travail plus tôt que prévu, ils seront considérés comme des héros.

- **Prorogez les échéances :** A mesure que les dates limites de remise de votre travail approchent, faites part à vos supérieurs de tous les problèmes que vous rencontrez. En les gardant parfaitement informés de votre avancée, vous les empêcherez d'être surpris d'un éventuel retard et pourrez obtenir un délai supplémentaire plus facilement.

Faites-vous remarquer

Afin d'obtenir le maximum de crédit accordé à l'efficacité de votre service, cherchez à obtenir de la reconnaissance pour chacun de vos succès :

- **Informez les autres des réussites de votre service :** Envoyez régulièrement des copies de tous vos projets accomplis ainsi que des rapports sur la compétence de vos employés à votre manager et à son supérieur. Parlez-en également à vos amis, le bouche à oreille fonctionne à merveille. N'oubliez pas de souligner les bons résultats de vos employés ou vous serez considéré comme un vantard.

- **Gagnez l'attribution par association :** Arrivez et partez en même temps que les personnes les plus influentes. Prenez place près de la direction dans les réunions. Lorsque vous prenez la parole, précisez votre nom : à force de l'entendre, on se souviendra de vous.

Testez vos nouvelles connaissances

Nommer trois catégories de gens influents :

    A. Ceux qui font bouger les choses, les vendeurs et les secouristes.

    B. Les présidents, les vice-présidents et les managers.

    C. Les doyens, les poseurs de veto et les assistants administratifs.

    D. Les secouristes, les "intellos" et les pleurnicheurs.

Retrouvez trois bonnes techniques d'archivage de vos documents :

    A. Les mémos de confirmation, les rapports d'activités et les notes.

    B. Les rapports d'activité, les rumeurs et les insinuations.

    C. L'amnésie sélective, les mémos égarés et les notes illisibles.

    D. Rien ci-dessus.

Cinquième partie
Sale époque pour les managers

"Je n'ai jamais été très bon pour ce genre de choses. C'est pourquoi j'ai demandé à Buddy de nous assister. Comme vous savez, les affaires vont plutôt mal. Bref, voilà, Buddy a de mauvaises nouvelles pour vous..."

Dans cette partie...

Personne n'a jamais dit qu'il était facile d'être manager. Gratifiant, oui. Aisé, non. Dans ce chapitre, nous vous présentons des stratégies pour aborder le changement et le stress sur le lieu de travail, pour diriger les employés d'une manière simple et efficace, et pour effectuer des licenciements.

Chapitre 14

Du calme ! Affronter les changements et le stress qu'ils causent

Encore plus ! Encore plus vite ! Encore mieux ! Et pendant qu'on y est, pourquoi pas pour deux fois moins cher ? *Je peux obtenir le même produit pour 25 % moins cher chez votre concurrent, pourquoi ne baissez-vous pas vos prix ?* La tâche de manager a toujours eu ses contraintes propres : se faire respecter, définir et atteindre des buts, et faire avancer les choses. Pourtant, aussi longtemps que les entreprises américaines ont dominé le marché mondial, les hommes d'affaires aux Etats-Unis n'ont eu que peu de considération pour des détails tels que la qualité, le coût ou les délais de livraison. *La qualité, un problème ?*

Imaginons le scénario suivant. Votre employeur - un grand ponte américain, leader du marché depuis la nuit des temps - annonce la mise à pied de trente mille employés pour l'année suivante. S'il précise les secteurs les plus touchés par cette mesure (dont, bien entendu, votre service), il se passe plusieurs mois avant qu'on ne sache *qui* est condamné. *Hmmm...*

Les temps - surtout les désirs des consommateurs - ont changé... d'une manière considérable. Si vos clients veulent être livrés hier, et bien, mieux vaut que cela soit fait *avant hier* ! S'ils insistent pour obtenir des produits de meilleure qualité, vous devez leur offrir la *meilleure* qualité. S'ils désirent dix options, vous devez leur en proposer vingt. Et au meilleur prix bien sûr. Pour survivre, les hommes d'affaire doivent se hisser au niveau des attentes de leurs clients. Demeurer un élément anonyme dans la meute des affaires ne suffit plus - ces compagnies *anonymes* auront toutes disparu du marché dans un an ou deux. Pour que votre entreprise soit en mesure d'affronter le prochain millénaire, elle doit s'améliorer - et faire beaucoup mieux que la concurrence.

En quoi ces prévisions vous concernent-elles en tant que manager ? Tout simplement dans la mesure où l'on exigera du manager des performances bien supérieures à celles qu'on attendait de lui jusqu'à présent. En outre, beaucoup d'entreprises, demeurées jusqu'à présent des bastions de stabilité et de statu quo aux milieu des tempêtes, devront se métamorphoser en marins chevronnés capables d'affronter les courants changeants et les mers tourmentées qui s'annoncent. *Jacques, nous avons décidé de réorganiser la division. A partir de demain, vous êtes responsable de notre nouvelle usine à Singapour. J'espère que vous appréciez la cuisine chinoise !*

Les employés ont naturellement tendance à se satisfaire de leurs *zones de confort* - les endroits qui leur sont familiers et auxquels ils sont habitués. Modifier leur environnement engendre du stress alors qu'ils essayent de se raccrocher à des repères familiers dans un océan de bouleversements. Une fois le changement assimilé, et une nouvelle routine établie, le stress diminue, et la vie continue.

Les mots *business* et *changement* sont en passe de devenir synonymes. Plus les choses évoluent, plus le stress affecte *n'importe quel* employé. Ce chapitre va traiter des changements dans le management, et de la manière de continuer à travailler malgré les différentes pressions et les nouvelles angoisses.

Qu'est-ce qui presse ?

Comment se déroule habituellement *votre* journée de travail ? Vous entrez dans le bureau, prenez un café, et feuilletez votre agenda. Journée tranquille pour les réunions : deux ce matin et seulement une cet après-midi. Vous aurez peut-être finalement l'occasion de travailler sur le projet de budget qui traîne depuis plusieurs mois, et *pourquoi pas* de faire une promenade à l'heure du déjeuner pour prendre l'air. *Ca* se présente bien, n'est-ce pas ? Ensuite, vous écoutez votre répondeur téléphonique. Sur les vingt-cinq messages qui se sont accumulés depuis votre dernière vérification, dix sont urgents. Sur votre E-mail, même proportion.

Vous commencez alors à réfléchir à la manière dont vous allez répondre à ces messages urgents. C'est alors qu'un employé arrive avec son problème à lui, qui requiert votre attention *immédiate*. Il vous raconte que le réseau informatique est tombé en panne, et qu'à moins que quelqu'un ne le répare, tout le système financier de la société est *gelé*. Pendant que vous discutez avec votre employé, votre patron vous appelle pour vous dire de *tout* laisser tomber, car vous avez été choisi pour rédiger un rapport pour le directeur général, qui doit être bouclé dans la soirée.

Votre projet de travail sur le budget tombe à l'eau. Et vous pouvez oublier la petite promenade du déjeuner. Encore un jour au paradis !

Urgence justifiée et crise de management

L'urgence a sa place dans toute entreprise. Le rythme de changement dans l'environnement commercial global l'exige. Les bouleversements dans le domaine de l'informatique et des systèmes de télécommunications l'exigent. La nécessité de se mettre plus que jamais à l'écoute du consommateur l'exige aussi. Dans ces temps de précipitation, les gagnants sont les sociétés capables d'apporter les meilleures solutions plus rapidement que les autres. Les perdants sont les entreprises qui se contentent de regarder leurs concurrents les dépasser en un éclair en se demandant ce qui leur arrive.

Cependant, une entreprise a un *vrai* problème quand ses managers se contentent de gérer *chaque crise au coup par coup* et tombent dans le piège de *réagir* au changement au lieu de *conduire* le changement. Quand chaque problème dans une organisation tourne à une crise du style *laissez-tomber-tout-ce-que-vous-faites*, cette entreprise n'est plus capable de réagir à son environnement commercial.

Reconnaître et traiter les crises

Certaines crises sont le résultat normal de facteurs extérieurs hors de contrôle du manager. Par exemple, supposons qu'un gros client insiste pour que tous les projets de conception lui soient soumis *ce* vendredi au lieu de vendredi *prochain*. Ou alors que la municipalité vous envoie un avis signalant qu'une équipe d'entretien prévoit de couper le courant à votre usine pendant trois jours. Ou alors qu'une grève du personnel empêche tous les avions de décoller ou d'atterrir pour le reste de la semaine.

D'un autre côté, beaucoup de crises surviennent parce que quelqu'un dans votre entreprise s'est laissé aller, et maintenant vous (manager) devez prendre les choses en main. Ci-dessous, nous vous présentons des situations de crise que vous pouvez éviter :

- Espérant que le problème va disparaître, un manager évite de prendre la décision nécessaire. Surprise ! Le problème ne disparaît pas ; et maintenant, lui ou elle a une crise sur les bras.

- Un employé oublie de transmettre un message important de la part de votre client, et votre contrat avec lui est sur le point de se rompre. Une autre crise.

- Un collègue décide qu'il n'est pas si important de vous prévenir d'un changement majeur du processus de fabrication. Grâce à votre expérience, vous auriez immédiatement remarqué que ce changement allait entraîner des problèmes de qualité dans la finition du produit. Quand la production s'arrête, vous arrivez après les faits pour réparer les dégâts. Une crise de plus sur votre liste.

- Vous ne pouvez pas vous permettre de *ne pas* être préparé à affronter des crises provenant de l'extérieur. Vous devez vous montrer souple, travailler adroitement, et travailler dur. Mais votre entreprise ne peut non plus se permettre de devenir esclave de crises engendrées en son sein. Gérer les crises au coup par coup va à l'encontre de l'une des principales règles du management. Cette règle est le *planning*.

- Vous établissez des plans et des objectifs pour une raison : rendre votre société aussi performante que possible. Cependant, si vous mettez continuellement vos plans et vos objectifs de côté à cause de la crise du jour, ce n'est même pas la peine de faire de plans. Et vers quoi votre société se dirige-t-elle alors ? (Voir le Chapitre 8 au sujet de l'importance d'avoir des plans et des objectifs.)

Quand vous-même, en tant que manager, laissez tout événement se transformer en crise, vous ne sapez pas seulement l'énergie de vos employés, mais vous leur faites perdre aussi la capacité de réagir quand une *vraie* crise leur tombe dessus. Rappelez-vous la fable du petit garçon qui criait : "Le loup est là !" Après que le petit garçon eut lancé plusieurs alarmes en plaisantant, les villageois ne se donnèrent même plus la peine de répondre à ses cris quand un vrai loup attaqua ses moutons. Après avoir fait face à plusieurs crises au sein de votre entreprise, vos employés commencent à s'habituer à elles, et ne seront peut être plus là quand vous aurez vraiment besoin d'eux.

Manifestation du changement

Soyez réaliste : le changement arrive, et vous n'y pouvez *rien*. Vous pouvez toujours essayer de l'ignorer, mais cela va-t-il l'empêcher ? Non, vous fermez simplement les yeux sur ce qui se passe *réellement* dans votre entreprise. Vous pouvez essayer de le stopper, mais cela ne l'empêchera pas d'être là. Non, vous vous leurrez si vous pensez que vous pouvez arrêter sa progression - même pour un instant. Vous pouvez essayer de vous isoler, ainsi que ceux autour de vous, de ses effets, mais pouvez-vous vraiment vous permettre de l'ignorer ? Non, ignorer le changement est la mort garantie de votre entreprise, et vraisemblablement de votre carrière.

Malheureusement, d'après nos observations personnelles, la plupart des managers semble passer leur temps à essayer de combattre le changement : prévoir, contrôler et dompter le changement et ses effets sur l'entreprise. Cependant, combattre le changement est une bataille perdue d'avance. Les blessés sont là tout autour de vous. Ulcères, attaques cardiaques, brûlures, cheveux blanchis prématurément, et un catastrophique rabaissement de l'opinion de soi-même, sont quelques-uns des symptômes qui apparaissent quand les gens tentent de combattre le changement, avant qu'ils ne quittent le champ de bataille, désespérément vaincus.

Les quatre étapes du changement

Le changement n'est pas un pique-nique. En dépit de l'excitation qu'il peut apporter à votre vie professionnelle - en bien comme en mal - vous devez probablement en avoir assez. Mais comme le changement continue, vous allez passer par quatre étapes distinctes pour y faire face :

1. **Le rejeter. Quand le changement survient, votre première réaction (si vous êtes comme tout le monde) est de le nier aussitôt.**

   Qu'est-ce que c'est que cette idée saugrenue ? Ca ne marchera jamais ici. Ne vous inquiétez pas, ils vont rapidement reconnaître leur erreur et revenir à leur bonne vieille façon de faire ! Agir ainsi revient à faire l'autruche enfouissant sa tête dans le sol : si vous ne le voyez plus, il disparaîtra. Bien sûr !

2. **Y résister. A un moment donné, vous réalisez que le changement n'est pas simplement une erreur d'écritures ; pourtant, cette prise de conscience n'implique pas que vous allez laisser s'imposer ce changement.**

   Pas question, je m'en tiens à notre ancienne manière de travailler. Si ca marchait avant, il n'y a pas de raison que ca ne marche plus. La résistance est une réponse normale au changement - tout le monde y passe. Le point important est de ne pas laisser cette résistance vous engluer ; plus vite vous avancerez dans votre programme, mieux ce sera pour votre entreprise et pour votre carrière.

3. **L'analyser. Vous vous êtes maintenant rendu compte de la futilité d'une résistance prolongée, et que la nouvelle façon de faire peut avoir quelques avantages.**

   Hmmm... bon, il est possible après tout que ce changement soit justifié. Au lieu d'en souffrir, voyons ce qui va me permettre d'en tirer profit. A cette étape, vous analysez à la fois le pour et le contre, et vous décidez d'une stratégie pour le gérer.

4. **L'accepter. L'étape finale est l'adhésion. Vous avez maintenant intégré le changement dans vos habitudes.**

Super, ce nouveau système marche vraiment bien. L'ancienne façon de faire est définitivement passée à la trappe ! Maintenant, le changement que vous avez si vigoureusement combattu et auquel vous avez résisté est devenu routine.

Vous voilà rassuré ? Maintenant tenez-vous prêt à affronter le prochain changement.

Luttez-vous contre le changement ?

Luttez-vous contre le changement ? Vous pouvez être en train de le combattre et vous l'ignorez. A moins de compter les cheveux blancs qui apparaissent sur votre tête, comment pourriez-vous le savoir ? Observons de plus près ces sept signes alarmants qui traduisent votre résistance au changement :

- **Vous continuez à utiliser de vieilles règles pour jouer à un nouveau jeu**. Désolé d'être celui qui vous apporte les mauvaises nouvelles, mais le vieux jeu est terminé, *kaput*. La pression de la compétition globale a créé un tout nouveau jeu, avec de nouvelles règles. Par exemple, si vous vous trouvez être l'un de ces managers dont le nombre diminue sans cesse et qui refusent d'apprendre à utiliser un ordinateur (ne riez pas - il y en a *encore* !), vous jouez avec les *anciennes* règles. La connaissance de l'ordinateur et l'aptitude à l'information sont les *nouvelles* règles. Si vous ne les adoptez pas, non seulement cela montrera votre résistance au changement, mais de plus, vous pouvez être sûr que vous allez vous retrouver à la traîne alors que toute votre entreprise avancera sur le chemin du futur.

- **Vous évitez de nouvelles attributions**. D'ordinaire, deux raisons primordiales vous font rejeter les nouvelles attributions. Première-ment, vous pouvez être submergé par vos tâches présentes et ne pouvez imaginer être capable d'assumer d'autres responsabilités. Si vous vous trouvez dans cette situation, essayez de vous rappeler que de nouvelles méthodes de travail rendent souvent votre travail plus efficace, ou même qu'elles vous débarrasseront de vieilles tâches. Deuxièmement, vous pouvez simplement vous trouver mal à l'aise en face de l'inconnu, vous résistez donc au changement.

Eviter de nouvelles attributions afin de résister au changement vous place dans une impasse de laquelle vous ne pourrez jamais vous échapper. Non seulement vous contrariez les progrès de votre société, mais en outre, vous mettez votre propre carrière en jeu.

- **Vous essayez de ralentir le mouvement.** Essayer de ralentir le mouvement est une réaction normale chez la plupart des gens. Quand quelque chose de nouveau apparaît - une nouvelle manière de traiter les affaires, un nouveau poste, un frémissement du marché - les gens ont tendance à ralentir, à prendre le temps d'examiner, d'analyser les faits, et décident alors de l'attitude à adopter. Le problème est le suivant : plus grande est la nouveauté, plus vous serez lents à réagir.

  En tant que manager, vous voulez rester compétitif pendant le prochain millénaire ; vous ne pouvez pas vous permettre le luxe de temporiser à chaque fois que quelque chose de nouveau apparaît. À partir de maintenant, le *nouveau* auquel vous allez devoir faire face est sur le point de dépasser considérablement *l'ancien*. Au lieu de résister en ralentissant votre rythme de travail (et en prenant ainsi le risque que votre entreprise se démode et ne soit plus concurrentielle), vous devez garder la cadence. Comment ? Quand vous êtes forcé de faire *plus* avec moins, focalisez-vous sur le *moins*.

- **Vous vous exténuez à maîtriser l'incontrôlable.** Avez-vous déjà essayé d'empêcher le soleil de se lever le matin ? Ou essayé d'arrêter les nuages de déverser de la pluie ? Ou bien de garder l'apparence de vos vingt ans ? Soyez réaliste : il n'y a que peu de choses que vous pouvez maîtriser dans votre vie - se persuader du contraire est une perte de temps.

  Résistez-vous au changement en essayant de maîtriser l'incontrôlable au travail ? Peut-être voulez-vous mettre en oeuvre un plan de réorganisation de votre entreprise, ou empêcher vos concurrents étrangers d'avoir accès à vos marchés intérieurs, ou bien alors souhaitez-vous retarder l'acquisition de votre société par une compagnie bien plus importante ? Le monde des affaires n'arrête pas d'évoluer tout autour de vous, et vous n'y pouvez rien. Vous avez le choix : vous pouvez continuer à résister au changement en faisant croire que vous le contrôlez (croyez-nous, vous *ne le pourrez pas*), ou vous pouvez concentrer vos efforts en apprenant comment *répondre* efficacement au changement afin d'avoir prise sur lui.

- **Vous jouez le rôle de la victime.** Pauvre de moi ! C'est finalement la dernière façon de vous défiler. Au lieu d'accepter le changement et d'apprendre à le maîtriser, vous choisissez d'en devenir la victime. Jouer les martyrs en espérant être plaint par vos collègues est facile. *(Pauvre Karine, elle a sur les bras une bande de nouveaux concurrents sans scrupules. Je me demande même comment elle arrive à se rendre au boulot le matin !)*

Hélas, les entreprises performantes d'aujourd'hui ne peuvent se permettre de perdre du temps ou de l'argent avec des victimes. Si vous ne vous dépensez pas à 110 % chaque jour, votre entreprise trouvera quelqu'un capable de le faire.

Vous espérez qu'un autre viendra régler vos problèmes. Dans l'ancienne structure hiérarchique, les dirigeants prenaient toujours seuls la responsabilité des décisions pour le meilleur (ou pour le pire) de leurs employés. Grande nouvelle : les structures d'autrefois sont en train de changer, et l'organisation nouveau style qui les remplace a donné le pouvoir à *chaque* employé de prendre des responsabilités dans la prise de décision.

La pression de la compétition globale et l'avènement de l'âge de l'information exigent des décisions plus rapides que jamais. En un mot, les employés les plus concernés par le résultat final doivent pouvoir prendre des décisions. ; un manager qui se trouve sept degrés plus haut dans la hiérarchie et à trois mille kilomètres de là ne peut le faire. *Vous* détenez les clés de *votre* futur. Vous avez le pouvoir d'améliorer les choses pour vous-même. Si vous attendez que quelqu'un les règle à votre place, vous risquez d'attendre une éternité.

- **Vous êtes complètement paralysé, comme un cerf face aux phares d'une voiture.** C'est la dernière manifestation de votre résistance au changement, et presque toujours son dernier stade. Le changement semble quelquefois si irrésistible que la seule solution est d'y céder. Quand le changement vous paralyse, non seulement vous n'arrivez plus à y faire face, mais vous n'êtes même plus capable d'accomplir vos tâches courantes. Pour une entreprise, une telle résistance est la mort certaine.

Au lieu de laisser le changement vous paralyser, *dirigez*-le. Maintenant, quelques idées : emparez-vous *vous-même* de lui. Devenez son ami et son meilleur guide. Soyez souple et réceptif aux changements qui tourbillonnent autour de vous et dans les couloirs de votre entreprise. Devenez un modèle pour ceux qui, autour de vous, continuent à résister. Montrez-leur qu'ils peuvent retourner le changement *en leur faveur* plutôt que *contre* eux. Concentrez-vous sur ce que vous *pouvez* faire, et non sur ce que vous *ne pouvez pas* faire. Enfin, soyez sûr de bien reconnaître et de récompenser les employés qui ont accepté le changement et qui, grâce à cela, ont réussi.

Dès que vous reconnaissez l'un de ces sept signaux de résistance au changement - chez vous ou chez vos collègues - vous pouvez y faire quelque chose. Aussi longtemps que vous aurez la volonté de vous saisir à bras le corps du changement au lieu de le combattre, vous posséderez une valeur inestimable pour votre entreprise, et vous survivrez. Faites de la réceptivité au changement votre mission principale : devenez un leader du changement, non un partisan de la résistance.

Identifier les symptômes du stress

Quelle que soit la manière dont vous vous y prenez pour l'éviter, il y aura toujours une certaine quantité de stress sur votre lieu de travail. Vous pourrez toujours faire un bon boulot pour mener le changement dans votre entreprise et créer des plans assez souples pour faire face à l'inattendu, vous devrez sans doute travailler avec des employés *qui ne feront pas* un tel effort. La présence du changement et les différences entre les différents styles de travail de chacun sont destinés à créer du stress chez vous et dans votre entreprise.

Et l'influence du stress que vous éprouvez sur votre lieu de travail s'ajoute à celle de l'angoisse que vous ramenez de chez vous. Les traites pour la maison commencent-elles à grever sérieusement votre budget ? Etes-vous sur le point d'entrer en conflit déclaré avec vos proches sur la manière d'extraire le dentifrice du tube ? Ne venez-vous pas de recevoir un coup de fil des impôts à propos d'un petit détail dans vos déclarations des trois dernières années ?

Alors comment savoir si vous êtes vraiment stressé ? La liste des indicateurs du stress ci-dessous devrait vous aider à vous faire une idée de l'ampleur du stress dans votre vie professionnelle et privée. Comme ces deux phénomènes s'influencent mutuellement, déterminer et traiter la source du stress est important.

 Le Tableau 14.1 représente la liste des symptômes du stress, avec une case à cocher en fonction de vos propres symptômes. Si vous reconnaissez en vous plus de deux de ces symptômes, recherchez ce qui crée le stress dans votre vie. Vite ! Agissez avant qu'il ne soit trop tard !

Tableau 14.1 : Symptômes du stress.

Le symptôme	Oui, vous l'avez !
Agressivité	*
Hostilité	*
Maux de tête	*
Troubles digestifs	*
Insomnies	*
Attitude défensive	*
Erreurs de jugement	*
Nervosité	*
Hypertension	*
Ulcères	*
Fatigue	*
Anxiété	*
Dépression	*
Pertes de mémoire	*
Difficulté à se concentrer	*
Changements d'humeur	*

N'importe lequel de ces symptômes peut indiquer un problème de stress, mais plus la liste est longue, plus importants sont les dégâts sur votre moral et votre physique. Heureusement, vous pouvez apprendre à gérer votre stress. Même si vous ne pouvez pas toujours l'empêcher de pénétrer dans votre vie, vous *pouvez* prendre des mesures efficaces pour en réduire les effets négatifs. Apprenez à prendre le contrôle du stress afin qu'il ne puisse pas prendre contrôle sur *vous*.

Gérer votre stress

Vous êtes-vous demandé pourquoi tant d'entreprises font tout un plat de l'entraînement au stress ? En fait, elles doivent s'attaquer au stress avant que les employés ne soient dominés par lui. Et quand les employés perdent de leur efficacité, l'entreprise perd de sa vigueur.

La plupart des méthodes d'entraînement au stress s'appliquent à soigner les symptômes de celui-ci et n'essayent pas de s'attaquer aux causes profondes liées à l'entreprise. La faille dans cette approche, est que ces méthodes apprennent des techniques de relaxation aux employés afin d'atténuer les effets du stress, mais la direction n'en prendra pas pour autant des décisions plus justes et plus rapides. Les cours montrent aux employés la manière d'utiliser des constatations positives pour remonter l'estime qu'ils ont d'eux-mêmes, mais personne n'ira réparer le système téléphonique défectueux qui coupe l'appel d'un client avant qu'il n'ait eu le temps de finir sa phrase. Le programme apprend au staff à mieux gérer son temps, mais des plannings incohérents continuent à entraîner des crises d'organisation à répétition.

Ces exemples vous montrent que vous ne devez attendre de personne des remèdes pour réduire votre stress. Apprenez à le gérer vous-même. Heureusement, le stress du manager n'est pas aussi terrible que vous pourriez le penser. Le seul traitement efficace se résume à ceci : *changez* ce que vous pouvez changer et *acceptez* ce que vous ne pouvez pas changer.

Changez ce que vous pouvez changer

Vous pouvez *immédiatement* agir pour modifier votre environnement et réduire votre stress. Si ces conseils vous paraissent familiers, c'est que vous y avez sans doute déjà pensé, mais que vous ne vous êtes jamais encore décidé à les appliquer. Bien, il est temps *maintenant* de passer à l'acte ! Ne remettez plus les choses au lendemain. La vie que vous êtes sur le point de sauver peut bien être la vôtre !

- **Gardez la forme** : vous *savez* que des exercices réguliers et énergiques sont ce qu'il y a de mieux pour vous. Non seulement vous affermissez votre esprit et votre corps, mais vous vous débarrassez en passant de tonnes de frustration et de stress. Et quand vous êtes angoissé, votre organisme dépérit en perdant rapidement certaines vitamines et certains sels minéraux. Mangez correctement. N'oubliez pas vos fruits et légumes ! Et cela est d'autant plus impératif quand vous êtes en déplacement. Ne négligez pas vos exercices et votre régime alimentaire sous prétexte que vous êtes en voyage d'affaires.

Evitez la tentation de faire un détour par la Pizzeria ou par le stand de confiseries alors que vous attendez votre vol à l'aéroport. Quand vous êtes en déplacement, vous devez faire un effort supplémentaire pour suivre votre régime et continuer vos exercices. Et ces délicieux cappucinos dont vous êtes devenu si friand et que vous prenez chaque jour en passant sur le chemin de votre travail ? Chacun d'eux représente au moins dix mille calories (bon, d'accord, j'exagère un peu). Méfiez-vous-en !

- **Amusez-vous** : si vous ne prenez pas de plaisir à ce que vous faites, pourquoi vous inquiéter ? Soyons réaliste, vous allez passer en gros d'un quart à un tiers de votre vie d'adulte au travail. Bien sûr, vous avez besoin d'argent, et vous avez besoin de la satisfaction psychologique que procure un travail bien fait, mais il ne faut pas prendre votre métier trop au sérieux au point de ne plus trouver de plaisir dans votre travail et avec vos collègues.

  Un jour, quand vous prendrez votre retraite, préférerez-vous que l'on se souvienne de ce manager qui gardait constamment un oeil rivé sur le cash-flow de l'entreprise, ou bien de celui qui s'intéressait personnellement à tous et rendait ainsi le travail de chacun plus gratifiant ?

- **Apprenez à dire *non*** : Que dit le vieux proverbe ? "Vous pouvez faire plaisir à quelques-uns de temps en temps, mais vous ne pouvez pas faire plaisir à tout le monde tout le temps." C'est comme ça, et reconnaissez que vous n'en êtes pas capable. Et quand vous essayez de satisfaire tout le monde, ça ne marche finalement pas très bien. Quand votre assiette déborde déjà de travail et que quelqu'un essaye de vous en remettre une louche, vous devez être capable de dire *non*.

- **Relax** : la relaxation est une part extrêmement importante de tout programme de traitement du stress. Quand vous vous relaxez, vous accordez une pause à votre cerveau, et vous vous donnez une occasion indispensable de recharger vos batteries avant de vous lancer à fond.

  Chaque minute compte. Vous rappelez-vous ce qu'est une pause ? Vous n'en avez peut-être pas pris depuis longtemps, et vous en avez peut-être perdu l'habitude. Quand vous faites une pause afin de vous relaxer, faites une *vraie* pause qui tranche sur votre routine. Quittez votre bureau et allez quelque part où vous ne serez pas harcelé par vos affaires en cours. Si vous restez dans votre bureau, vous risquez d'être appelé et vous ne pourrez pas éviter de répondre au téléphone *(c'est peut-être important !),* ou alors quelqu'un fera irruption et aura un besoin immédiat de votre avis. *(Excuses-moi, Bob, j'espère que je ne te dérange pas, mais j'ai vraiment besoin d'un coup de main !)* Allez faire un tour dehors. Humez les fleurs. Ecoutez les oiseaux. Relax !

- **Planifiez votre emploi du temps** : si vous ne planifiez pas vous-même votre emploi du temps, quelqu'un sera très heureux de s'en charger pour vous. Procurez-vous un agenda ou un calendrier de bureau et établissez vous-même les réunions auxquelles vous devez assister ainsi que vos rendez-vous.

Si l'on vous invite à un meeting, vous n'êtes pas forcé d'accepter. Renseignez-vous sur le sujet, et sur le rôle que vous devez y tenir. Si vous jugez que le temps que vous allez y passer n'en vaut pas la peine, refusez ! Quand vous poursuivez vos *propres* objectifs et priorités, empêcher ceux des autres de s'immiscer peut être incroyablement difficile. Refusez fermement de laisser la crise de quelqu'un d'autre devenir la vôtre ! Pour *plus* d'informations sur la manière de planifier votre emploi du temps, jetez un coup d'oeil au Chapitre 2.

- **Soyez rationnel** : pourquoi rendre les choses plus compliquées qu'elles ne le sont ? En tant que manager, vous vous trouvez dans une position idéale pour guetter les moyens qui peuvent améliorer les méthodes de travail et les systèmes de votre entreprise. Soyez sans pitié en passant en revue tout ce que fait votre service et supprimez les étapes superflues. Simplifiez, abrégez et condensez. Moins d'étapes dans un processus se traduit par un moindre effort de la part de vos employés, par moins d'erreurs, et, finalement, par moins de stress à subir. *Ça,* c'est bien.

- **Attachez-vous au bon côté des choses** : Soyez optimiste. Recherchez ce qu'il y a de satisfaisant dans ce que vous faites et chez ceux que vous rencontrez. Vous serez impressionné tellement vous vous sentirez mieux dans votre travail, avec vos collègues, et avec vous-même. De même, vous serez stupéfié par la manière dont vos collègues *vous* jugeront quand ils vous feront confiance pour leur remonter le moral. Soyez l'ambassadeur de l'optimisme : vous réduirez votre stress et celui de ceux qui vous entourent.

Acceptez ce que vous ne pouvez pas changer

Il y a certaines choses que vous ne pouvez pas changer, quelle que soit la peine que vous vous donnez. Non seulement vous n'arriverez pas à les changer, mais vous en sortirez stressé, défait ou malade. Et un tel résultat compromettrait votre avenir. Si vous ne pouvez changer ce qui ne peut pas l'être, il vous reste une seule solution : changez-vous vous-même.

- **Rendez-vous** : renoncez à combattre le changement. Continuer la lutte ne ferait qu'augmenter votre niveau de stress - ainsi que votre tension et le nombre de bouteilles de Maalox qu'il vous faudra pour éteindre le feu qui vous brûle l'estomac. Capitulez devant le changement, et faites corps avec lui. Ne vous obstinez plus à ramer contre le courant, laissez-vous emporter par lui.

  Comprenez bien que vous pouvez utiliser le changement à votre avantage. Après avoir cessé de le combattre, vous pouvez vous appliquer à l'utiliser à votre profit et à celui de votre entreprise.

- **N'en faites pas une affaire personnelle** : *vous* n'êtes pas le seul à être concerné par le changement. Tout le monde doit y faire face et subir ses effets sur l'environnement de travail. Mais la question n'est pas de savoir comment chacun réagit au changement, mais comment *vous-même* y faites face. Entrez-vous à l'intérieur de votre coquille ? Devenez-vous frustré et agressif ? Ou vous prenez-vous vous-même en charge ?

- **Adaptez votre attitude** : il est parfois facile de perdre le sens de la mesure. Après avoir effectué un travail pendant plusieurs années, il peut vous arriver d'avoir des visions de grandeur. Comment l'entreprise pourrait-elle s'en sortir sans moi ? Peu à peu, vous devenez contrarié quand vos avis ne sont pas considérés avec le respect qui, selon votre opinion, devrait vous être dû, et vous commencez à dédaigner les obligations mondaines qui sont pourtant une partie de votre travail. (Et attention à ceux qui vous demanderaient d'y aller - ils feraient mieux de changer de trottoir !)

  Alors que vos chevilles s'enflent à l'évocation de votre position actuelle, rappelez-vous que beaucoup d'Américains en sont à un salaire près pour éviter la faillite. Combien de temps pourrez-vous tenir si vous perdez votre travail ? Et ne pensez pas que cela ne puisse pas vous arriver. A votre avis, de qui se débarrassera-t-on en premier : des employés qui feront *tout* pour accomplir leur tâche, ou de ceux qui se sentent au-dessus de tout ça ? Si la première réponse vous paraît la bonne, alors préparez-vous à un changement fondamental d'attitude ; adaptez votre conduite avant que quelqu'un ne l'adapte pour vous !

- **Ne jouez pas la victime** : dans ce monde, vous pouvez être le marteau, mais aussi l'enclume. Si vous êtes victime du changement, vous avez cessé de le combattre (ce qui est *bien*), mais vous avez également cessé de réagir aux mutations en cours (ce qui est *mal*). N'abandonnez pas, ne vous déconnectez pas de l'entreprise. Refusez de devenir une victime du changement. Au lieu de cela, devenez son plus ardent supporter.

- **Maîtrisez votre colère** : s'emporter violemment quand les choses n'avancent pas comme vous le désirez peut paraître éloquent, mais manifester de la colère n'est pas la manière la plus productive de dépenser votre temps et votre énergie. Vous énerver pour une chose à laquelle vous ne pouvez rien faire mine votre énergie et vous empêche de vous occuper de ce qui est vraiment de votre domaine.

  Que faites-vous quand vous vous trouvez bloqué dans un embouteillage à l'heure de pointe ? Commencez-vous à chauffer et à bouillir ? Votre pression monte-t-elle en flèche alors que votre visage prend peu à peu la couleur d'un *borscht* ? Votre colère vous aide-t-elle à aller plus vite ou à arriver plus tôt chez vous ? Non ! Au lieu de perdre du temps à essayer de changer ce qui ne peut l'être, profitez-en pour passer quelques coups de fil, relaxez-vous au son d'une douce mélodie, ou bien écoutez un livre enregistré. Changez votre colère en activité productive, ou bien la colère vous mangera tout cru !

- **Ne vous épuisez pas sur des détails** : la plupart de ce qui vous tombe dessus durant une journée de travail n'est que du menu fretin : remplir des formulaires, récupérer des messages sur votre répondeur, pianoter sur le clavier de votre ordinateur. Le gros gibier est plus rare et se cache au milieu de tout ça. On estime qu'à peu près 80 % de votre temps sert à obtenir 20 % de vos résultats. Les faits sont là : la plupart de vos occupations sont insignifiantes, alors n'y laissez pas trop de sueur ! S'il vous faut vraiment faire un gros effort, que ce soit alors pour quelque chose de *réellement* important !

Exercices pour réduire le stress

Alors que vous en êtes rendu à changer les choses que vous pouvez changer et à accepter celles que vous ne pouvez pas changer, vous pouvez accomplir quelques exercices destinés à réduire votre stress. Ces exercices pratiques peuvent être exécutés n'importe où : au bureau, à la maison, dans votre voiture en allant à votre travail. Mais ce n'est pas tout : ces exercices sont efficaces pour n'importe quel genre de stress, et quelle qu'en soit la cause. La prochaine fois que vous sentirez vos intestins faire des noeuds ou votre pression commencer à monter, faites un essai :

- **Contrôle de la respiration** : aspirez, soufflez, aspirez, soufflez. C'est tout ! Respirez un grand coup, retenez votre respiration ; pause. Maintenant, exhalez lentement. Sentez le stress quitter votre corps quand vous libérez votre souffle. Contrôler sa respiration peut avoir un effet apaisant.

  Quand vous vous sentez stressé, essayez donc ce vieil exercice de respiration yoga : aspirez à travers une narine pendant que vous bouchez l'autre avec votre doigt pendant une seconde. Retenez votre respiration en comptant jusqu'à huit, et soufflez par l'autre narine en comptant jusqu'à quatre. Puis faites l'inverse : commencez avec l'autre narine et répétez quatre fois l'exercice. Vous devez maintenant vous sentir aussi frais qu'un concombre.

- **Affirmations positives** : débarrassez votre vie des affirmations négatives, remplacez-les par des affirmations positives dans le genre, "mince, j'ai vraiment réussi à cibler les besoins de ce client", ou alors, "j'ai fait du bon boulot à mon dernier poste, vivement le prochain que je puisse en faire autant". Soyez positif. Plus votre vie est positive, moins le stress que vous ressentez est important. (Il sera en outre beaucoup plus agréable de travailler avec vous qu'avec ces récalcitrants que vous devez supporter.)

- **Relaxation progressive** : croyez-le ou non, cet exercice hautement profitable a été découvert par un gars qui jouait au bowling. Apparemment, son bras était fatigué à force de lancer les boules sur les pistes. Quelqu'un a appelé son nom et il a laissé tomber la boule. Drôle de blague.

  Quoi qu'il en soit, vous pouvez pratiquer la relaxation progressive même quand vous vous trouvez loin des pistes de bowling. Allongez-vous dans une pièce obscure ; en commençant par le pied, concentrez-vous à tendre vos muscles pendant plusieurs secondes, puis laissez votre pied se relâcher. Maintenant, passez aux mollets. Tendez vos muscles pendant quelques secondes, puis relâchez-vous. Continuez ainsi avec les différentes parties de votre corps, jusqu'à atteindre le sommet de votre crâne. Pour finir, contractez tous vos muscles ensemble, et relaxez-vous. Il en résulte une baisse de tension générale et une profonde relaxation.

- **Vide mental** : l'imagination est un outil très puissant. Peu importe où vous vous trouvez, vous pouvez vous évader. Quand il y a une queue de plus de cinq personnes à votre porte, quand votre téléphone sonne à en bondir du combiné, quand tout le monde a un problème et personne n'a de solution, et quand votre pression sanguine joue à l'éruption du Krakatoa à l'est de Java, alors le moment du vide mental est vraiment arrivé.

  Fermez votre porte, transférez votre téléphone au standard ou à votre répondeur, éteignez la lumière, mettez votre chaise ergonomique en position de relaxation, et laissez votre esprit dériver avec le courant. Imaginez-vous dans un bateau sur une rivière avec le soleil qui brille et les oiseaux qui pépient. Laissez-vous emporter loin, très loin des épreuves du jour.

Riez : ne prenez pas les choses au sérieux au point d'en oublier votre sens de l'humour. S'amuser dans son travail et avec ses collègues est un moyen important de réduire le stress. N'oubliez pas le proverbe, "rien que du travail et pas de jeu rendent Johnny très ennuyeux". Non seulement un bon éclat de rire est une façon géniale de réduire le stress, mais il vous fait vous rappeler que la vie n'est pas que le travail, travail, travail. *OK* ?

Quand rien ne marche

Si vous avez tout entrepris pour réduire votre stress, pour devenir un leader du changement et pour prendre le contrôle de votre vie professionnelle, mais que vous êtes encore stressé, alors vous vous trouvez peut-être en face d'un problème bien plus profond et qui n'est pas directement apparent.

Quand vous lisez un livre, aimeriez-vous à chaque fois l'avoir écrit vous-même ? Quand vous assistez à un séminaire, pensez-vous à chaque fois que vous pourriez l'animer vous-même ? Vous êtes-vous déjà demandé ce que cela fait de diriger sa propre entreprise : être votre propre chef et totalement responsable des profits et des pertes ?

Si vous avez répondu *Oui* à toutes ces questions, il se peut que vous ne soyez pas totalement heureux tant que vous poursuivez *votre propre* rêve. Vous avez peut-être envie d'entamer une nouvelle carrière ou bien de changer d'entreprise. Ou bien vous avez peut-être l'occasion chez votre employeur actuel de changer de poste afin de réaliser votre rêve. Vous désirez sans doute retourner à l'école pour obtenir un diplôme avancé. Ou bien vous avez simplement envie de prendre des vacances, ou de faire une pause. Définissez votre rêve, et lancez-vous-y à fond ! Ne le rêvez pas, réalisez-le.

Testez vos nouvelles connaissances

Quelles sont les quatre étapes du changement ?

- A. Douleur, blocage, confusion, abandon.

- B. Organiser, étiqueter, dater et classer.

- C. Condamner, cacher, attendre et rentrer à la maison.

- D. Nier, résister, analyser les avantages et accepter.

Devez-vous vous épuiser sur des détails ?

- A. Oui, il n'y en a pas tant.

- B. Non, il faut garder sa sueur pour les gros morceaux.

- C. Peut-être, ca dépend de quel pied vous vous êtes levé ce matin.

- D. Sans opinion.

Chapitre 15
Discipline : une voix douce, un bâton derrière le dos

Dans ce chapitre :

Discipliner vos employés.

Se concentrer sur les performances.

Suivre les voies de la discipline.

Écrire un script.

Développer un plan d'amélioration.

Mettre le plan d'amélioration en pratique.

*N*e serait-ce pas merveilleux si tous vos employés accomplissaient toujours leurs tâches de façon parfaite ou s'ils aimaient leur entreprise autant que vous l'aimez ? Gagner à la loterie serait merveilleux aussi, mais ce n'est sans doute pas une raison pour quitter le travail maintenant.

Le fait est que vos employés *vont* faire des erreurs, et que certains d'entre eux vont avoir des attitudes qui seront, disons-le, *moches*. Chaque employé a son propre caractère, et il ne faut pas trop s'en préoccuper. Cependant, quand l'un d'entre eux commet des fautes graves et fréquentes, quand il n'arrive pas à atteindre ses objectifs, ou bien quand il apparaît qu'il ferait mieux d'aller travailler ailleurs mais surtout pas ici (et ils le prouvent bien en ignorant les règlements de la maison), il est temps pour vous de prendre des mesures pour faire cesser ces attitudes déplacées - des mesures immédiates et décisives.

Ce que l'on attend de vous, on le nomme *responsabilité*. Corriger les performances et les attitudes de vos employés qui se sont écartés du droit chemin s'appelle la *discipline*.

Pourquoi s'embêter à discipliner ses employés ? Ne vaudrait-il pas mieux éviter une éventuelle confrontation en espérant que les choses s'arrangent avec le temps ? Non ! Bien sûr que non !

Il y a deux raisons à cela :

- Premièrement, quand des employés n'accomplissent pas leur tâche comme ils le devraient, ou alors quand ils se laissent gagner par une attitude qui les empêche de faire bloc avec le reste de leur équipe, ils coûtent à votre entreprise plus que ceux qui travaillent normalement et qui ont bien mérité leur part. De maigres résultats et des attitudes négatives affectent directement l'efficacité et le rendement de votre unité de travail.

- Deuxièmement, si certains de vos employés remarquent que vous ne réagissez pas quand leurs collègues font mal leur travail, ils seront peu portés à poursuivre leurs efforts. *Dis donc ! Si Martin peut s'en tirer aussi facilement, pourquoi pas moi ?*

Dans ce chapitre, vous découvrirez l'importance de traiter de la question des résultats de vos employés avant qu'elle ne devienne un problème majeur. Vous comprendrez pourquoi vous devez vous concentrer sur les performances, et non sur les personnalités, et vous pourrez envisager une méthode cohérente qui vous sera utile pour appliquer la discipline, quelle que soit votre branche.

Discipliner les employés

La discipline envers les employés évoque quelque chose d'archaïque et de barbare. En raison des abus, que plus d'un directeur ou manager zélés ont commis, pour beaucoup de travailleurs le mot discipline fait surgir des images de sermons délirants, de réprimandes publiques et embarrassantes, ou pire. Qu'est-ce que la discipline signifie pour vous ? Qu'est-ce qu'elle représente dans votre entreprise ? Vos employés ont-ils envie d'être disciplinés ? Et vous-même ?

En réalité, trop d'employés confondent les termes *discipline* et *punition*. Cette opinion peut être très éloignée de la réalité - à condition que la discipline soit proprement pratiquée. Le mot *discipline* vient du latin *disciplina*, qui signifie *enseignement* et *étude* (et d'une manière qui n'est pas méprisable). *Punition*, d'autre part, dérive de la racine latine *punir*, qui elle même dérive du mot latin *poona*, ou *pénalité*. On peut aussi remarquer que le mot français *peine* provient de même du latin *poona*.

Le but de cette petite digression est de montrer que la discipline envers les employés est censée être quelque chose de *positif*. Du moins, cela devrait l'être quand vous l'appliquez correctement ! Par la discipline, vous faites prendre conscience à vos employés des problèmes afin qu'ils puissent tenter de les résoudre *avant* qu'ils ne deviennent des difficultés majeures. Le premier but de la discipline n'est pas de punir vos employés, mais de les guider afin qu'ils retrouvent leurs repères. Naturellement, cela ne sera pas toujours possible, et vous n'aurez alors d'autre choix que de licencier ceux qui ne donnent pas satisfaction.

Il y a deux justifications principales à la discipline envers vos employés :

- **Des problèmes de résultats** : tous vos employés sont tenus d'atteindre des objectifs, c'est un aspect de leur travail. Pour une réceptionniste, un objectif peut être de toujours répondre au téléphone avant la troisième sonnerie. Pour un directeur des ventes, ce peut être d'augmenter les ventes annuelles de 15 %. Quand des employés n'atteignent pas leurs objectifs, il est recommandé d'exercer une forme ou une autre de discipline.

- **Des fautes professionnelles** : certains employés agissent quelquefois d'une manière inacceptable vis-à-vis de vous (manager), et vis-à-vis de l'entreprise. Si des employés abusent par exemple des conventions de l'entreprise sur les congés maladie, vous avez une bonne raison de les discipliner. De même, des employés qui harcèlent sexuellement ou menacent d'autres employés doivent s'attendre à des actes de discipline de la part de leurs managers.

La discipline va des simples conseils verbaux du genre *"William, vous m'avez rendu le rapport avec un jour de retard. J'espère que les prochains me seront remis à temps."* au licenciement : *"Désolé, Marie, je vous avais prévenue que je ne supporterai plus aucune désobéissance. Vous êtes renvoyée."* Il y a entre ces deux extrêmes toute une variété d'options, dont l'application dépend de la nature du problème, de sa gravité, et du passé de l'employé concerné. Par exemple, s'il s'agit d'un incident isolé et exceptionnel, la discipline sera moins sévère.

Exercez *toujours* la discipline dès que possible après un incident. Comme pour la *récompense*, votre message est beaucoup plus fort et plus pertinent quand il fait référence à un événement récent. S'il s'écoule trop de temps entre l'incident et la mesure de discipline que vous prenez après coup, votre employé peut avoir oublié les circonstances de l'incident. De plus, il peut retourner cela à son avantage en vous envoyant un message signifiant que le problème ne devait pas être *si* important puisque vous avez mis trois semaines à réagir.

Les managers pratiquent une discipline efficace en pointant les insuffisances de performance ou de conduite *avant* que ces problèmes ne deviennent sérieux. Les managers efficaces aident leurs employés à suivre le bon chemin. Les managers qui ne disciplinent pas leurs employés n'ont qu'à s'en prendre à eux-mêmes alors que les maigres résultats se succèdent ou que l'insubordination s'étend et ne peut plus être contrôlée. Les employés ont besoin de l'appui actif et des conseils de leurs directeurs et managers pour savoir de ce que l'on attend d'eux. Sans cela, il n'est pas surprenant que des employés trouvent quelquefois difficile d'atteindre des objectifs.

Et n'oubliez pas : vous récoltez ce que vous avez semé. Considérez attentivement la manière dont vous récompensez vos employés. Vous serez peut-être surpris de constater que vous aggravez involontairement les attitudes négatives et les mauvais résultats.

Ne différez pas la discipline. Arrêtez de remettre les choses au lendemain. Ne regardez pas de l'autre côté en espérant que le mauvais comportement de vos employés va disparaître comme par enchantement. En agissant ainsi, vous ne rendez pas service aux employés qui ont besoin de vos conseils. Disciplinez vos employés avant qu'il ne soit trop tard. Faites-le maintenant.

Prendre en compte les performances et non les personnalités

Vous êtes manager (ou en passe de le devenir). Vous n'êtes ni psychiatre ni psychologue - même si vous avez quelquefois l'impression *de ne rien faire d'autre que de* conseiller vos employés. Bien sûr, votre tâche consiste aussi à analyser leur personnalité et à essayer de comprendre pourquoi ils agissent comme ils le font. Mais vous devez par ailleurs être attentif à leurs *performances* par rapport aux critères sur lesquels vous vous êtes ensemble mis d'accord et rester vigilant aux infractions de vos employés au règlement de l'entreprise. Si vos employés travaillent mieux que la moyenne, récompensez-les pour leurs efforts. (Voir le Chapitre 6 pour une information complète sur la manière de récompenser et de motiver vos employés.) Si au contraire leurs résultats sont *inférieurs* à la moyenne, vous devez faire preuve de discipline.

Cela ne signifie pas que vous ne devez pas faire preuve de compassion. Les résultats pâtissent quelquefois de problèmes familiaux, de difficultés financières, ou d'autres pressions d'ordre privé. Même si vous devez offrir l'occasion à vos employés de remonter la pente - vous pouvez proposer un congé ou un changement provisoire de poste -, il faudra quoi qu'il en soit qu'ils finissent par atteindre les résultats qu'on attend d'eux.

Soyez juste, et pour être certain que la discipline s'applique en fonction des *résultats* et non des personnalités, assurez-vous que *tous* les employés ont bien pris connaissance des règlements de la maison et que vos explications sur la qualité des résultats ont été bien comprises. Quand de nouveaux employés sont embauchés, leur expose-t-on la politique générale de l'entreprise ? Quand votre département des relations humaines dépose à votre porte de nouveaux employés, un membre de l'équipe prend-il le temps de discuter avec eux du fonctionnement de votre service et de ses pratiques ? Vous arrive-t-il de vous asseoir régulièrement autour d'une table avec vos employés afin de faire le point et de remettre à jour la définition des objectifs ? Si vous avez répondu *non* à l'une de ces questions, il faut vous mettre au travail !

Vous devez faire preuve de discipline régulièrement et équitablement. Même si vous devez toujours réprimander vos employés aussitôt après des résultats manifestement insuffisants ou après une faute, s'empresser de juger avant d'avoir tous les éléments en main est une erreur. Si la preuve qu'un employé a rendu un rapport avec une semaine de retard est simple à établir, la confirmation des faits dans un cas de harcèlement sexuel n'est pas aussi aisée. Quand vous disciplinez vos employés, vous devez connaître les faits et agir impartialement et sans favoritisme. Si l'un de vos employés commet une faute répréhensible, vous ne pouvez ignorer la même attitude chez les autres. Vous risquez sinon une perte de respect de sa part envers votre manière de diriger, et allez sûrement au devant de poursuites judiciaires et autres soucis désagréables.

Rappelez-vous, si votre tâche est de mettre le doigt sur les erreurs de vos employés et d'orienter leurs efforts pour obtenir des résultats acceptables, ils sont en fin de compte responsables de leur productivité et de leur comportement. Vous ne pouvez, et ne devez ni faire le travail à leur place, ni prendre sur vous leurs fautes et leurs erreurs. Bien sûr, vous pouvez excuser une faute occasionnelle, mais vous *devez* réagir contre un glissement progressif vers des résultats insuffisants ou vers des fautes professionnelles.

Les deux voies de la discipline

Comme nous l'avons expliqué au début de ce chapitre, il y a deux raisons principales à la discipline envers votre personnel : les mauvais résultats et les fautes. Cette discipline à deux voies comprend un jeu d'options disciplinaires pour les problèmes liés aux résultats, et un autre jeu d'options pour les fautes. Cette image des deux voies met en évidence le fait que la faute, si elle est délibérée de la part de l'employé, est considérée comme une infraction aussi sérieuse qu'une baisse des résultats. Souvent de mauvais résultats ne sont pas dus à une faute de l'employé et peuvent être redressés par une formation adéquate et par plus de motivation.

Ces deux voies reflètent le concept de *discipline progressive*, ce qui signifie que vous devez toujours choisir la mesure la moins sévère qui conduira au changement d'attitude que vous désirez. Par exemple, si après un avertissement verbal, l'un de vos employés améliore sa conduite, l'affaire n'aura pas de suite. Cependant, si cet employé ne fait pas cas de l'avertissement, il vous faudra alors *passer au stade suivant* - un avertissement écrit - et attendre.

Espérons que celui-ci aura compris le message et améliorera son comportement avant que vous ne soyez obligé de prendre des mesures plus musclées comme une diminution de salaire, une rétrogradation, ou *(gulp !)* un licenciement.

Quand vous vous préparez à discipliner votre personnel, décidez d'abord si l'attitude que vous allez essayer de corriger est liée aux résultats ou est la conséquence d'une faute. Une fois que vous vous en êtes fait une idée, décidez de la meilleure manière de faire passer votre message. En cas de transgression légère - un manque d'attention sur un détail, par exemple - un conseil verbal sera sans doute suffisant. Cependant, si vous mettez la main sur un employé en train de dormir pendant le travail, vous pouvez alors décider de le suspendre sans salaire pendant un certain temps. C'est à *vous* de décider.

Dans tous les cas, assurez-vous d'exercer la discipline dès que possible après l'apparition du problème. Vous voulez que les résultats de vos employés s'améliorent *avant* que le problème ne devienne crucial.

Note : La méthode que votre entreprise applique pour exercer la discipline peut être quelque peu différente de ce que nous venons de voir dans ce chapitre. Si vous avez à traiter avec des employés syndiqués, il vous faudra probablement respecter le cadre du règlement établi entre le syndicat et votre entreprise. On peut vous imposer, par exemple, la présence d'un délégué syndical à tout débat disciplinaire avec des employés syndiqués. Si cela est le cas, assurez-vous que vous maîtrisez bien les règlements de l'entreprise et les usages et procédures des relations de travail avant de vous lancer.

Traiter les problèmes de performance : la première voie

Si vous avez bien fait votre travail, chaque employé a été informé sur sa fonction, et chacun connaît la norme de production à atteindre. La description du poste est simplement l'inventaire des différentes tâches qui correspondent à une certaine position. Les normes de performance, d'autre part, sont des critères sur lesquels vous vous mettez d'accord avec vos employés pour apprécier leurs résultats. Elles sont la base pour les évaluations et les bilans périodiques. Elles sont aussi un bon moyen de remplir vos fichiers personnels.

Bien que chaque entreprise semble avoir sa méthode propre pour apprécier les résultats, les employés tombent généralement dans l'une de ces trois grandes catégories : résultats remarquables, résultats acceptables, et résultats inacceptables. Si vous devez faire preuve de discipline, c'est d'abord pour corriger les résultats inacceptables. Vous désirez toujours aider vos bons employés à devenir encore meilleurs, mais votre souci majeur est d'identifier les employés qui travaillent en dessous des normes et d'améliorer leurs résultats insuffisants.

Les étapes ci-dessous sont décrites par ordre croissant de sévérité. N'oubliez pas : appliquez la mesure la moins sévère pour arriver au résultat que vous désirez. Si elle s'avère inefficace, passez alors à l'étape suivante.

- **Recommandations orales** : cette forme de discipline est certainement la plus courante, et beaucoup de managers y recourent dans un premier temps pour améliorer la performance des employés. Il n'est pas rare qu'un manager conseille de vive voix leur personnel plusieurs fois par jour. Une recommandation orale peut aller d'une simple remarque spontanée dans le couloir *"Martine, il faut que vous me teniez au courant quand des clients appellent pour un problème de service"* à un entretien plus formel dans votre bureau *"Sam, cela m'embête que vous ne compreniez pas l'importance de vérifier si l'adresse est correcte avant d'envoyer des commandes. Voyons quelles mesures vous allez prendre pour corriger ce problème, et comment vous allez les appliquer."* Vous ne gardez en général pas trace de vos recommandations orales.

- **Recommandations écrites** : quand les employés ne font pas cas des recommandations verbales, ou quand l'importance des problèmes de performance justifie son usage, vous devez avoir recours à une recommandation écrite. Celle-ci concrétise l'injonction en détaillant les insuffisances de l'employé dans une note. La recommandation écrite est remise à l'employé au cours d'un entretien privé dans le bureau du superviseur. Une fois que l'employé en aura pris connaissance, une discussion sur les mesures qu'il compte prendre pour améliorer ses résultats pourra suivre. La recommandation est consignée dans le fichier individuel de l'employé.

- **Mauvaise notation** : si les recommandations orales ou écrites ne permettent pas d'obtenir de meilleurs résultats chez vos employés, la situation exige une notation négative de leur performance. Naturellement, comme les employés ne sont en général notés qu'une fois l'an, ou jamais, cette méthode n'est pas la plus efficace pour faire face à des situations critiques. Cependant, si les recommandations orales ou écrites ont été données en pure perte, les notations négatives constituent le seul recours.

- **Rétrogradation** : des notations négatives répétées, et en particulier des résultats gravement insuffisants, peuvent imposer une rétrogradation de vos employés. Souvent, mais pas toujours, le salaire de l'employé rétrogradé est également réduit par la même occasion. Soyez réaliste : certains employés sont embauchés ou promus à des postes qu'ils ne peuvent tout simplement pas assumer. Ils ne sont pas responsables de cette situation, mais vous ne pouvez continuer à tolérer cette inaptitude si vous n'avez pas d'espoir d'amener les résultats à un niveau acceptable par une formation complémentaire ou par des exhortations. Bien que démoralisante, une rétrogradation permet au moins à l'employé d'occuper un poste qu'il peut assumer. Avant d'y avoir recours, essayez toujours de trouver un poste à un niveau équivalent que l'employé *pourra* assumer. Cela augmentera sa motivation et sa confiance et il en résultera un "plus" pour l'employé et l'entreprise.

- **Licenciement** : quand tout a échoué, le licenciement est la forme finale de discipline. Tous les managers le savent, le licenciement n'est une décision facile à prendre. Vous ne devez envisager cette option qu'uniquement après avoir épuisé toutes les autres solutions. Il n'est sans doute pas besoin de le préciser, mais en ces temps de poursuites judiciaires injustifiées suite à des licenciements et de verdicts à plusieurs millions de francs, vous devez vous renseigner *très* précisément sur les mauvais résultats de l'employé et rassembler des preuves. Pour de plus amples informations sur les tenants et aboutissants de cette forme très importante de discipline, voir le Chapitre 16.

Traiter les fautes professionnelles : la seconde voie

La faute professionnelle est très différente d'un problème de performances, aussi a-t-elle sa propre voie disciplinaire. La faute professionnelle est généralement considérée comme une transgression bien plus sérieuse que des résultats insuffisants, car elle indique un problème dans l'attitude de vos employés ou dans leurs opinions morales. Et améliorer la productivité est une chose bien plus aisée que modifier la conduite de votre personnel ou ses idées.

La terminologie même des différentes étapes de cette seconde voie montre bien qu'il y a là quelque chose de sérieux. Par exemple, alors que la première étape de la première voie était appelée *recommandation* verbale, la première étape de la seconde voie est appelée *avertissement* verbal. Il faut affronter les fautes professionnelles d'une manière bien plus sévère que les problèmes de productivité.

La discipline occasionnée par une mauvaise conduite a aussi des conséquences bien plus immédiates pour vos employés que celle qui découle de problèmes de productivité. Alors que la productivité peut mettre un certain temps à revenir à la normale, le temps de préparer un plan, de prévoir une formation complémentaire, une mauvaise conduite doit cesser *sur-le-champ* ! Quand vous sanctionnez vos employés pour mauvaise conduite, vous leur faites bien comprendre que leur comportement ne saurait être toléré. Des actes répétés de mauvaise conduite peuvent rapidement mener à une suspension et à un licenciement.

Comme pour la première voie, les différentes étapes disciplinaires sont décrites de la moins sévère à la plus dure. Votre choix dépend de la gravité de la faute et du passé professionnel de l'employé.

- **Avertissement verbal** : quand la faute de l'employé est mineure ou se produit pour la première fois, l'avertissement verbal constitue l'option la moins sévère pour signifier à l'employé que ce type d'attitude ne pourra plus être toléré. ("*Marc, si j'ai bien compris, vous continuez à harceler Susan pour qu'elle aille déjeuner avec vous - bien qu'elle vous ait maintes fois répété qu'elle n'en avait pas envie. Ce n'est pas acceptable. J'espère que vous allez mettre immédiatement fin à ce comportement.*") Dans beaucoup de cas de mauvaise conduite, un avertissement verbal qui prouve à votre employé que vous êtes au courant de sa faute suffit à redresser la situation.

- **Avertissement écrit** : malheureusement, certains employés ne prennent pas vraiment au sérieux un avertissement oral. D'autre part, la gravité de la faute peut vous imposer de sauter l'avertissement verbal et d'avoir directement recours à l'avertissement écrit. Ce dernier est le signal pour votre employé que vous prenez la chose au sérieux et que vous allez faire mention de leur attitude dans leur dossier personnel. Le superviseur direct de l'employé lui remet l'avertissement écrit.

- **Réprimande** : des fautes répétées ou sérieuses entraînent une réprimande, qui a généralement la forme d'un avertissement écrit, mais au lieu d'être transmise à l'employé par son superviseur direct, c'est un manager plus haut placé dans la hiérarchie de l'entreprise qui la lui remet. On donne à l'employé sa dernière chance pour corriger son attitude avant la suspension, la rétrogradation, ou le licenciement.

- **Suspension** : une *suspension*, ou congé obligatoire sans solde, est décidée en cas de faute très sérieuse ou de mauvaise attitude prolongée qui n'aurait pas été corrigée à la suite de sanctions plus légères. Vous pouvez être amené à éloigner des employés de leur lieu de travail pour un certain temps afin d'assurer la sécurité de leurs collègues ou pour restaurer un bon esprit dans votre équipe. Vous pouvez aussi décider d'une suspension non-disciplinaire le temps d'enquêter sur les accusations de mauvaise conduite. Pendant cette suspension, les employés continuent en général à recevoir leur salaire pendant que le manager, le responsable des ressources humaines, ou un autre représentant de l'entreprise, mène l'enquête.

- **Rétrogradation** : même si vous avez le droit de rétrograder un employé pour mauvaise conduite, ce n'est en général pas recommandé. Une rétrogradation est justifiée pour améliorer les résultats de l'employé quand un espoir subsiste quant à sa capacité d'atteindre des résultats normaux à un niveau inférieur de responsabilité.

- **Licenciement** : dans des cas particulièrement sérieux de mauvaise conduite, le licenciement peut être la première sanction à prendre. Cette règle est fondée en cas de : violations gravissimes aux règles de sécurité, vol, insubordination manifeste et autres fautes graves. Le licenciement peut aussi résulter d'actes répétés de mauvaise conduite pour lesquels des sanctions moins sévères sont restées inefficaces. Voir le Chapitre 16 pour plus d'informations sur la manière de licencier des employés.

Discipline envers les employés : une suite en quatre actes

Il y a une bonne et beaucoup de mauvaises façons d'exercer la discipline envers les employés. Oubliez à partir de maintenant les nombreuses mauvaises façons et concentrez-vous sur la *bonne*.

Quel que soit le type de sanction disciplinaire que vous envisagez de prendre pour une situation particulière, la démarche à suivre vis-à-vis de vos employés reste la même - que ce soit pour une recommandation orale, une suspension ou une rétrogradation (à cause de leur finalité, les licenciements sont ici une exception). Quatre étapes doivent toujours être à la base de votre scénario disciplinaire. En suivant ces étapes, vous pourrez être certain que vos employés comprendront *quel* est le problème, *pourquoi* il existe, et ce qu'ils doivent faire pour le résoudre.

Définir l'attitude convenable

Qu'est-ce qui, précisément, est inacceptable dans l'attitude de votre employé ? Quand vous décrivez à votre employé un comportement proscrit, soyez extrêmement précis. Ne perdez pas votre temps à faire des déclarations vaseuses du type "vous avez une mauvaise attitude", ou "vous faites beaucoup d'erreurs", ou "je n'aime pas votre manière de travailler". *Bof !*

Faites toujours la relation entre des comportements inacceptables et les procédures particulières qui n'ont pas été suivies ou les règles qui n'ont pas été respectées. Précisez bien ce que les employés ont fait de mal et *quand* c'est arrivé. Et n'oubliez pas qu'il faut dénoncer *l'attitude*, et non juger *l'individu* lui-même. *Les faits, rien que les faits, m'dame.*

Voici quelques exemples sur lesquels vous pourrez méditer :

- "Votre production de la semaine dernière n'a pas atteint le niveau normal de 250 unités par semaine."

- "Votre test de consommation de drogue de lundi dernier s'est révélé positif."

- "Les trois dernières analyses que vous m'avez remises contenaient de nombreuses erreurs de calcul."

- "Vous êtes arrivé en retard trois jours sur quatre cette semaine."

Soulignez l'impact sur l'équipe de travail

Quand un employé adopte une attitude inacceptable - que sa production soit inférieure à la normale ou qu'il ait un mauvais comportement - son équipe en souffre *toujours*. Quand un employé arrive constamment en retard au travail, par exemple, il vous faut désigner quelqu'un pour remplacer le coupable jusqu'à son arrivée. Cet autre employé doit donc abandonner la tâche qu'il était en train d'accomplir, et l'efficacité et le rendement de l'équipe s'en trouvent réduits d'autant. Et si un employé fait preuve d'harcèlement sexuel, le moral et l'efficacité de celles qui en sont les victimes vont nécessairement en souffrir.

Reprenons les exemples du paragraphe précédent, et considérons les étapes suivantes de votre scénario disciplinaire :

- "A cause de votre production insuffisante, l'équipe n'a pu atteindre ses objectifs de la semaine."

- "Ceci est une violation de notre règlement interdisant la consommation de drogues sur le lieu de travail."

- "A cause de ces erreurs, je dois passer à présent plus de temps à contrôler vos rapports avant de les faire suivre."

- "A cause de vos retards, j'ai dû demander à Margot d'abandonner son poste pour vous remplacer."

Précisez les changements requis

Dire à votre employé qu'il a fait quelque chose de mal ne sert pas à grand-chose si vous ne lui dites pas ce qu'il doit faire pour corriger son attitude. Cela fait partie du scénario disciplinaire que de lui décrire précisément le comportement que vous voulez lui voir adopter. Lequel comportement doit se soumettre à des normes établies de productivité ou au règlement de l'entreprise.

Voici quelques exemples de la troisième étape de votre scénario disciplinaire :

- "Vous devez atteindre immédiatement une production de 250 unités par semaine ou mieux."

- "On va vous demander de prendre rendez-vous avec le service spécialisé de l'entreprise qui s'occupe de la consommation de drogues."

- "J'espère ne plus découvrir d'erreurs quand vous me remettrez votre travail pour approbation."

- "J'espère que vous serez à votre poste, prêt à travailler, à huit heures *tous* les matins."

Décrivez les conséquences

Bien sûr, l'acte disciplinaire ne serait pas complet sans une discussion au sujet de ce qui arrivera si le comportement inacceptable persiste. C'est là une bonne occasion d'avertir franchement votre employé sur les conséquences de mauvais résultats prolongés ou de la poursuite de sa mauvaise conduite. Assurez-vous que le message est passé clairement et sans équivoque, et que votre employé l'a bien compris.

Pour terminer, la cerise sur le gâteau de la discipline envers les employés :

- "Si vous n'arrivez pas à atteindre une production normale, on vous remettra à la formation afin d'améliorer vos talents."

- "Si vous refusez de suivre des conseils sur la consommation de drogues, vous écoperez d'une suspension de travail de trois jours sans salaire."

- "Si l'exactitude de votre travail ne s'améliore pas immédiatement, je serai obligé de vous adresser un avertissement écrit qui sera inscrit dans votre dossier."

- "Si vous êtes une fois encore en retard, je demanderai au directeur de vous adresser une réprimande formelle pour votre attitude."

Tout regrouper

Maintenant que nous avons détaillé les quatre parties du scénario disciplinaire, regroupons-les dans un seul message que vous ferez passer aux employés têtus. Vous pourrez toujours y faire des retouches, mais ce scénario constitue la base de votre action disciplinaire.

Les quatre parties du scénario s'emboîtent pour former le résultat final suivant :

- Votre production de la semaine dernière n'a pas atteint le niveau normal de 250 unités par semaine. A cause de votre production insuffisante, l'équipe n'a pu atteindre ses objectifs de la semaine. Vous devez immédiatement réaliser une production de 250 unités par semaine ou mieux. Si vous n'arrivez pas à atteindre une production normale, on vous remettra à la formation afin d'améliorer vos talents."

- "Votre test de consommation de drogue de lundi dernier s'est révélé positif. Ceci est une violation de notre règlement intérieur interdisant la consommation de drogues sur le lieu de travail. On va vous demander de prendre rendez-vous avec le service spécialisé de l'entreprise qui s'occupe de la consommation de drogues. Si vous refusez, vous écoperez d'une suspension de travail de trois jours sans salaire."

- "Les trois dernières analyses que vous m'avez remises contenaient de nombreuses erreurs de calcul qui m'obligent maintenant à contrôler tous vos rapports avant de les faire suivre. Si votre travail ne s'améliore pas immédiatement, je serai obligé de vous adresser un avertissement écrit qui sera inscrit dans votre dossier."

- "Vous avez été en retard au travail trois jours sur quatre cette semaine. A cause de vos retards, j'ai dû demander à Margot d'abandonner son poste pour vous remplacer. J'espère que vous serez à votre poste, prêt à travailler, à huit heures *tous* les matins. Si vous êtes une fois encore en retard, je demanderai au directeur de vous adresser une réprimande formelle pour votre attitude."

Mettre au point un plan d'amélioration

Les managers *aiment* les plans : les plans pour terminer les projets dans les temps, les plans pour atteindre les buts financiers de l'entreprise dans les cinq ans, et les plans pour développer encore d'autres plans. En ce qui concerne la discipline envers l'employé, un autre plan existe. Le *plan d'amélioration de la productivité* est un élément crucial du processus disciplinaire, car il fixe des étapes précises que l'employé doit franchir successivement pour améliorer ses résultats en un temps donné.

Si les insuffisances de rendement de vos employés sont légères, et si vous n'en êtes encore qu'à leur donner des conseils oraux, il est sans doute superflu de leur imposer un plan d'amélioration. D'autre part, comme la majorité des cas de mauvaise conduite doivent par nature être traités *maintenant ou jamais*, des plans d'amélioration de la performance ne sont en général pas appropriés pour faire face à une mauvaise conduite. En revanche, si votre employé affiche régulièrement une mauvaise production et si vous avez déjà choisi de le conseiller ou de faire preuve d'une discipline, c'est le seul remède.

Un plan d'amélioration des performances comprend les trois parties suivantes :

- **Définition des buts :** la définition des buts permet d'indiquer clairement aux employés la direction qu'ils doivent prendre pour faire des progrès satisfaisants. La définition des buts - qui devrait être basées directement sur les critères de production de l'employé - pourrait se résumer à : "Remplissez toutes ces tâches dans le délai prescrit", ou : "Soyez à votre poste prêt à travailler à huit heures exactement chaque matin."

- **Programme d'exécution :** que vaut un plan sans un programme ? C'est un peu comme manger une glace en cornet, sans la glace, ou comme regarder la télévision sans le son. Tout plan valable doit comporter une date limite d'accomplissement et des repères bien définis pour marquer les étapes de sa réalisation si les buts à atteindre sont complexes.

- **Moyens requis / formation :** le plan d'amélioration des performances doit également faire état de la liste des moyens additionnels et de la formation dont votre employé aura besoin pour que la sauce prenne.

Voici un plan d'amélioration pour un employé qui commet des erreurs répétées de dactylographie en tapant le courrier :

Plan d'amélioration de performances

Jack Smith

Définition des buts

Dactylographier tous les projets de lettres. Seules deux erreurs par document seront admises.

Programme d'exécution

Jack doit atteindre ce but dans les trois mois qui suivent le démarrage du plan.

Moyens requis / formation

Jack sera admis au cours de remise à niveau en dactylographie et en contrôle de la correspondance. Ce stage devra s'achever avec succès moins de deux mois après le début de ce plan.

Mise en oeuvre du plan d'amélioration

Après avoir mis au point vos plans d'amélioration des performances, votre travail consiste à vous assurer qu'ils ne restent pas enfouis sous la poussière des étagères de vos employés. Suivez-en le déroulement avec eux pour vous assurer qu'ils le respectent et font des progrès vers les buts sur lesquels vous vous êtes mis d'accord. Bien sûr, suivre le déroulement d'un plan prend du temps, mais c'est nécessaire. En outre, si *vous* ne trouvez pas le temps de vérifier les progrès de vos employés en fonction du plan, ne soyez pas surpris s'*ils* ne trouvent pas le temps de le mettre en pratique.

Vos employés poursuivent-ils les buts sur lesquels vous vous êtes mis d'accord ? *Connaissent-ils* même ces objectifs ? Respectent-ils le programme, et reçoivent-ils la formation et les moyens que vous vous étiez engagés à fournir ? Si non, il faut que vous insistiez sur l'importance des plans d'amélioration avec vos employés et que vous vous penchiez avec eux sur les raisons qui ont fait que ces plans n'ont pas été suivis comme prévu.

L'une des meilleures choses que vous puissiez faire pour aider vos employés à mettre en oeuvre leur plans d'amélioration est de prévoir des réunions périodiques à propos de l'avancement du plan. Les plans plus élaborés demandent un suivi plus serré. Les réunions sur l'avancement du plan servent à deux choses : elles vous procurent l'information dont vous avez besoin pour juger du progrès de vos employés vers la réalisation du plan, et elles leur prouvent - d'une manière claire et non équivoque - que leur évolution vous tient à coeur. Si vous démontrez que les plans sont importants pour *vous*, vos employés en feront une priorité.

Mettez au point des plans d'amélioration des performances avec vos employés et respectez-les. Vous serez content de l'avoir fait - et vos employés aussi.

Testez vos nouvelles connaissances

Quelles sont les deux voies de la discipline envers vos employés ?

    A. Problèmes de performance et mauvaise conduite.

    B. Discipline progressive et licenciement.

    C. Conseils et leçons particulières.

    D. Aucune des options ci-dessus.

Quelles sont les trois étapes d'un plan d'amélioration des performances ?

    A. Conseils oral, conseils écrits et mauvaise notation sur les résultats.

    B. Recommandation écrite, avertissement écrit, et réprimande.

    C. Définition des buts, plan d'exécution, et moyens / formation requis.

    D. La première option, la deuxième aussi, et puis la troisième.

Chapitre 16

Se séparer de son personnel[1]

· ·

Dans ce chapitre :

Comprendre les différents types de fins de contrat.

Effectuer des licenciements.

Prendre les précautions nécessaires avant de renvoyer un employé.

Renvoyer du personnel : une approche progressive.

Décider du moment du renvoi.

· ·

Il est dur d'être manager. Si certains vous disent que c'est un métier facile, soit ils plaisantent, soit ils mentent. Un défi, oui. Du changement en permanence, oui. Des satisfactions, oui. Un job facile, non. Et de tout ce dont les managers énergiques ont à traiter habituellement, avoir à licencier du personnel est la tâche la plus dure. Peu importe combien de fois vous l'aurez fait, on ne s'y habitue jamais.

La mécanique du renvoi - donner des objectifs, prendre des renseignements, apprécier les performances, faire preuve de discipline, et remplir des formulaires - n'est pas si lourde. Le morceau le plus dur est la charge émotionnelle qu'il vous faut subir quand vous licenciez quelqu'un - surtout si vous avez travaillé longtemps avec cette personne. Pourtant, c'est quelquefois la seule solution.

Peu importe le mal que vous vous êtes donné pour aider quelqu'un à réussir dans votre entreprise, continuer à employer cette personne n'a parfois plus

---

1. Certains éléments de ce chapitre ont trait à la législation américaine du travail, différente, à bien des égards, de celle en vigueur en France. Nous les avons conservés cependant, à titre "anecdotique", considérant qu'ils n'altéraient pas la pertinence des propos de l'auteur, plus généralistes, sur un sujet aussi sensible (NdE).

aucun sens. La question est la suivante : qui va en premier mettre le doigt sur le problème, et qui va agir ?

Ce chapitre traite des causes, des différents types de renvois, et de la manière exacte de procéder. Vous découvrirez la différence entre un licenciement économique et un renvoi ainsi que l'importance de la documentation pour appuyer vos actes.

Différentes fins de contrats

Quand vous prononcez les mots *fin de contrat*, la plupart des gens pensent à l'acte qui consiste à licencier un travailleur ou une travailleuse qui ne fait pas son travail. Bien qu'un licenciement soit la forme la plus dramatique et potentiellement la plus explosive d'une fin de contrat (demandez simplement son avis à un manager qui a eu affaire à un employé qui a explosé lors de son licenciement), les fins de contrat peuvent prendre plusieurs formes selon la situation.

Il existe deux grands types de fins de contrats : la fin de contrat volontaire et la fin de contrat involontaire. Cette dernière s'accompagnera souvent de cris et de réactions brutales.

Départs volontaires

Les employés peuvent avoir de multiples raisons d'abandonner leur *propre* emploi. Oui, on le sait bien - que *quelqu'un* choisisse de quitter de son plein gré ce petit coin de paradis des travailleurs est dur à avaler, mais il y en a qui le font, et pour toutes sortes de raisons. Quelquefois, ils trouvent ailleurs de meilleurs espoirs de promotion et un salaire plus intéressant, ou bien ils se sentent dans une impasse du point de vue professionnel ou encore ils s'en vont à cause de conflits de personnalité avec leur manager ou avec d'autres employés. Il arrive aussi que des employés quittent l'entreprise à cause du stress, de leur famille, ou pour d'autres raisons personnelles.

Dans certains cas de départ volontaire, vous ne voulez pas laisser partir vos employés ; dans d'autres cas, vous les *encouragez* activement à le faire. Et une fois de temps en temps un employé reste effectivement dans votre entreprise jusqu'à l'âge de la retraite. Il est cependant difficile aujourd'hui de penser que l'on passera sa vie dans la même entreprise.

Ainsi, les principales raisons de départ volontaire d'un employé sont :

- **Démission (non encouragée)** : Une démission non encouragée a lieu quand un employé décide de quitter son emploi dans l'entreprise sans allusion ni proposition de votre part. Malheureusement, les meilleurs employés sont toujours ceux qui démissionnent. S'il est impossible de forcer quelqu'un à rester, vous *pouvez* au moins vous assurer qu'il ne part pas à cause de problèmes qui n'auraient pas été pris suffisamment en considération. Des mouvements importants de personnel dans un certain service, par exemple, traduisent des conditions de travail trop pénibles ou bien indiquent que le superviseur ou le manager a besoin de changer de comportement.

- **Démission (encouragée)** : Une démission encouragée a lieu quand vous suggérez à un employé de quitter son emploi. De telles démissions sont souvent destinées à sauver la face des employés qui sont sur le point d'être licenciés ; au lieu de licencier vos employés, offrez-leur l'occasion de démissionner. Cette approche peut permettre d'adoucir le choc du licenciement, et évite en outre d'avoir à inscrire au dossier de l'employé des remarques négatives.

- **Retraite** : La retraite intervient quand un employé a atteint la fin de sa carrière et décide de quitter enfin son emploi, et pour toujours.

Départs involontaires

Certes, toutes les séparations ne sont pas aussi faciles à traiter que les formes volontaires décrites dans la section précédente. Les départs involontaires sont rarement des expériences anodines - ni pour l'employé ni pour l'employeur -, et il faut vraiment que vous vous trouviez dos au mur pour invoquer la sanction ultime contre l'employé. Il y a deux types de départs involontaires :

- **Licenciements économiques** : *Un licenciement économique*, aussi appelé *compression d'effectifs*, a lieu quand une entreprise décide de se séparer d'un certain nombre d'employés pour des raisons financières. Si, par exemple, votre entreprise vient de perdre quelques contrats décisifs, et par conséquent le revenu qui aurait dû en découler, elle n'a pas d'autre choix que de réduire la masse salariale par des licenciements.

  Chaque entreprise a sa propre politique pour décider du choix des personnes à inclure dans le plan de licenciement. Quelquefois, le dernier embauché est le premier à partir, sauf s'il s'avère être un très bon élément. La plupart des entreprises embaucheront en priorité ceux qu'elle avait auparavant licenciés, une fois l'équilibre financier retrouvé.

- **Renvois** : Les employés sont renvoyés quand il ne reste plus d'espoir de les voir améliorer leurs performances, ou quand ils ont commis une faute très grave.

Une décision de la cour du Tennessee en 1884 *(Paynee v. Western & A.R.P. Co, 81 Tenn. 507)* a établi la règle du licenciement sans justification. Cette règle stipule que les employeurs ont le droit de licencier des employés quelle qu'en soit la raison - et même sans raison - a moins qu'un contrat entre l'employeur et l'employé ne précise explicitement l'interdiction d'un tel acte. Cependant, plus de cent ans de jurisprudence, d'accords syndicaux et de lois gouvernementales ou fédérales ont émoussé la faculté pour les employeurs de licencier des employés sans justification. Le gouvernement fédéral, en particulier, a exercé une influence primordiale sur la règle du licenciement sans justification, en particulier dans les cas de discrimination envers des employés pour toutes sortes de raisons.

Les règlements fédéraux comme les Droits civils de 1964, l'Acte d'égalité devant l'emploi de 1991, l'Acte sur la discrimination par l'âge, et autres, interdisent le renvoi de travailleurs à cause de leur âge, leur race, leur sexe, leur couleur, leur religion, leur origine, ou d'autres critères dûment spécifiés au niveau fédéral. Ignorer ces interdictions entraîne de désagréables et coûteuses procédures judiciaires. La simple *apparence* d'une discrimination dans le processus de licenciement peut vous attirer des ennuis. En réalité, la plupart des anciens employés qui entament des procédures aujourd'hui à propos d'un licenciement douteux gagnent leur procès.

De bonnes raisons pour se débarrasser d'un employé

Tant que vous ne faites pas preuve de discrimination envers vos employés quand vous les renvoyez, vous conservez *encore* une grande liberté d'action en tant que manager. Bien que vous ayez généralement le droit de renvoyer des employés selon votre bon plaisir, vous pouvez avoir la désagréable impression de glisser sur une fine couche de glace légale selon les motifs précis que vous invoquerez pour justifier le renvoi.

Tout le monde est en général d'accord, certains comportements méritent le renvoi et sont considérés comme des *infractions intolérables* qui demandent une sanction immédiate - pas une recommandation orale, ni un avertissement écrit, ni une réprimande, ni une suspension. Les renvois immédiats et sans équivoque sont :

- **Les agressions verbales** : L'agression verbale comprend les jurons, le harcèlement verbal répété, les insultes malveillantes, etc. Vos employés ont le droit d'exercer leur travail dans un lieu où ils n'auront pas à souffrir d'agressions verbales. Et attaquer verbalement des clients ou des collègues n'est pas ce qu'il y a de plus propice aux affaires. Si malgré votre avertissement, un employé continue, vous pouvez le renvoyer sans crainte de répercussions légales.

- **L'incompétence** : Malgré vos efforts incessants pour les former, quelques employés ne semblent tout simplement pas à leur place dans leur travail. Si vous avez essayé de les aider et s'ils ne peuvent toujours pas accomplir leur tâche d'une manière acceptable, la séparation est de toute évidence dans l'intérêt et de l'employé et de l'entreprise.

- **Les retards répétés et sans excuse** : Vous comptez sur vos employés pour qu'ils accomplissent leur travail dans les délais impartis. Non seulement l'absence de ponctualité met en péril la capacité de vos employés d'accomplir leur tâche à temps, mais elle représente un danger *très grave* pour ceux qui sont ponctuels. Si votre personnel continue à arriver en retard *après* que vous l'aurez prévenu que vous ne pouvez plus tolérer cette attitude, vous avez le terrain libre pour le renvoi.

- **L'insubordination** : L'insubordination - le refus délibéré d'accomplir son devoir - est une bonne raison pour un renvoi immédiat et sans avertissement. Bien qu'il ne soit pas rare pour des responsables d'encourager leurs employés à chercher à connaître le *pourquoi* des décisions, une fois la décision prise, les employés doivent s'y conformer. S'ils sont réticents à vous suivre, la relation de base employeur-employé est rompue, et vous n'avez pas à le tolérer.

- **La violence physique** : Beaucoup d'entreprises prennent très au sérieux la violence, ou les menaces de violence, perpétrée par les employés. Ces derniers doivent pouvoir travailler dans une ambiance sûre. La violence physique met en danger la sécurité de vos employés et les distrait de leur travail. Si un employé menace des collègues, des clients, ou autres, de violence physique, et s'il met à exécution une menace violente, vous pouvez renvoyer cet employé sur-le-champ.

- **Les vols** : Le vol de biens appartenant à l'entreprise, aux collègues ou aux clients est un autre acte impardonnable. Ceux qui se font prendre la main dans le sac peuvent être immédiatement renvoyés sans avertissement préalable. Si vous décidez de renvoyer quelqu'un pour vol, et si vous avez la preuve concrète qu'il a bien commis un tel acte, vous êtes couvert d'un point de vue légal.

- **L'ivresse au travail** : Bien que le fait d'être ivre ou sous l'influence de drogues au travail soit un motif suffisant pour un renvoi immédiat, beaucoup d'entreprises offrent aujourd'hui à l'employé la possibilité de suivre un traitement avec le programme d'assistance aux employés ou bien de s'inscrire à une association comme les Alcooliques anonymes. Dans de nombreux cas, les employés peuvent se corriger eux-mêmes et ainsi retourner à leur travail.

- **La falsification de documents** : Falsifier des documents est une faute très grave, qui peut conduire à un renvoi immédiat. Cette catégorie inclut la fourniture d'informations fausses durant le processus d'embauche (fausses écoles, diplômes, emplois précédents, etc.), et la production de toute information frauduleuse dans la vie professionnelle (fausses notes de frais, fausses cartes de pointage, triche aux examens, etc.).

Raisons qu'ont certains managers de refuser l'inévitable

Comme vous le savez, renvoyer un employé n'est pas la manière la plus agréable de passer un après-midi. La plupart des managers préféreraient avoir autre chose à faire. *Rémy, que penses-tu d'une petite brasse dans le bac à requins ?* Même si les motifs évoqués ci-dessus sont indiscutables et ont un poids suffisant pour obtenir un renvoi, la tâche n'en est pas moins lourde pour autant.

Certains managers évitent d'avoir recours à un renvoi pour les raisons suivantes :

- **Peur de l'inconnu** : Renvoyer un employé peut être une perspective terrifiante - et spécialement si cela vous arrive pour la première fois. Votre employé va-t-il se mettre à pleurer ? Va-t-il avoir une crise cardiaque ou une congestion ? Devenir fou ? Vous taper dessus ? Ne vous inquiétez pas, pour tout manager, il y a une première fois. Malheureusement, pour la dernière fois, il vous faudra attendre de partir à la retraite.

- **Attachement affectif** : Si l'on considère que vous allez passer d'un quart à un tiers de votre vie éveillée au travail, vous lier d'amitié avec certains de vos employés est normal. C'est parfait jusqu'au moment où vous devez faire preuve de discipline ou renvoyer un ou plusieurs de vos amis. Laisser partir *n'importe quel* employé est déjà pénible, ça l'est davantage encore si vous avez développé avec lui une relation affective.

- **Crainte de vous déconsidérer vous-même** : Si vous avez à renvoyer l'un de vos employés, comment allez-vous vous juger vous-même en tant que manager ? Dans le cas d'un licenciement économique, n'est-ce pas *votre* faute si l'entreprise n'a pas atteint ses objectifs ? Si vous renvoyez un employé, n'est-ce pas *vous* qui avez fait le mauvais choix en embauchant cette personne ? Beaucoup de managers auraient tendance à blâmer la performance de leurs employés plutôt que d'avouer leurs propres faiblesses - qu'elles soient réelles ou supposées.

- **Risque de procédure légale** : La peur d'une attaque en justice est souvent suffisante pour faire s'arrêter en dix mètres un élan lancé à pleine vitesse. En ces temps de sauve-qui-peut, de poursuites pour une goutte sur un chapeau (ou pour une tasse de café renversée), il n'est pas étonnant que les managers aient une peur bleue de renvoyer leurs employés.

- **Espoir de voir le problème disparaître** : Ouais, d'accord. Ne retenez pas votre souffle trop longtemps.

Procéder à un licenciement économique

Appelez-le comme vous voudrez : une diminution d'effectifs, une restructuration, un ajustement, une réorganisation ou autre. Les causes et les conséquences n'en changeront pas pour autant. Votre *entreprise* doit effectuer une coupe dans les salaires et dans les dépenses liées au personnel, et certains de vos *employés* doivent partir.

Les licenciements économiques, bien qu'à juste titre traumatisants pour ceux qui en sont victimes, sont différents des renvois, car ici les employés ne sont pas directement en faute. Ce sont en général de bons employés qui ont appliqué le règlement. Ils sont productifs et font bien leur travail. Ils sont honnêtes et consciencieux. Les vrais coupables sont en général des facteurs *externes* comme l'évolution des marchés, les fusions et les acquisitions, et la pression d'un marché global compétitif.

S'il ne vous reste d'autre choix que de procéder à un licenciement économique, suivez pas à pas le guide.

1. **Evaluer l'importance du problème et préciser les secteurs qui seront affectés.**

   Quelle profondeur a le trou financier dans lequel votre entreprise a plongé ? Y a-t-il un espoir de conjurer le sort ? Si certains produits ou services ne se vendent plus, quels sont les secteurs affectés ?

2. **Geler l'embauche.**

   Embaucher des employés alors qu'un licenciement économique est en cours n'a pas de sens, à moins que le poste à pourvoir ne soit *absolument* critique - par exemple, si une réceptionniste s'en va, et si vous avez besoin de quelqu'un pour répondre au téléphone et recevoir des visiteurs. Non seulement vous risquez de licencier un nouvel embauché, mais embaucher à ce stade est néfaste pour vos employés actuels : vous ne vous souciez pas de leur sort.

3. **Préparer un projet de liste d'employés à licencier.**

   Après avoir évalué l'étendue du problème et défini les secteurs touchés, l'étape suivante est de déterminer lesquels seront licenciés. Il est de la plus grande importance à ce stade de distinguer ceux de vos employés qui ont le plus d'adresse et d'expérience dans les domaines importants de votre entreprise. Les premiers sur la liste de départ sont généralement ceux dont l'adresse et l'expérience ne correspondent pas aux besoins de votre entreprise.

4. **Annoncer à l'avance à vos employés les licenciements prévus.**

   Une fois la nécessité d'un licenciement économique établie, avertissez immédiatement vos employés, et bien avant la date prévue pour le licenciement. Expliquez franchement les difficultés financières, ou autres, auxquelles votre entreprise doit faire face, et invitez vos employés à faire des suggestions pour réduire les coûts et accroître la production. Il peut arriver que leurs propositions vous permettent de faire assez d'économies pour que le licenciement soit évité, ou pour qu'au moins son impact soit moins néfaste à votre entreprise. Optez pour une communication sans bornes.

5. **Etudiez minutieusement les alternatives au licenciement.**

   Pouvez-vous réduire les coûts en améliorant les méthodes, par des rétrogradations ou des retraites anticipées ? Pouvez-vous transférer des employés vers des services plus sains financièrement ? Pouvez-vous faire des économies sur des dépenses discrétionnaires telles que les frais de déplacement, les rénovations de locaux, ou en différant des investissements ?

6. **Préparer la liste définitive des employés à licencier.**

   Après avoir remué ciel et terre pour dénicher des moyens de faire des économies, vous devez maintenant préparer la liste des employés à licencier. La liste devra être établie de manière que, en cas de changement, vous puissiez en extraire les employés à conserver. Beaucoup d'entreprises ont des procédures standard pour classer les employés à licencier - en particulier s'ils sont représentés par un syndicat.

   Ces procédures favorisent généralement les employés permanents par rapport aux employés temporaires, et tiennent compte de l'ancienneté et des performances qui permettent de déterminer ceux qui restent et ceux qui doivent partir. Si vous *n'avez pas* de telles règles, c'est à vous de décider des critères que vous appliquerez pour licencier. Dans ce cas, il vous faudra tenir compte de l'expérience des employés et du temps qu'ils ont passé dans l'entreprise. Prenez soin

de ne pas manifester de discrimination envers des travailleurs proté-
gés - les employés âgés, par exemple - qui sont productifs.

7. **Avertir les employés concernés.**

A présent, beaucoup d'employés sont virtuellement paralysés par la
peur d'être renvoyés. Dès que vous avez mis un point final à la liste des
licenciés, prévenez les employés concernés. Des entretiens privés et
personnels sont le meilleur moyen de leur remettre leur notification.

8. **Aider les employés licenciés dans leurs démarches pour retrouver
un emploi.**

Si vous en avez le temps et les moyens, aidez les employés licenciés à
retrouver du travail ailleurs, conseillez-les. Votre entreprise peut leur
apprendre certaines choses, comme rédiger un curriculum vitae, préparer un plan de financement, passer un entretien, utiliser un réseau, et
leur permettre d'utiliser ses ordinateurs, ses fax et téléphones dans leur
recherche d'emploi. N'hésitez pas à leur donner des pistes ou à leur
procurer des contacts.

9. **Licencier.**

Rencontrez un par un les employés licenciés pour fixer les arrange-
ments et finaliser les divers formulaires de licenciement. Eclaircissez-
les sur les indemnités de licenciement, sur la poursuite de la participation aux bénéfices, et sur les autres aides accordées par l'entreprise.
Récupérez les clés, les badges, et tout l'équipement appartenant à
l'entreprise. Accompagnez vos nouveaux licenciés, ex-employés, à la
porte des locaux et souhaitez-leur bonne chance.

10. **Reprenez en main les "survivants".**

Rassemblez les employés restants en un meeting fraternel pour leur
dire que, maintenant que les licenciements ont pris fin, l'entreprise est
à nouveau sur la bonne voie. Dites-leur que, afin d'éviter de futurs
licenciements, il leur faudra se serrer les coudes pour surmonter cette
crise passagère ; dans les affaires il y a des hauts et des bas.

Attention : avant de renvoyer un employé...

Si le concept de la soumission des employés au bon vouloir de l'employeur
n'est pas *encore* mort, c'est tout comme, tant les garde-fous entourant un
renvoi sont maintenant nombreux. Renvoyer un employé est déjà assez
désagréable en soi pour ne pas en plus être traîné devant les tribunaux pour
licenciement abusif. Le problème est que, bien que beaucoup d'entreprises
aient des procédures claires pour appliquer la discipline, certains managers

en arrivent à les oublier dans le feu de l'action. Des détails apparemment mineurs négligés peuvent mener à des préjudices financiers *majeurs* en faveur des anciens employés.

Avant de renvoyer un employé, assurez-vous que vous respectez les conditions suivantes et que vous avez toutes les cartes bien en main.

- **Preuves** : Rappelez-vous la règle : des preuves, des preuves, et encore des preuves. Si vous renvoyez un employé pour production insuffisante, vous avez intérêt à avoir en main des rapports de production pour appuyer vos dires. Si vous renvoyez un employé pour vol, vous avez intérêt à posséder la *preuve* qu'il est un voleur. Cette règle est *toujours* vraie quand vous prenez des sanctions contre votre personnel, et elle est *particulièrement* vraie quand vous renvoyez un employé.

- **Avertissement dans les règles** : Avez-vous précisé clairement et *à l'avance* à vos employés leurs objectifs de production ? Leur avez-vous expliqué la politique et les usages de l'entreprise en même temps que vos attentes ? Avez-vous prévenu explicitement vos employés de ce qui les attendait si leur performance demeurait insuffisante ? D'après la tradition du Droit américain sur les procédures légales, renvoyer un employé sans avertissement pour des raisons liées à la *production* est généralement considéré comme injuste. Cependant, certains types de comportement, incluant la violence physique, les vols et les fraudes, sont des motifs de renvoi immédiat et sans avertissement.

- **Temps de réponse** : Avez-vous donné à vos employés assez de temps pour améliorer leurs performances ? Le délai jugé raisonnable pour une amélioration dépend de la nature du problème considéré. Si, par exemple, il s'agit d'un manque de ponctualité, vous pouvez exiger un changement immédat d'attitude. Cependant, si l'employé doit améliorer ses résultats sur un projet long et complexe, cela peut lui prendre des jours ou des mois.

- **Réalisme** : Les règlements et politiques de votre entreprise sont-ils raisonnables ? Les objectifs de production que vous fixez à votre personnel peuvent-ils être atteints par un travailleur ordinaire ? La sanction n'est-elle pas disproportionnée par rapport à la faute ? Mettez-vous dans la peau de l'employé. Si *vous* étiez licencié, considéreriez-vous les motifs de licenciement comme justifiés ? Soyez honnête !

- **Possibilité de faire appel** : Votre entreprise offre-t-elle à vos employés les moyens de faire appel de votre décision à des échelons hiérarchiques supérieurs ? Encore une fois, la tradition de juste procédure veut qu'il existe une voie que vos employés puissent suivre pour défendre leur cas à plus haut niveau. Un superviseur direct est quelquefois trop proche du problème ou trop impliqué affectivement, ce qui peut provoquer des erreurs de jugement qu'une personne qui n'est pas personnellement concernée par la situation remarquera immédiatement.

Le grand jour : renvoyer un employé

Ne l'oubliez pas : si votre rôle est de dénoncer les insuffisances de vos employés et de les aider à atteindre la production demandée, ils sont en fin de compte responsables de leurs performances et de leur comportement. Si vous devez prendre la dernière sanction disciplinaire avant le renvoi, faites-leur comprendre que la responsabilité et le choix leur incombent : ce n'est pas à vous qu'il revient de faire le dernier pas. Soit ils améliorent leurs performances, soit ils s'en vont. Ils n'ont pas d'autre choix.

En supposant que l'employé a fait son choix, et qu'il a affirmé qu'il ne pourrait pas produire plus, c'est à *vous* maintenant de choisir. Vous pouvez à ce moment-là décider de le renvoyer avant qu'il ne cause des dommages supplémentaires à votre entreprise.

Lorsque vous décidez de renvoyer des employés, vous devez garder deux objectifs à l'esprit. Premièrement, donner une explication claire du renvoi. Selon les experts judiciaires, beaucoup d'employés attaquent l'entreprise pour licenciement abusif simplement dans l'espoir de découvrir la raison *réelle* de leur renvoi. Deuxièmement, efforcez-vous de minimiser la rancune de l'employé envers votre entreprise et vous-même en prenant des mesures pour qu'il conserve sa dignité au cours du processus de licenciement. Le monde est assez dangereux comme ça pour ne pas risquer le courroux d'anciens employés déstabilisés.

C'est lors d'un tête-à-tête dans votre bureau ou dans un endroit privé que vous devez renvoyer un employé. La rencontre doit être brève et axée uniquement sur son but : donnez-vous cinq à dix minutes pour cela. Un entretien de licenciement n'est ni une discussion ni un débat. Votre tâche est d'informer votre employé qu'il va être licencié. L'entretien ne sera pas drôle, mais gardez à l'esprit que vous avez pris la meilleure décision pour tous ceux qui sont concernés.

- **Dites à l'employé qu'il est renvoyé** : Faites simplement état sans équivoque de la décision que vous avez prise de le renvoyer. Faites-lui bien remarquer qu'il a été tenu compte de tous les faits, que votre décision a été pesée et acceptée à tous les niveaux de la hiérarchie de votre entreprise, et que cette décision est *irrévocable*. Si vous avez bien préparé le terrain et appliqué des sanctions disciplinaires progressives dans le but de corriger le comportement de votre employé, la nouvelle ne sera pas une surprise. Naturellement, quelles que soient les circonstances, un renvoi secoue *n'importe qui*.

- **Expliquez dans le détail pourquoi l'employé est renvoyé** : Si le renvoi est causé par une mauvaise attitude, rappelez la règle qui a été enfreinte et précisez de quelle manière votre employé l'a transgressée. Si le renvoi est dû à l'incapacité pour l'employé d'atteindre les objectifs de production fixés, rappelez-lui les conseils que vous lui avez donnés et les tentatives pour améliorer sa performance, ainsi que les incidents consécutifs qui vous ont conduit à prendre la décision du renvoi. Collez aux faits.

- **Précisez la date effective du licenciement et donnez des détails sur le processus de licenciement** : Un renvoi prend généralement effet le jour de l'entretien de licenciement. Retenir plus longtemps un employé licencié est maladroit pour vous et pour lui et doit être évité à tout prix. Si vous lui devez une indemnité de licenciement ou tout autre dédommagement, expliquez-le à votre employé, ainsi que ce qu'il doit faire pour récupérer ses effets personnels. Parcourez avec lui les clauses de licenciement et expliquez-lui comment il va toucher son solde.

Un renvoi peut être assez traumatisant pour un employé quand il en prend connaissance. Attendez-vous à tout. Alors qu'un employé peut immédiatement s'effondrer, un autre peut devenir hostile et vous injurier. Afin de résoudre de telles situations, pensez à appliquer les méthodes suivantes :

- **Compatissez à la situation de votre employé** : N'essayez pas d'édulcorer votre propos, mais soyez compatissant. Les nouvelles que vous venez d'annoncer sont parmi les pires que quelqu'un puisse recevoir. Si votre employé craque psychologiquement et se met à pleurer, n'essayez pas de le retenir - passez-lui un mouchoir et allez-vous-en.

- **Soyez objectif et ferme** : Même si votre employé s'effondre, vous devez garder une attitude calme et professionnelle pendant l'entretien de licenciement. Ne laissez pas votre employé s'imaginer qu'il participe à une négociation ou qu'il peut espérer vous faire changer d'opinion. Soyez ferme en insistant sur le fait que la décision est définitive et ne peut être modifiée.

- **Gardez l'entretien sur ses rails** : Même s'il peut être approprié de laisser votre employé exprimer ses sentiments, ne le laissez pas dévier l'entretien de son but principal qui est de l'informer que la décision de le renvoyer a été prise. Si l'employé devient insistant, avertissez-le que vous allez mettre immédiatement fin à l'entretien s'il ne peut se contrôler.

Il vous sera peut-être utile de préparer un texte que vous lirez durant l'entretien de licenciement, car il vous assure que vous n'oubliez aucun fait important ; vous aurez ainsi immédiatement un rapport à classer dans le fichier personnel de l'employé.

Ci-après un exemple de texte pour licencier un employé dont les performances restent insuffisantes :

"Katie, nous avons décidé qu'aujourd'hui serait votre dernier jour dans notre entreprise. La raison en est que vous n'êtes pas capable de respecter les objectifs de production sur lesquels nous nous sommes mis d'accord lors de votre embauche l'année dernière. Comme vous le savez, nous avons discuté à plusieurs reprises au cours de l'année passée de votre échec à respecter les normes. En particulier, la recommandation écrite que je vous ai remise le 5 octobre vous précisait que vous aviez un mois pour atteindre les objectifs ou alors vous seriez renvoyée. Vous n'avez pas atteint ce but, et je n'ai donc d'autre choix que de mettre fin à votre contrat, à compter d'aujourd'hui. Christiane, notre chef du personnel, est ici pour discuter avec vous de votre solde et de votre participation, et pour récupérer les clés de votre bureau et le mot de passe de votre répondeur."

Quel est le meilleur moment pour licencier ?

Chaque manager a sa propre idée du meilleur jour de la semaine ou du meilleur moment de la journée pour licencier un employé.

Nous pensons qu'il vaut mieux procéder à des licenciements le vendredi. Votre employé aura ainsi le week-end pour reprendre ses esprits. Si vous renvoyez un employé le lundi, vous chamboulez totalement sa routine.

Maintenant, quelle est la meilleure heure pour licencier ? Là aussi pensez à la règle "le plus tard, c'est le mieux". En fin de journée, il ne restera plus beaucoup d'employés pour commenter ce qui se passe. Votre employé pourra récupérer ses effets personnels en conservant sa dignité et son amour-propre. De plus, il aura moins de facilité pour donner un coup de fil hargneux à votre patron ou pour s'en prendre à vos clients ou collègues.

Si vous licenciez vos employés plus tôt dans la journée, ils devront rencontrer leurs collègues et leur expliquer pourquoi ils ramassent leurs affaires et pourquoi le gardien se tient prêt à les escorter hors des locaux. Votre but n'est pas de punir ou d'humilier - vous voulez que le licenciement se passe de la manière la plus indolore et la plus humaine possible. Aidez-les à sauver la face en programmant l'entretien de licenciement à un moment où vous pourrez éviter que trop de monde ne soit au courant.

Testez vos nouvelles connaissances

Quels sont les deux types de départs involontaires ?

A. Retraite et démission.

B. Démission et renvoi.

C. Licenciement et retraite.

D. Licenciement et renvoi.

Donnez quelques bonnes raisons pour renvoyer un employé :

A. Incompétence, insubordination, vol et falsification de documents.

B. Mauvaise attitude, trouver à redire à tout, mépriser l'autorité, demander une augmentation, et parler avant d'y être invité.

C. Quitter le travail trop tard, ne pas faire de pauses, oublier d'éteindre la bouilloire à café, travailler le week-end et ramener du travail à la maison.

D. Aucune des raisons ci-dessus.

Sixième partie
Moyens et techniques du management

*"Les nouvelles technologies m'ont réellement aidé à m'organiser.
Je garde mes rapports de projet sous le PC, les budgets
sous le portable et les mémos sous le modem."*

Dans cette partie...

Bien qu'il ne soit pas obligatoire d'être un magicien de la technique pour être manager, ça paye d'être familier avec quelques-uns des outils clefs et des technologies qui commandent les affaires aujourd'hui. Dans cette partie, nous examinons les bases de la comptabilité et du budget, et la place relative occupée par l'informatique.

Chapitre 17
Budgétisation, comptabilité et autres questions financières[1]

....

Dans ce chapitre :

Etablir votre budget.

Astuces budgétaires.

Comprendre les règles de base de la comptabilité.

Interprétation des états financiers.

....

Ce qui fait marcher les sociétés, c'est l'argent. Quel que soit le dynamisme de votre service, l'originalité de vos produits ou la motivation de votre personnel, sans argent, votre situation est des plus précaires. En cas de baisse des bénéfices et si votre budget est très serré, il faudra rapidement prendre des mesures appropriées pour redresser la situation (optimiser vos compétences et réorganiser votre réseau de relations commerciales).

Il est indispensable, pour un manager, de connaître les bases du budget et de la comptabilité. Quand vos collaborateurs parlent de *coûts salariaux,* de *fonds de roulement, de compte de résultat* et de *bilan*, vous êtes sans doute embarrassé de ne pas pouvoir participer à la discussion. Mais rassurez-vous, vous n'avez pas besoin d'une maîtrise de gestion pour comprendre ces concepts de base.

Si les ordinateurs et les réseaux informatiques constituent le système nerveux d'une société, la comptabilité et la finance (de même que l'argent ainsi comptabilisé et manipulé) en sont les éléments vitaux, comparables aux veines, aux artères et aux globules du corps humain. Si votre affaire manifeste quelques signes de faiblesse et que tout commence à vaciller, il est temps d'injecter des liquidités.

---

1. Attention : les éléments comptables évoqués dans ce chapitre sont ceux d'une société américaine. Il peut de ce fait exister des différences avec leurs équivalents français.

Dans ce chapitre, l'accent est mis sur l'importance du budget et de sa préparation grâce à l'application de certaines astuces. Nous évoquons ensuite les concepts de comptabilité *de survie*. Notre objectif n'est pas de faire de vous un comptable, mais d'éliminer cet air désemparé que vous arborez chaque fois que quelqu'un commence à parler de bilans ou de fonds de roulement. Et n'oubliez pas : même si vous travaillez pour un service gouvernemental ou pour une organisation à but non lucratif, et que certains de ces concepts, pour l'instant, ne vous concernent pas, il se pourrait qu'un jour vous soyez amené à travailler dans le secteur privé !

Le monde merveilleux des budgets

Les budgets donnent un aperçu des performances *futures* par rapport auxquelles les gestionnaires évaluent leurs performances *effectives*. Ce sont les systèmes comptables qui retranscrivent les résultats réels et permettent de générer des rapports comparatifs. Forts de ces informations, les gestionnaires investis de responsabilités budgétaires peuvent établir des diagnostics sur la santé financière de leurs activités.

Admettons, par exemple, que le dernier rapport comptable indique que les ventes sont trop faibles par rapport au budget. Le manager (*vous-même* en l'occurrence) devra en comprendre la raison. Vos prix sont-ils trop élevés ? Peut-être que votre force de vente a du mal à faire livrer rapidement les produits aux clients ou que la concurrence a mis au point un nouveau "truc" qui rend vos produits moins attrayants ? Les coûts salariaux dépassent-ils votre budget ? Peut-être que vos employés font trop d'heures supplémentaires ou qu'une réduction de la qualité a induit une augmentation du travail requis pour rectifier ultérieurement les erreurs. Mais cela pourrait tout simplement s'expliquer par des salaires trop élevés.

Mais puisque les sociétés évoluent constamment, pourquoi s'embarrasser de budgets ? De fait, à quoi bon tous ces efforts alors qu'à peine achevé, un budget est déjà périmé ? De toute évidence, il devient de plus en plus difficile de programmer les performances, étant donné l'évolution constante du monde environnant. Pourtant, cette programmation est indispensable. Sans un programme et un objectif à long terme, votre société sera dépourvue d'orientation définie et les ressources gaspillées, car les employés n'auront pas de mission précise à remplir. Un budget, c'est une prévision raisonnée, qui reflète vos projets à long terme et vous aide à les réaliser. Il met en évidence le coût de recrutement du personnel, des investissements et des équipements requis. En outre, vous pouvez modifier ce budget à tout moment. Les budgets les meilleurs sont modulables - et non pas figés.

Ceux d'entre vous qui sont déjà des managers expérimentés *savent* reconnaître l'importance cruciale des budgets. Un *budget* correspond au financement total nécessaire pour réaliser les projets de la société. C'est grâce aux budgets que les projets se *réalisent*. En travaillant en collaboration avec les subordonnés pendant le processus de budgétisation, les hauts responsables peuvent avoir un impact énorme sur l'orientation d'une société et de ses employés. Réciproquement, les employés subalternes peuvent également jouer un rôle majeur pendant la budgétisation, par le biais des demandes budgétaires qu'ils soumettent à la direction pour approbation.

Les budgets déterminent le nombre d'employés et les salaires correspondants, les ressources financières dont la société dispose pour améliorer l'environnement de travail ou acheter le matériel de bureau requis, tel que les ordinateurs et les photocopieurs, de même que les fonds disponibles pour les projets. Sans oublier qu'ils vous permettent d'exploiter le tableur onéreux acheté, l'année passée, par la société.

Mais les budgets remplissent une autre fonction critique : c'est une référence par rapport à laquelle vous pouvez évaluer la progression vers les objectifs fixés. Ainsi, il est possible que, arrivé à la moitié de l'exercice fiscal, vous ayez dépensé 75 % des fonds d'exploitation prévus. Vous vous apercevrez alors immédiatement qu'il y a un problème potentiel s'il y a un décalage entre le montant de vos dépenses et les objectifs à réaliser. Cela signifie, soit que vous avez sous-estimé vos dépenses pour l'exercice, soit que vous avez trop dépensé. Chaque fois que les résultats *budgetés* et *réels* sont en désaccords ou différents, il incombe au manager concerné d'en rechercher la *raison*.

Les budgets vous donnent également l'occasion de faire toutes sortes de graphiques et de tableaux compliqués, qui ne manqueront pas d'impressionner vos employés ou vos supérieurs. Imaginez-vous dans la salle de réunion plongée dans la pénombre, chacun des membres de l'audience captivé par votre exposé alors que vous projetez successivement des tableaux en couleur, multiniveaux et pour finir de beaux graphiques en barres en trois dimensions. A l'aide de la télécommande, vous maîtrisez parfaitement la situation. Pour capter l'attention d'un groupe de managers, rien de tel que des chiffres présentés de manière intéressante !

En fonction de la taille de votre société, le processus de budgétisation peut être assez simple, ou inversement, extrêmement complexe. Indépendamment de ce critère, vous pouvez programmer le budget de n'importe quel secteur. Voici quelques exemples types :

- **Budget du personnel :** Il répertorie le nombre et l'intitulé de tous les postes d'une société, de même que les salaires budgétés pour chacune des positions.

- **Budget des ventes :** C'est une évaluation du nombre total de produits ou de services qui seront vendus pour une période donnée. Le chiffre d'affaires total est déterminé en multipliant le nombre d'unités par le prix par unité.

- **Budget de production :** Il prend en compte le budget des ventes et ses évaluations de quantités d'unités à vendre et transpose ces chiffres en coûts salariaux, matériels et autres dépenses requises pour les produire.

- **Budget de frais généraux :** Il inclut toutes les dépenses diverses qu'un service est susceptible d'effectuer dans le cadre de ses activités courantes. Vous devrez entre autres comptabiliser les déplacements, la formation, les fournitures de bureau, etc.

- **Budget d'investissement :** Il inclut les projets d'acquisition d'immobilisations telles que le mobilier, les ordinateurs, les outils de production, les installations et autres éléments d'exploitation.

Etablir un budget

Il y a deux méthodes possibles pour établir un budget : la bonne et la mauvaise. La *mauvaise* méthode consiste à faire une photocopie du dernier budget et à la soumettre à titre de nouveau budget. La *bonne* méthode consiste à réunir les informations de sources aussi variées que possible, à les réviser, à vérifier leur exactitude et ensuite à faire appel à votre bon sens pour faire des prévisions. Un budget est une *prévision* - une prédiction de l'avenir - qui n'est valide que dans la mesure où les informations correspondantes sont exactes et votre jugement approprié.

Comment se fait concrètement l'élaboration d'un budget ? D'où vient l'information ? A qui doit-on s'adresser ? Les possibilités semblent infinies. Toutefois, les *experts* de la budgétisation savent qu'une fois déterminés les coûts d'exploitation - et leur origine -, le processus de budgétisation est de fait relativement aisé à réaliser. Il suffit de passer quelques coups de fil, d'organiser quelques réunions, de consulter certains rapports comptables récents et de faire un peu de calcul. Et miracle ! votre budget est fait. Certes, la procédure est quelquefois un *peu* plus compliquée. Nous vous rappelons ci-après les étapes de base de la réalisation d'un budget :

- **Examinez attentivement les documents et les instructions relatifs à la budgétisation.** Il est toujours utile d'étudier avec attention les documents de budgétisation avec lesquels vous travaillez *et* de lire toutes les instructions stipulées par le personnel comptable. Il se peut que votre société suive la même procédure depuis des années, mais celle-ci pourrait très bien changer.

Peter a récemment passé plus d'heures qu'il ne souhaiterait l'admettre à préparer un budget annuel pour l'assurance responsabilité civile et immobilière de la société - tâche routinière qu'il exécute tous les ans. Mais après avoir lu les instructions de budgétisation, il s'est aperçu que cet élément particulier n'avait plus besoin d'être pris en compte. *Pas de chance !*

- **Sollicitation de l'avis du personnel.** Quand vous commencez à élaborer les prévisions budgétaires, consultez votre personnel. Dans certains cas, vous aurez besoin d'informations spécifiques pour établir des prévisions exactes. Ainsi, vous aurez peut-être besoin de savoir combien de déplacements votre personnel commercial envisage de faire l'an prochain et les destinations correspondantes. Dans d'autres cas, seules des suggestions vous intéresseront. Un employé pourrait vous demander d'inclure une augmentation de salaire dans le prochain budget. Un autre pourra vous signaler que le système téléphonique n'est plus adéquat pour satisfaire les besoins des employés et de la clientèle, et qu'il faudrait en prévoir un autre. Dans tous les cas, votre personnel vous fournira des informations utiles et importantes.

- **Collecte de données.** Faites des photocopies des budgets et des rapports comptables précédents et comparez les chiffres prévisionnels avec les chiffres réalisés. Les budgets antérieurs ont-ils été dépassés ou les dépenses sont-elles moins élevées que prévu ? Dans quelles proportions ? Si aucune donnée historique n'est disponible, trouvez d'autres sources d'information susceptibles d'aider à l'élaboration de vos prévisions budgétaires. Quelles sont les activités que vous avez l'intention d'effectuer pendant la prochaine période et quels seront les coûts correspondants ? Evaluez si vous aurez besoin de recruter du personnel supplémentaire, de louer de nouveaux équipements ou d'acheter du matériel ou des fournitures. En outre, il faut envisager des augmentations ou des baisses importantes éventuelles des ventes ou des dépenses et analyser leur impact sur votre budget.

- **Sens critique.** Il est indispensable d'exploiter des données fiables et des faits objectifs lors de la budgétisation. Ils constituent une source d'information impartiale et non subjective pour étayer vos décisions. Toutefois, cela n'est pas suffisant - loin de là. La budgétisation est à la fois une *science* et un *art*. En tant que responsable, votre travail consiste à étudier les données et les faits et ensuite à exercer votre propre jugement pour déterminer les scénarios les plus probables.

Ainsi, tous les ans, Peter prévoit un budget plus important pour des dépenses de maintenance exceptionnelles. De la sorte il sait que si un *événement* inattendu survient pendant l'exercice, il aura assez d'argent disponible dans son budget pour y faire face. Par exemple, si le grand patron décide de construire 20 bureaux supplémentaires ou de tapisser tout l'intérieur du bâtiment avec du papier rose, les fonds sont disponibles.

Au départ, un jeune manager a peu d'expérience et a donc naturellement tendance à se fier principalement aux informations reçues. Mais avec le temps, il se familiarisera dans les domaines de la gestion et de la budgétisation, et fera, petit à petit, prévaloir son expérience et son jugement personnels.

- **Saisie des chiffres.** En fonction de la structure de votre société, vous remplirez les formulaires sur les prévisions budgétaires et les expédierez à vos collègues responsables du traitement ou vous saisirez vous-même les chiffres dans le modèle de budget. Vous aurez ainsi une première version que vous pourrez réviser et modifier avant la finalisation. Ne vous inquiétez pas si la première version est approximative ou incomplète. Vous aurez toujours assez de temps pour combler les lacunes.

- **Vérification des résultats et révision du budget (si nécessaire).** Vérifiez à nouveau votre projet de budget pour vous assurer qu'il est cohérent. Avez-vous omis des sources de revenus ou des charges futures ? Les chiffres sont-ils exacts ? Sont-ils cohérents dans une perspective historique ? Sont-ils trop élevés ou trop bas ? Pourrez-vous les justifier lorsque vous les présenterez à vos supérieurs ? A ce stade, à savoir quand vous êtes capable de jongler avec les chiffres et d'imaginer divers scénarios et hypothèses, la préparation budgétaire devient un exercice divertissant. Lorsque vous êtes satisfait du résultat, signez votre budget et déposez-le.

L'exactitude de votre budget dépend de deux facteurs principaux : la qualité des informations utilisées pour l'établir et la pertinence de votre jugement sur ces informations. Si le jugement se façonne avec l'expérience, la qualité des informations est fonction de leur source. Il existe trois méthodes essentielles pour collecter les informations nécessaires à l'établissement d'un budget :

- **Repartir à zéro.** S'il n'existe pas de données historiques, dans le cas où vous créez par exemple une nouvelle unité commerciale ou si vous souhaitez simplement avoir un regard neuf sur la situation, vos budgets seront uniquement basés sur des évaluations actuelles. Avec une telle procédure, plus connue sous le nom de *méthode de budget à base zéro*, vous établissez votre budget comme si vous repartiez de zéro - en déterminant le personnel, les équipements, les déplacements, la publicité et autres sources d'exploitation. Vous chiffrez ensuite le coût de chaque élément et le budget est achevé. Il n'est sans doute pas surprenant de constater qu'un budget de ce type est souvent *très* différent de celui résultant de l'utilisation de données historiques. Cette différence est intéressante à constater.

- **Utilisation de données historiques.** L'une des méthodes les plus faciles pour établir un budget consiste à utiliser les résultats effectifs de l'exercice précédent. Si le passé ne donne pas toujours des indications sur l'avenir - notamment quand la société subit des changements importants -, l'utilisation des données historiques peut être très utile pour les sociétés relativement stables.

- **Utilisation d'une approche combinée.** De nombreux gestionnaires associent les deux méthodes précédentes pour la détermination des données à inclure dans leurs budgets. Dans ce cas, les données historiques sont réunies et on compare ensuite les chiffres aux évaluations optimales de coût d'une fonction particulière. Il vous suffit ensuite de réviser en hausse ou en baisse les données historiques, en fonction de votre point de vue sur la situation actuelle.

Tours de passe-passe et autres astuces budgétaires

Dans toute société, un certain degré d'inconnu et de mystère - on parle alors d'*écran de fumée* - entoure les budgets et le processus de budgétisation. De fait, que votre société soit dirigée par une seule personne ou dépende de l'administration, vous avez à votre disposition plusieurs astuces pour obtenir toutes les ressources désirées.

Les dix excuses les plus courantes pour justifier un dépassement du budget

Les managers doivent pouvoir expliquer leur dépassement de budget. De toute évidence, prévoir l'avenir d'une société en évolution permanente équivaut presque à essayer de tuer un moucheron avec un lance-pierres à 100 mètres de distance. Malgré tout, votre patron s'attend à ce que vous respectiez votre budget. Toutefois, quand l'avenir est un peu flou, voici dix excuses qui pourront peut-être vous tirer d'affaire :

1. Les rapports comptables doivent être erronés.

2. On ne vous a pas donné mon budget révisé ?

3. Comment étais-je sensé savoir qu'il allait *pleuvoir* (insérer votre propre excuse) cette année et qu'il faut remplacer la toiture ?

4. On ne va pas faire des histoires à propos de quelques millions de dollars ?

5. Ne vous inquiétez pas, nous nous rattraperons l'an prochain.

6. C'est mon assistant qui a établi ce budget - il a dû se tromper.

7. C'est un investissement pour l'avenir.

8. Le service de *Cathy* (insérer le nom d'un autre cadre à cet endroit) ne m'a pas assisté comme il l'aurait fallu.

9. On s'en sort mieux que l'année *dernière* !

10. Eh bien, deux années sur trois, ce n'est pas si mal, n'est-ce pas ?

Etablir un budget est une sorte de jeu, qui fait depuis longtemps partie de la tradition des sociétés - de fait, les professionnels qui le pratiquent lui ont donné un statut tout à fait inédit. Les dirigeants qui connaissent les *règles* du jeu s'en sortent très bien, de même que le personnel qui travaille pour eux. Inversement, ceux qui ignorent les règles devront toujours faire face à des ressources, des équipements, des salaires insuffisants et autres aléas désagréables de la vie d'une société. Si vous êtes manager, il est de toute évidence indispensable que vous appreniez les règles du jeu.

En règle générale, l'objectif de ce jeu est d'avoir assez de fonds en surplus pour exécuter le travail requis. Dans le pire des cas, vous jouirez d'un niveau de ressources suffisant pour protéger votre personnel et les fonctions vitales, si l'activité décline. Dans le meilleur des cas, vous disposerez d'un solde après avoir payé toutes les dépenses nécessaires. Vous pourrez alors réinjecter l'argent dans les caisses, en fanfare, et accepter les félicitations de vos supérieurs eu égard à vos excellentes compétences dans la gestion des ressources ou utiliser les fonds restants pour l'achat d'un matériel dont vous avez un besoin urgent ou encore pour satisfaire d'autres besoins du service. *Eh bien, c'est probablement le bon moment pour aller rendre visite à notre client à Paris.* Naturellement, si vous travaillez dans l'administration, la situation est différente. *Votre* objectif sera de dépenser jusqu'au dernier centime de votre budget, pour qu'il ne soit pas diminué l'année suivante.

Vous pouvez jouer le jeu dès le départ, lors de l'élaboration du budget, ou pendant l'exercice correspondant. Les sections suivantes vous indiquent comment procéder.

Manoeuvres préliminaires

Nous indiquons ci-après les méthodes utilisées par les professionnels lors du développement des budgets. Si ces techniques sont des plus appropriées pour des services ou des projets nouveaux ou qui ne sont pas solidement établis, vous pouvez néanmoins les utiliser pour développer *n'importe quel* budget. En dépit de certaines exagérations, ces indications sont tout à fait pertinentes.

- **Exagérations pertinentes.** Simple mais efficace. La méthode consiste à exagérer vos dépenses prévisionnelles pour que vos objectifs en matière de budget soient faciles à atteindre. Vous serez considéré comme un héros, car vous n'aurez pas dépassé votre budget et, *en outre*, il vous restera de l'argent à la fin de l'exercice. C'est ce qu'on appelle une situation *gagnante*.

- **Corrélation entre le budget et les valeurs de l'entreprise.** C'est la méthode du *bon sens*. Si vous voulez gonfler votre budget dans un secteur précis, sélectionnez une des valeurs prônées par votre entreprise - par exemple, la qualité - et associez-la à votre demande. Si votre patron vous demande pourquoi vous avez triplé le budget du mobilier, répondez-lui que, pour réaliser un travail de qualité, vous avez besoin de grands bureaux en noyer.

- **Abondance de requêtes auxquelles il sera facile de renoncer.** Il ne faut pas que vos demandes en matière de budget semblent irréalistes - n'oubliez pas que vous faites partie d'une *équipe* ! Lors de l'élaboration du budget, inscrivez des éléments dont vous n'avez pas réellement besoin. Si votre patron vous pousse à réduire votre budget (et les patrons le font *toujours*), renoncez aux postes les moins importants. Vous pourrez ainsi conserver les éléments indispensables.

- **Adaptez l'échelle de temps.** Insistez sur le fait que les éléments du budget constituent un bon placement pour l'avenir de la société. Le jeu consiste à prouver que ces investissements seront *très* rentables à long terme. *Si nous doublons le budget pour le personnel, nous parviendrons à attirer les talents requis pour être compétitifs au XXIe siècle et au-delà !*

- **Arguments infaillibles.** La meilleure défense consiste à adopter une attitude offensive. Il faudra connaître par coeur les chiffres du budget et être prêt à justifier chaque élément de ce dernier dans le détail. Ne comptez pas sur quelqu'un d'autre - c'est le moment ou jamais de déployer toutes vos compétences en tant que manager. Soyez la vedette - foncez !

Respect du budget

Une fois votre nouveau service, ou projet, lancé, vous devez contrôler avec attention votre budget, pour éviter tout dépassement. Si vos charges effectives commencent à dépasser votre budget, vous devez prendre une mesure rapide et décisive. Voici quelques méthodes utilisées par des responsables expérimentés pour s'assurer qu'ils respectent le budget :

- **Gel des charges discrétionnaires.** Certaines charges, notamment liées au personnel, aux avantages sociaux et à l'électricité, sont essentielles pour une activité ou un projet et ne peuvent être éliminées sans mettre en danger les résultats de la société. D'autres charges concernant l'achat d'une nouvelle moquette, de nouveaux écrans informatiques, ou des déplacements en avion sont discrétionnaires et peuvent au contraire être supprimées sans risque. Le gel des dépenses discrétionnaires est la méthode la plus rapide et la moins pénible pour aligner les dépenses réelles sur les dépenses prévisionnelles.

- **Gel des embauches.** Même si vous aviez prévu de nouvelles embauches, vous économiserez *beaucoup* d'argent en gelant le recrutement de nouveaux employés. Vous gagnerez non seulement sur les salaires, mais également sur les avantages sociaux tels que l'assurance maladie, et sur les frais généraux tels que l'eau, l'électricité et les services de gardiennage. De plus, étant donné que vous ne toucherez pas aux salaires et avantages sociaux de vos employés en poste, votre décision satisfera la majorité des salariés. Naturellement, certains postes critiques devront être pourvus, indépendamment de toute considération budgétaire. Vous pourrez déterminer les postes à remplir obligatoirement s'ils deviennent vacants et les fonctions qui pourront être assurées par les autres employés.

- **Report des produits et des projets.** Les phases de développement et de production de nouveaux produits et projets peuvent être *très* onéreuses. En retardant leur élaboration et leur lancement, vous réussirez à rééquilibrer votre budget. Parfois, quelques semaines ou quelques mois suffisent pour rétablir la situation.

- **Gel des salaires.** Il s'agit, dans ce cas, d'économies qui affectent directement votre personnel et vous pouvez être certain qu'il en sera très mécontent. La plupart des employés sont habitués à des augmentations régulières des salaires. Bien que ces augmentations aient été révisées à la baisse depuis dix ans, les employés les considèrent toujours comme essentielles. Toutefois, si vous devez réduire les charges, vous n'avez pas d'autres choix que de geler le salaire de vos employés.

- **Licenciement du personnel et fermeture de la société.** Vous gérez une société pour gagner de l'argent et non pour en perdre. Si les ventes ne sont pas suffisantes pour compenser vos charges - même après application des mesures d'économie susmentionnées - il est alors nécessaire d'appliquer des mesures drastiques. La solution la plus radicale consisterait à licencier le personnel et à fermer la société. Se référer au Chapitre 16 pour plus d'informations sur les licenciements des employés.

Que vous soyez ou non responsable de la budgétisation dans le cadre de vos fonctions de manager, il est nécessaire de comprendre comment sont comptabilisées les recettes et les charges. Dans la section ci-après, nous présentons toutes les informations comptables nécessaires pour l'acquisition des connaissances de base.

Les bases de la comptabilité

Le système comptable, qui occupe un espace énorme dans la mémoire du serveur en réseau de votre société, est fondé sur quelques hypothèses très simples. Elles sont élaborées à partir de critères comptables de base déterminant l'affectation, l'enregistrement et l'analyse de chaque rentrée et sortie d'argent. (Si vous souhaitez rendre fous les comptables de votre société, dites-leur que vous avez remarqué une erreur de deux ou trois centimes dans vos rapports comptables, dont il faudrait découvrir l'origine.)

Certains gestionnaires pensent qu'ils peuvent se débrouiller avec un minimum, voire une absence totale, de connaissances comptables et financières. Ils commettent une erreur. Un responsable doit être tout aussi familiarisé avec les bases de la comptabilité que le personnel du service comptable. Cela lui permettra de comprendre et de contrôler l'orientation financière de la société. En outre, la maîtrise des techniques financières sera un atout supplémentaire pour passer au travers des licenciements futurs.

Grâce à ces connaissances, vous ne serez plus désorienté lorsque vos collaborateurs parleront de *retour sur investissement*, *comptes clients* et de *report à nouveau*. Après avoir lu ce chapitre, *vous* serez réellement en mesure de diriger !

L'équation comptable

Les événements quotidiens ont un impact sur la situation financière d'une société, quelle qu'elle soit. Un responsable qui achète une agrafeuse est ensuite remboursé avec les fonds de caisse. La société utilise sa ligne de crédit pour payer les factures des fournisseurs. Les clients expédient des chèques, qui sont ensuite déposés sur le compte de la société. Des chèques (ou virements) sont remis au personnel en paiement de leur salaire. Toutes ces *opérations* financières, et bien d'autres encore, sont prises en compte dans l'équation comptable.

L'équation comptable part du principe que l'*actif* d'une société est égal à ses éléments de *passif* (c'est-à-dire les *dettes* et les *fonds propres*). L'équation comptable se présente comme suit :

Actif = Passif

Actif circulant + actif immobilisé = Dettes + fonds propres

Cette équation toute simple est à la base du système comptable *très* complexe utilisé pour enregistrer toute transaction financière d'une société, élaborer des rapports à l'attention des responsables pour les prises de décision, et communiquer les résultats financiers aux propriétaires, aux actionnaires, aux créanciers, au fisc et autres entités ayant un intérêt dans la société.

Que représentent ces différents éléments de l'équation comptable ? Nous examinons ci-après chacun d'entre eux.

Actif

Le terme *actif* désigne généralement tout bien de valeur - principalement les ressources financières et économiques - qu'une société possède. Les éléments les plus courants de l'actif sont les suivants :

- **Disponibilités :** Cet élément de l'actif désigne l'argent sous toutes ses formes - espèces, comptes chèques courants, titres de créances à court terme et titres négociables tels qu'actions et obligations. Toute société souhaite posséder une grande quantité de disponibilités.

- **Comptes clients :** Cet élément de l'actif représente l'argent dû par les clients qui ont acheté des marchandises et des services à la société. Ainsi, si votre société vend une boîte de disquettes à une autre société, et qu'elle expédie une facture à cette dernière au lieu de demander un paiement immédiat en espèces, cette créance figure dans le poste Comptes clients jusqu'à réception dudit paiement. Ce poste est très pratique, sauf si les sociétés ou les particuliers qui vous doivent de l'argent disparaissent dans la nature ou s'acquittent de leurs obligations avec six mois de retard.

- **Stocks :** Ce terme désigne la valeur de la marchandise détenue par votre société et destinée à la vente, à savoir les produits finis, fabriqués et encore invendus, de même que les matières premières et les en-cours intégrés dans le processus de fabrication des produits finis. Une fois vendus, ces éléments sont affectés aux postes Disponibilités ou Comptes clients. La société a tout intérêt à écouler rapidement ses stocks et à en assurer un roulement permanent, cela signifiant que vous générez des ventes.

- **Charges constatées d'avance :** Elles représentent les marchandises et les services que votre société a déjà payés mais n'a pas encore utilisés. Ainsi, il se peut que votre société ait payé sa prime d'assurance responsabilité civile annuelle au début de l'année, avant l'entrée en vigueur effective de cette police. Si cette dernière est annulée en cours d'année, une partie de la prime est alors remboursée à votre société.

- **Matériel :** Il s'agit des biens - machines, bureaux, ordinateurs, téléphones et éléments similaires - que votre société achète pour mener à bien ses activités. Ainsi, si votre société vend des fournitures informatiques, il faudra acheter des étagères pour les stocker, des chariots élévateurs pour les déplacer et des téléphones pour prendre les commandes des clients. En vieillissant, votre matériel perd de sa valeur. Cette perte de valeur est prise en compte, dans l'*amortissement*, qui répartit le coût d'origine d'un bien sur la totalité de sa durée de vie utile. Si vous avez un doute, amortissez.

- **Biens immobiliers :** Ils incluent les terrains, les immeubles et installations que votre société possède ou contrôle, tels que bureaux, usines de fabrication, entrepôts, points de vente, fermes et autres types de biens immobiliers.

Les actifs sont divisés en deux catégories principales : l'actif *circulant* et l'actif *immobilisé*.

L'actif circulant peut être converti en argent sur une période inférieure à une année. C'est un actif considéré comme *liquide*. Parmi les éléments de l'actif susmentionnés, les disponibilités, les comptes clients, les stocks et les charges constatées d'avance font partie de l'actif circulant. Il est intéressant de posséder ce type d'actif lorsque votre société est dans une mauvaise passe et que vous avez rapidement besoin de disponibilités pour payer votre personnel ou vos fournisseurs.

L'actif immobilisé nécessite plus d'une année pour être converti en espèces. Parmi les éléments de l'actif susmentionnés, le matériel et les biens immobiliers sont classés dans l'actif immobilisé. Si votre société a des problèmes et a besoin d'argent, l'actif immobilisé ne vous servira pas à grand-chose, sauf si vous l'utilisez pour garantir un prêt.

Passif

Le *passif* inclut généralement les dettes - vis-à-vis de particuliers, d'autres sociétés, de banques, etc. - *à l'extérieur* de la société. Par essence, le passif correspond aux droits que des personnes et sociétés extérieures ont sur l'actif de la société. Les éléments les plus courants du passif sont les suivants :

- **Comptes fournisseurs :** Ce poste représente les dettes de la société envers des particuliers et des sociétés à qui elle a acheté des marchandises et des services, c'est-à-dire ses fournisseurs et ses vendeurs. Ainsi, quand vous allez au magasin d'approvisionnement local pour acheter quelques crayons et que vous facturez la note sur le compte de votre entreprise, cette dette est inscrite dans les Comptes fournisseurs. Pour conserver des liquidités pendant les périodes difficiles, vous pouvez ralentir les paiements aux vendeurs et fournisseurs, tout en prenant soin de ne pas ternir votre réputation.

- **Effets à payer :** Ils représentent les prêts accordés à votre société par des particuliers, des institutions financières ou autres entités, qui doivent être remboursés avant un an. Par exemple, si votre société contracte un prêt à 90 jours pour augmenter son stock de disquettes, afin de satisfaire un accroissement soudain de la demande, ce prêt sera considéré comme un effet à payer.

- **Charges à payer :** Il s'agit de charges diverses à payer et non à rembourser par votre société, telles que les salaires, les impôts et les intérêts aux créanciers.

- **Obligations :** Certaines sociétés émettent des obligations pour mobiliser des fonds, afin de financer leur expansion ou de satisfaire d'autres objectifs. Ces obligations représentent l'argent que la société doit aux particuliers et aux sociétés qui achètent ce type de titres pour placer leur argent.

- **Prêts hypothécaires :** Quand les sociétés achètent des biens immobiliers, elles contractent souvent à cet effet des prêts à long terme appelés *prêts hypothécaires*. Ces prêts diffèrent des crédits courants dans la mesure où ils sont habituellement garantis par le bien immobilier que ledit prêt finance. Ainsi, si votre société ne rembourse pas comme convenu le prêt hypothécaire utilisé pour payer un immeuble de bureaux, le droit de propriété dudit bâtiment reviendra à l'entité qui a initialement émis le prêt hypothécaire - le plus souvent une banque ou un groupe financier.

A l'instar de l'actif, le passif est divisé en deux grandes catégories : le passif à *court terme* et le passif à *long terme*.

Les éléments du passif à court terme sont remboursés en moins d'un an. Parmi les éléments susmentionnés, les comptes fournisseurs, les effets à payer et les charges à payer font partie du passif à court terme.

Les éléments du passif à long terme sont remboursés sur une période supérieure à un an. Parmi les éléments susmentionnés, les obligations et les prêts hypothécaires font partie du passif à long terme.

Capitaux propres

Les sociétés appartiennent toujours à quelqu'un. Dans certains cas, quelques personnes sont à l'origine de leur fondation. Dans d'autres cas, plusieurs milliers de personnes ont acheté les actions de la société par le biais d'appel public à l'épargne. Les capitaux propres représentent la part de capital des *propriétaires* après paiement de toutes les dettes. Les capitaux propres incluent le plus souvent les éléments suivants :

- **Capital d'apport :** Il s'agit des placements - habituellement payés en numéraire - réalisés par les propriétaires dans une société. Ainsi, si votre entreprise vend des actions ordinaires à des investisseurs par le biais d'un appel public à l'épargne, l'argent remis à la société lors de la vente des actions est considéré comme un capital d'apport.

- **Report à nouveau :** Ces gains sont réinvestis par l'entreprise et non versés aux actionnaires sous forme de dividendes. Un certain montant des bénéfices est mis de côté en vue d'accroître l'ensemble des gains de la société et les dividendes ultérieurs payés aux propriétaires.

Comptabilité à partie double

La comptabilité à partie double est la méthode standard de consignation des transactions financières. Elle constitue la base de la comptabilité d'entreprise moderne. Dans cette comptabilité, inventée en 1494 par Luca Pacioli, un moine franciscain désoeuvré (il devait s'ennuyer *terriblement* pour se mettre à inventer la comptabilité !), chaque opération financière est inscrite en tant que *recette* (également appelée *actif*) et en tant de *dépense* (également appelée *passif*).

Considérons l'exemple suivant : votre société achète pour 5 000 francs de disquettes à un fabricant pour les revendre à sa clientèle. Etant donné que votre société a ouvert un compte auprès du fabricant, ce dernier facture les 5 000 francs au lieu d'exiger un paiement immédiat en espèces. Vous n'avez pas oublié l'équation comptable mentionnée précédemment dans ce chapitre, n'est-ce pas ? Voici la version en partie double de l'équation comptable, illustrant l'achat de disquettes pour un montant de 5 000 francs à intégrer dans vos stocks :

Actif	**=**	**Dettes**	**+**	**Capitaux propres**
5 000 F	=	5 000 F	+	0 F
(Stocks)		(Comptes fournisseurs)		

Dans cet exemple, l'actif (stocks) a été augmenté de 5 000 francs - le coût de l'achat des disquettes à intégrer aux stocks de l'entreprise. Parallèlement, le passif (comptes fournisseurs) a été également augmenté de 5 000 francs. Cette augmentation représente la dette vis-à-vis de votre fournisseur. De cette manière, l'équation comptable reste toujours équilibrée. Imaginez maintenant plusieurs centaines ou milliers de transactions financières à enregistrer sur le système comptable, sur une base quotidienne, hebdomadaire ou mensuelle. Impressionnant ! Vous comprenez maintenant pourquoi le responsable informatique se plaint toujours que le système n'est pas assez important ou beaucoup trop lent.

Etats financiers les plus courants

Il est indispensable d'avoir un système comptable. Toutefois, ce dernier sera inutile s'il ne produit pas des données exploitables par les responsables, les employés, les créanciers, les fournisseurs, les propriétaires, les investisseurs et autres particuliers et entreprises ayant des intérêts financiers dans votre société. Et de toute évidence, cela concerne un *grand nombre* de personnes.

La problématique de décision : fabrication ou achat ?

L'une des décisions les plus courantes dans une entreprise consiste à déterminer si les marchandises et les services nécessaires à l'entreprise seront fabriqués - c'est-à-dire élaborés ou exécutés en interne - ou achetés. Ainsi, vous décidez d'avoir un vigile à la réception pour assurer la sécurité de la clientèle. Allez-vous embaucher un nouvel employé ou faire appel à une société spécialisée dans ce type de service ?

Lorsque vous prenez une telle décision, la première chose à considérer est le coût de chacune des possibilités. Ainsi dans le cas A, vous recrutez un gardien en tant qu'employé à plein temps payé 6,00 $ de l'heure. Dans le cas B, la société de services de sécurité vous fournit un gardien pour 8,00 $ de l'heure. A première vue, la solution A semble plus intéressante. Si le gardien travaille 2 000 heures par an, vous dépenserez respectivement pour les cas A et B, 12 000 et 16 000 $, sur une base annuelle. En conséquence, si vous employez vous-même le gardien, vous économisez 4 000 $ n'est-ce pas ?

Mais les apparences sont parfois trompeuses. Voyons pourquoi.

Cas A : Recrutement d'un gardien en interne

Taux horaire

6,00 $

Taux des charges sociales @ 35 %

2,10

Taux de frais généraux @ 50 %

3,00

Montant total du salaire effectif

11,10 $

Heures par année

x 2 000

Coût salarial annuel total

22 200 $

Assurance responsabilité civile annuelle

4 000

Nettoyage des uniformes

1 000

Matériel divers

500

Coût total annuel

27 700 $

Cas B : Contrat avec la société de gardiennage

Taux horaire

8,00 $

Taux effectif global

8,00 $

Heures par année

x 2 000

Coût annuel total

16 000 $

Vous ne vous y attendiez pas, n'est-ce pas ? Au lieu d'économiser 4 000 $ dans le cas A, vous dépensez en fait presque 12 000 $ *de plus* chaque année à cause des charges à payer en sus du taux horaire. Si vous additionnez toutes les charges sociales, et les frais généraux liés à l'employé - matériel, électricité, air conditionné, etc. - au tarif de base, vous obtenez alors le véritable coût du recrutement d'un employé par votre société. Vous aurez en outre besoin de contracter une assurance à responsabilité civile supplémentaire, d'acheter des uniformes, de nettoyer ces derniers et d'acquérir divers équipements tels qu'une torche, une matraque et des menottes.

Mais si vous contactez une société de gardiennage, *ladite société* paie les charges sociales, les frais généraux, l'assurance, les uniformes et le matériel. Il vous reste uniquement à payer le salaire horaire. En outre, si le gardien ne travaille pas correctement, il vous suffit de téléphoner et de le faire remplacer immédiatement. Vous n'aurez pas à vous soucier de problèmes de résiliation de contrat ou d'indemnités de licenciement.

Alors quelle est selon *vous* la solution la plus intéressante ?

Seriez-vous surpris d'apprendre que pratiquement *tout le monde* souhaite connaître la santé financière de votre entreprise ? C'est pourtant le cas. Cela permettra aux cadres d'identifier et de résoudre les problèmes, aux employés d'être rassurés sur la situation de la société pour laquelle ils travaillent, et dont ils attendent qu'elle leur garantisse un salaire et des avantages sociaux intéressants, de même qu'un emploi stable. Les créanciers et les fournisseurs sont quant à eux intéressés par ce type d'informations, pour prendre leur décision de renouvellement de crédit. Dans le cas des propriétaires et les investisseurs, cette connaissance les aide à déterminer si leurs placements sont utilisés à bon escient ou au contraire gaspillés.

C'est la raison pour laquelle les comptables ont inventé les *états financiers*.

Les états financiers sont de simples rapports - diffusés par le service comptable - résumant les montants de comptes sélectionnés ou de groupes de comptes à une date ou sur une période donnée. Les divers types d'états financiers ont une valeur spéciale pour les entités qui les utilisent et différentes personnes peuvent consulter la totalité ou une partie de ces rapports pendant les heures normales de bureau. Les sections ci-après reprennent les états financiers que vous serez susceptible de consulter pendant votre carrière de manager.

Le bilan

Le bilan illustre la valeur de l'actif, le passif et les capitaux propres de la société - sa situation financière - à une date spécifique. C'est une photographie de la situation de l'entreprise. Si le bilan peut être élaboré à n'importe quel moment, il l'est habituellement à la fin d'une période comptable définie - la plupart du temps sur une base annuelle, trimestrielle ou mensuelle.

Exemple de bilan

		Bilan au 31 janvier 1997	
ACTIF		**PASSIF**	
IMMOBILISATIONS		**CAPITAUX**	
CORPORELLES		**PROPRES**	
Matériel	4.746.000 $	Actions ordinaires	76.000 $
Mobilier, installations et améliorations	583.000 $	Capital d'apport	803.000 $
		Report à nouveau	8.092.000 $
	5.329.000 $		
			8.971.000 $
Réserve pour dépréciation et amortissement	(2.760.000 $)	**DETTES A LONG TERME, (moins la tranche à moins d'un an)**	854.000 $
	2.589.000 $		
COUTS NETS DES		**CHARGES**	
LOGICIELS	3.199.000 $	**LOCATIVES**	
		DIFFEREES	504.000 $
		IMPOTS	
		DIFFERES	932.000 $
DEPOTS NETS	260.000 $		
ACTIF CIRCULANT		**DETTES A COURT TERME**	
Stocks	154.000 $	*Comptes fournisseurs*	2.701,000 $
Comptes clients	11,759.000 $	*Effets bancaires*	1.155.000 $
Charges constatées d'avance et autres actifs à court terme	283.000 $	*Rémunérations et avantages sociaux à payer*	2.055.000 $
		Impôts	0 $
		Impôts différés	990.000 $
		Tranche de la dette à long terme à moins d'un an	665.000 $
Impôts remboursables	165.000 $		
Disponibilités	458.000 $	**PASSIF A COURT**	
ACTIF CIRCULANT TOTAL	12.819.000 $	**TERME TOTAL**	7.576.000 $
	18.847.000 $		18.847.000 $

Figure 17.1 :
Bilan type.

Comme vous pouvez le constater, le bilan attribue des valeurs à chacun des éléments principaux des trois parties de l'équation comptable. En révisant la valeur de chacun des éléments du bilan, les dirigeants peuvent identifier les problèmes potentiels et ensuite prendre les mesures requises pour y remédier. Par exemple, dans le bilan que montre la Figure 17.1, les stocks sont relativement élevés par rapport aux autres actifs. Le dirigeant expérimenté sait que, dans cette situation, la société risque de se trouver dans une situation délicate si un besoin immédiat de liquidités se présente - dans ce bilan particulier, les disponibilités sont en l'occurrence limitées.

Le compte de résultat

Il est de toute évidence instructif d'avoir un aperçu de l'actif, du passif et des capitaux propres. Mais c'est le résultat qui intéresse *réellement* les gens. Est-ce que la société *gagne* de l'argent ou en *perd* ? En d'autres termes, la société a-t-elle dégagé des *bénéfices* ou accusé des *pertes* ? C'est le *compte de résultat* qui mettra ces faits en évidence.

Dans le compte de résultat, on additionne tous les produits d'une société, et on soustrait ensuite les charges. On obtient ainsi un bénéfice ou une perte nette, sur une période donnée. Alors que le bilan est une photographie de la situation financière de l'entreprise, le compte de résultat ressemblerait plutôt à un film (voir Figure 17.2).

Exemple de compte de résultat

			Période de douze mois close le 31 janvier 1997
CHARGES		**PRODUITS**	
Achats	38.453.000 $	*Ventes brutes*	56.248.000 $
Après déduction des rabais sur achats	1.586.000 $	*Après déduction des remises sur ventes*	1.089.000 $
Achats nets	36.867.000 $	**Ventes nettes**	57.159.000 $
Ecart de Stocks (différence entre les stocks de départ et les stocks finaux)	2.013.000 $		
Coût des marchandises vendues	34.854.000 $		
CHARGES D'EXPLOITATION			
Charges de ventes totales	8.456.000 $		
Total des frais généraux	1.845.000 $		
Total des charges d'exploitation	10.301.000 $		
Bénéfice d'exploitation	12.004.000 $		
Autres produits et charges			
Charges d'intérêt (intérêts)	360.000 $		
Total des autres produits et charges	360.000 $		
Bénéfice avant impôts	11.644.000 $		
Impôts	3.952.000 $		
Résultat net	7.692.000 $		
Nombre moyen d'actions	3.500.000		
Bénéfice par actions	2,20 $		

Figure 17.2 : Modèle simplifié du compte de résultat.

Produits

Les *produits* correspondent aux gains de la société obtenus par la vente de marchandises, de services et autres sources de revenus comme les intérêts, les loyers, les redevances, etc. Afin d'obtenir les ventes nettes, on déduit du total des ventes des marchandises et des services, les rabais et remises sur ventes.

Charges

Les charges correspondent à *tous* les coûts encourus pour faire fonctionner la société. A des fins comptables, les charges sont divisées en deux catégories principales :

- **Coût des ventes :** Pour une entreprise qui vend des produits au détail ou en gros aux particuliers ou à d'autres sociétés, cet élément correspond au coût d'achat de marchandises ou de stocks. En déduisant le coût des marchandises vendues des produits, on obtient la *marge bénéficiaire brute* - également appelée *bénéfice brut*.

- **Charges d'exploitation :** Les charges d'exploitation représentent tous les autres coûts d'exploitation, en sus des coûts des ventes. Les charges d'exploitation sont habituellement subdivisées d'une part en *frais de vente*, incluant le marketing, la publicité, la promotion des produits et les coûts de gestion des magasins, et d'autre part en *frais généraux*, à savoir les charges de gestion effectives. Les frais généraux incluent habituellement les salaires du personnel des services achats, informatique et comptable de même que les charges liées aux installations de l'entreprise, dont les services (électricité, etc.), les paiements de loyers, etc.

Bénéfice ou perte nette

La différence entre les produits et les charges (après ajustement en termes d'intérêts ou de charges d'intérêts et paiement des impôts) correspond au résultat net (bénéfice) ou perte nette de la société. Pour ceux qui souhaitent évaluer la santé financière d'une société, le résultat ou la perte nette constituent souvent le chiffre clé. De nombreux cadres et dirigeants d'entreprise se sont retrouvés à la rue, car le compte de résultat laissait apparaître des pertes trop élevées.

Tableau de financement

Comme l'exprime le vieil adage, *le bonheur, c'est un tableau de financement positif*. Les tableaux de financement mettent en évidence les flux de trésorerie. Nul besoin d'être Einstein pour comprendre que si les sorties d'argent sont plus importantes que les rentrées pendant une période prolongée, la société va au-devant de *gros* ennuis.

Utilisation de ratios financiers pour analyser votre activité

Si vous n'avez pas d'objectif précis, l'analyse des rapports financiers d'une société peut être une tâche assez décourageante. Heureusement, après plusieurs années de travail, les experts en finance d'entreprise ont mis au point des méthodes d'évaluation rapide des résultats et de la santé financière d'une société, en comparant les ratios de certains indicateurs financiers clés par rapport aux normes établies et à d'autres entreprises du même secteur d'activité.

Ratio de liquidité générale : Ce ratio correspond à la capacité d'une société de payer son passif à court terme avec son actif à court terme. Un ratio égal à 2 ou supérieur est généralement considéré comme bon. Prenons l'exemple ci-après :

```
Ratio de liquidité générale = Actif circulant ÷ Passif à court terme
                            = 100 millions de dollars ÷ 25 millions de dollars
                            = 4,00
```

Ratio de liquidité relative : Ce ratio (également connu sous le nom de *ratio de liquidité au sens strict*) est identique au ratio de liquidité générale, à ceci près que les stocks sont déduits de l'actif circulant. Ce ratio est un moyen plus rigoureux, pour tester l'aptitude de l'entreprise à payer rapidement ses dettes à court terme, que le ratio de liquidité générale. De fait, les stocks ne peuvent être liquidés aussi rapidement que les autres éléments de l'actif circulant. Un ratio de 1 ou supérieur est satisfaisant.

```
Ratio de liquidité relative = (Actif circulant - stocks) ÷ Passif à court terme
                            = (100 millions de dollars - 10 millions de dollars)
                              ÷ 25 millions de dollars
                            = 90 millions de dollars ÷ 25 millions de dollars
                            = 3,60
```

Ratio de rotation des comptes clients : Ce ratio indique le temps moyen nécessaire à une société pour convertir ses comptes clients en numéraire. Un ratio élevé indique que les clients paient leurs factures rapidement.

C'est bon signe - *très* bon signe. Un ratio inférieur indique des recouvrements tardifs et éventuellement un problème que la direction devra régler. C'est mauvais signe - *très* mauvais signe. Votre chef ne va pas apprécier.

```
Ratio de rotation   = Ventes nettes / Comptes clients
des comptes clients = 50 millions de dollars / 5 millions de dollars
                    = 10.00
```

Vous obtenez rapidement d'autres informations intéressantes avec ce ratio. En divisant 365 jours par le ratio de rotation des comptes clients, vous obtenez le nombre moyen de *jours* requis par la société pour convertir en numéraire ses comptes clients. Cette période est couramment appelée *période de recouvrement moyenne*. Plus cette période est courte, mieux se porte la société, et plus votre emploi est sûr.

```
Période de
recouvrement    365 jours/
moyenne         = ratio de rotation des comptes clients
                = 365 jours / 10,00
                = 36,5 jours
```

Ratio d'endettement : Ce ratio indique l'importance des capitaux empruntés par rapport aux ressources fournies par les actionnaires et autres propriétaires. Un ratio supérieur à 1 est généralement considéré comme peu favorable car il indique que l'entreprise a peut-être des difficultés à rembourser ses dettes. Et personne - notamment les banquiers ou les fournisseurs peu accommodants - ne souhaite prêter de l'argent à des sociétés de ce type. Un ratio très bas indique que la société est *peut-être* capable d'améliorer sa rentabilité en augmentant son endettement.

```
Ratio d'endettement = Endettement total + capitaux propres
                    = 50 millions de dollars + 150 millions de dollars
                    = 0,33 ou 33 %
```

Rentabilité financière : Plus connu sous le nom de retour sur capitaux propres, ce taux mesure l'aptitude de la société à dégager des profits pour le bénéfice des propriétaires.

N'oubliez pas que le bénéfice est une *bonne chose* et que les pertes sont *à éviter*. Etant donné que les propriétaires -actionnaires et autres investisseurs - préfèrent gagner *beaucoup* d'argent sur leurs investissements, le retour sur capitaux propres doit être aussi élevé que possible.

```
Rentabilité financière = Bénéfice net / Capitaux propres
                       = 50 millions de dollars + 150 millions de dollars
                       = 0,33 ou 33 %
```

Les disponibilités sont comparables au carburant. Pour fonctionner, votre voiture a besoin d'essence. Si vous n'en avez plus, elle va tomber en panne sur l'autoroute. Vous rouliez à plus de 100 km/h et la minute suivante vous êtes immobilisé. De la même manière, votre société, privée de liquidités, ne pourra plus fonctionner. Sans l'argent nécessaire pour payer les salaires de votre personnel, les factures des fournisseurs, les prêts et autres obligations, vos activités seront rapidement arrêtées.

- **Tableau de financement simplifié :** Tous les éléments y sont présentés dans l'une ou l'autres des catégories suivantes : rentrées d'argent et sorties d'argent.

- **Tableau de financement d'exploitation :** Ce tableau limite l'analyse des flux aux seuls éléments liés à l'exploitation de l'activité et non à son financement.

- **Tableau de financement prioritaire :** Le tableau de financement prioritaire classe les rentrées et les sorties d'argent par groupes spécifiques déterminés par le dirigeant ou d'autres personnes réclamant la préparation de cet état.

Testez vos nouvelles connaissances

Nommez trois sortes de budgets :

    A. Budget par activités, budget hors activités, et budget des produits.

    B. Budget du personnel, budget des ventes et budget du capital.

    C. Budget mensuel, budget annuel et budget pour une période indéterminée.

    D. Budget différent de ceux susmentionnés.

Quelle est l'opération comptable ?

    A. Disponibilités + prêt = Endettement total.

    B. Actifs = Comptes clients + Stocks.

    C. Capitaux propres = Actions x prix par action.

    D. Actif = Passif.

Chapitre 18
Domestiquer la puissance de la technologie

Dans ce chapitre :

Découvrir le monde de l'informatique.

Les bases du hardware et du software.

Choisir entre PC et Mac.

Etablir un réseau dans votre organisation.

Les télécom du futur.

*V*ous vous devez d'aimer les micros (pas les mini et grands systèmes cachés dans quelque recoin glacé des bureaux du siège - nous n'en parlons pas dans ce chapitre). Malheureusement, comme toujours, la micro a ses avantages et ses inconvénients. Avec la micro, managers et travailleurs gaspillent plus de temps qu'avant. Certainement, les micros font de belles machines à écrire et de merveilleuses additions (et un an après, ils deviennent bons à jeter !), mais avez-vous réellement besoin du contenu entier de la bibliothèque du Congrès sur CD-ROM ? Devez-vous réellement passer une demi-heure à taper, éditer, vérifier l'orthographe, et imprimer un mémo somptueux aux 64 nuances de gris quand une note écrite ou un coup de fil rapide pourrait faire l'affaire ? Avez-vous réellement besoin d'échanger votre e-mail contre un troupeau de rennes au Samiland ?

Il est convenu d'admirer les progrès étonnants que les micros ont fait dans la dernière décennie. Il y a dix ans, un micro de bureau était un peu plus qu'un calculateur musclé (peut-être une chevrolet de 56 avec un carbu quadruple corps ou lieu de double corps). L'innovation d'IBM, l'ordinateur personnel, ou PC, était cher, encombrant et lent. Vous vous souvenez de Wordstar et Visicalc ?

Bob, oui ! Que vous le croyiez ou non, il était le seul des derniers utilisateurs de Wordstar jusqu'à ce qu'il se mette à Windows l'année dernière !

Aujourd'hui, les micros avec rien moins qu'un Pentium 133 MHz, une RAM de 16 Mo et un disque dur de 1 Go sont presque obsolètes. Cela s'explique en partie par le fait que les programmes que vous utilisez - Microsoft Word, Lotus Notes, Lotus 1-2-3, etc. - ont tous besoin de millions d'octets de stockage juste pour les charger sur le micro. Par exemple, la copie de Microsoft Office de Peter requiert 85 Mo d'espace sur disque dur. Ce besoin fait plus que doubler la capacité entière des 40 Mo de disque dur installés sur le premier PC que Peter a acheté en 1988.

Dans ce chapitre, nous examinons les micros et les logiciels. Comme la pub pour ATT le dit, *un jour vous le ferez* (sous-entendu taper sur un micro). Et quand vous le faites, quelqu'un vous attend au péage de l'"Autoroute de l'Information".

La micro : c'est là que ça se passe

Se fait-on réellement des idées ? Les micros ne semblent-ils pas envahir le monde ? Eh bien oui, même les P-DG les plus récalcitrants ont fait le plongeon (*je n'aurai jamais besoin d'un micro, n'en ai jamais eu, et n'en n'aurai jamais*) et signent pour accéder aux autoroutes de l'information. Malheur aux employés laissés pour compte du réseau électronique de la société, ils peuvent aussi bien s'exiler sur l'île d'Elbe.

Alors, ces micros ! Pourquoi sont-ils si importants - à la fois au travail et en dehors ? Sommes-nous en train d'assister à quelque complot d'extra-terrestres ? Ou à la prochaine étape du plan de la Commission trilatérale pour le gouvernement d'un seul monde ? Ou a-t-on simplement sous les yeux un boulevard géant charriant des informations pour créer de gigantesques courants d'affaires là où il n'en existait pas auparavant ? Pour trouver les réponses à ces questions, il faut découvrir ce qu'est la micro en substance, en profondeur, en esprit - sa raison d'être, en somme.

Que font les managers avec leurs ordinateurs ?

Il y a 20 ans, l'ordinateur personnel n'était pas très en vogue. A cette époque, par traitement de texte, on entendait machine à écrire, correcteur fluide et pages de papier carbone salissant. Puis les ordinateurs sont arrivés, révolutionnant la façon de traiter les textes, les graphiques et autres documents.

Les ordinateurs sont géniaux dans bien des domaines - demandez simplement à quelqu'un qui a passé des heures à jouer au Solitaire ou à cet excellent jeu de flipper en 3D fourni avec Windows 95. Mis à part ces distractions, vous, en tant que manager, pouvez faire deux choses essentielles avec votre ordinateur, qui amélioreront de manière significative productivité et efficacité :

- **Gestion informatisée de l'entreprise :** Il n'y a pas si longtemps, les calculs de gestion d'une société étaient effectués à la main. Par exemple, la comptabilité et la tenue du registre des salaires de votre entreprise a sans doute un jour été entièrement effectuée manuellement, avec pour seule aide une simple calculatrice. Ce qui auparavant prenait des heures, des jours, voire des semaines, peut désormais être accompli en quelques minutes. Parmi les autres processus généralement informatisés, on recense la gestion de l'inventaire, le service clientèle, l'analyse des appels, le dépistage des virus, les achats, etc.

- **Aide à la gestion personnelle :** Comme nous l'avons décrit au Chapitre 2, de plus en plus de managers informatisent leurs carnets d'adresses et agendas. Même s'il est peu probable que les agendas "sur papier" disparaissent un jour, beaucoup de managers ont constaté que les ordinateurs étaient des outils de management nettement plus efficaces que leurs équivalents classiques. Les managers utilisent aussi les ordinateurs pour programmer les meetings, suivre les projets, analyser les résultats ou évaluer les performances des employés.

Cependant, avant de vous précipiter et d'informatiser tout ce qui bouge, n'oubliez pas ceci : si votre système manuel n'était déjà pas au point, se contenter de l'informatiser ne l'améliorera pas obligatoirement. En fait, cela pourrait même faire *empirer* les choses. Lorsque que vous décidez de franchir le pas vers l'informatisation, prenez le temps de réexaminer le processus dans ses moindres détails. Supprimez toutes les étapes inutiles et vérifiez que tout a été optimisé pour ce nouvel environnement informatisé. Croyez-nous, le temps que vous consacrerez à améliorer votre système sera très largement rentabilisé.

Est-ce que les ordinateurs rendent vraiment votre entreprise plus performante ?

La récente explosion du monde informatique accompagne la transformation de l'industrie américaine, qui est passée des aciéries et raffineries de pétrole à l'ancienne mode aux sociétés produisant semi-conducteurs, ordinateurs et autres produits affiliés. L'industrie du micro-ordinateur, qui n'existait pas il y a 20 ans, est rapidement devenue un marché pesant plus de 50 milliards de dollars en ventes annuelles. Sachez qu'il y a plus d'Américains qui travaillent dans l'informatique que dans l'automobile, l'acier, la mine et le pétrole réunis !

Au cours de ces dix dernières années, l'augmentation moyenne annuelle des ventes de logiciels a été supérieure à 25 %. La croissance de ce secteur particulier de l'industrie informatique a été si phénoménale que le chiffre d'affaires de Microsoft Corporation (9e place), premier producteur mondial de logiciels, dépasse celui de General Motors (23e place), premier producteur mondial d'automobiles.

Les entreprises qui gèrent le mieux les informations ont un avantage significatif sur le marché. Plus les données vous parviennent tôt, plus vite vous pouvez agir. Mieux vous maîtrisez l'information, plus vous pouvez y accéder facilement. Mieux vous traitez l'information, moins vous dépenserez pour la gestion et la sauvegarde de cette information.

Toutes ces raisons sont les justifications du management aux dépenses astronomiques des ressources de la société pour acheter des ordinateurs, installer des systèmes de boîtes vocales et d'e-mail, et éduquer les salariés à l'utilisation de ces nouveaux équipements. Vos employés sont-ils devenus plus performants pour autant ? Eh bien malheureusement, pendant des années, les chercheurs n'ont pu déceler la moindre preuve de l'action bénéfique de l'informatisation sur la productivité. Malgré la prolifération de toutes sortes d'équipements informatiques, ce n'est que récemment que des études ont pu établir une relation claire entre informatisation et gain de productivité.

- Chez Boeing, on a étudié l'impact d'un logiciel permettant des meetings à distance sur 1 000 participants, ayant assisté à 64 meetings différents. D'après les résultats de cette étude, Boeing a économisé une moyenne de 6 700 dollars par meeting - soit 428 800 dollars au total - principalement grâce au gain de temps pour les employés. Selon le directeur de l'étude Brad Quinn Post, "les données montrent qu'il y a de réelles possibilités d'utiliser ce produit pour améliorer significativement le coût, la vitesse et la qualité du travail au sein de l'entreprise" (*Fortune*, le 23 mars 1992).

- L'utilisation de l'informatique pour donner à ses employés des informations en temps réel sur les ordres et programmes circulant dans l'entreprise a permis à M.A. Hanna, un producteur de polymères, de réduire ses frais de fonctionnement d'un tiers pour la même quantité de vente. Aussi impressionnant que cela paraisse, Martin D. Walker, P-DG de M.A. Hanna, est convaincu que son entreprise pourrait encore réduire ses frais simplement en communiquant avec ses fournisseurs et clients via les réseaux informatiques.

Si les faits semblent prouver que l'informatisation augmente la productivité, les études indiquent que se contenter d'installer des ordinateurs et autres équipements informatiques ne conduit pas nécessairement à l'amélioration des performances des employés et de la productivité. En tant que manager, vous devez prendre le temps de perfectionner votre système *avant* de l'informatiser. Si vous ne le faites pas, informatiser peut même entraîner le contraire des résultats escomptés.

La machine et les logiciels (hardware, software)

 Chaque ordinateur se constitue de deux parties distinctes : le matériel (hardware) et les logiciels (software). Hardware est le terme qui désigne tous les composants électroniques - le microprocesseur, les câbles, le clavier, etc. - et qui représente concrètement l'ordinateur moderne. Par "ordinateur", on entend avant tout hardware, la machine.

Les logiciels, software, sont les séries d'instructions qui disent à la machine ce qu'elle doit faire. Ces instructions, écrites en d'énigmatiques combinaisons de code alphanumérique, permettent à votre ordinateur de comprendre les clics de votre souris et le pianotage de vos doigts sur le clavier, et de créer tout ce que votre coeur (et votre portefeuille) vous dictent. Que vous souhaitiez commander des fleurs par Internet ou créer un menu quotidien pour votre restaurant, votre ordinateur ne serait qu'un tas de ferraille inutile sans les logiciels.

Hardware : ces boîtes aux lumières clignotantes et aux boutons que vous tapotez

Le hardware est tout le matériel que vous voyez et touchez quand vous utilisez l'ordinateur. Ce matériel informatique existe sous différentes tailles et formes. Dans votre bureau, vous pouvez utiliser un gros ordinateur connecté à un vaste serveur en réseau. A l'inverse, au cours de vos déplacements, vous pouvez utiliser un ordinateur portable fonctionnant au moyen de batteries et que vous pouvez ranger dans votre attaché-case. La taille et le type de matériel dépend maintenant avant tout de vos préférences. Mêmes les plus petits, les plus "portables" des portables, sont presque aussi puissants que leurs grands frères de bureaux. Bien évidemment, cette commodité se paie. Alors que le plus puissant des Pentium de bureau coûte environ 15 000 francs, sa version portable coûte approximativement le double.

Indépendamment du type d'ordinateur, voici certains éléments de base communs à tous :

- **Les dispositifs d'entrée :** Vous devez pouvoir entrer les données à l'intérieur de votre ordinateur pour qu'il puisse les découper, les analyser, les traiter. Ces dispositifs d'entrée - claviers, microphones, caméras vidéo, scanners et l'omniprésente souris informatique - accomplissent ces tâches.

- **Les dispositifs de traitement :** Une fois que vous avez entré les données dans votre ordinateur, celles-ci sont découpées, analysées, traitées par les dispositifs de traitement. Ce sont les microprocesseurs, les barrettes de mémoire vive (RAM).

- **Les dispositifs de sauvegarde :** Ces dispositifs de sauvegarde – disques durs, disquettes, et CD-ROM – vous permettent de sauvegarder logiciels et fichiers indéfiniment. A la sombre époque des premiers micros (il y a une dizaine d'années), il fallait charger les programmes dans l'ordinateur chaque fois que l'on voulait s'en servir. Cette étape était extrêmement casse-pieds.

- **Les dispositifs de sortie :** Une fois que votre ordinateur a fait son travail (découpage, analyse, traitement), il lui faut un moyen de vous donner les résultats. Les dispositifs de sortie - imprimantes, moniteurs, enceintes et autres - transmettent les résultats de ces entrées, traitements et sauvegarde de données, en un langage que vous, vos employés et vos clients pouvez comprendre.

Les logiciels : ces boîtes hors de prix pleines d'air et de disquettes en plastique bon marché

Le plus cher, le plus puissant des matériels informatiques du monde est inutile sans logiciels. Quoi que vous souhaitiez faire, taper une proposition de vente à un client, envoyer un e-mail à l'usine d'un vendeur à Singapour ou faire atterrir votre avion de chasse F-14 plus vrai que nature sur la piste d'atterrissage d'un porte-avions pris en pleine nuit dans une tempête à 1 600 kilomètres des côtes, sans logiciels, vous seriez face à un écran noir.

Si vous avez été chez un grand revendeur informatique dernièrement, avec ses rayons pleins à craquer de boîtes de logiciels tape-à-l'oeil, alors vous savez que le choix est virtuellement illimité. Voici donc un aperçu de certains des logiciels d'entreprise les plus populaires (pour plus d'information sur ces logiciels et leur fonctionnement, IDG Books Worldwide offre une incroyable et exhaustive liste de bouquins "pour les Nuls", de *Windows 95 pour les Nuls* à *Wordperfect pour les Nuls* en passant par *Visual Basic pour les Nuls* et beaucoup, beaucoup d'autres).

Les systèmes d'exploitation

Lorsqu'il s'agit de faire fonctionner votre matériel, c'est au niveau des systèmes d'exploitation que ça se passe. Microsoft Windows et IBM OS/2 Warp, donnent à votre ordinateur les instructions d'exploitation de base qui lui permettent de traiter les données.

Les traitements de texte

Où en serait le monde de l'entreprise sans les logiciels de traitement de texte ? Non seulement ces derniers ont causé la mort inéluctable de la machine à écrire, mais ils ont aussi rendu la production et la sauvegarde des documents incroyablement aisées et flexibles.

Avec des traitements de texte tels que Microsoft Word ou Corel WordPerfect, on peut taper un document, vérifier ses erreurs d'orthographe et de grammaire, faire des corrections, insérer des images, des tableaux et toute sorte de graphiques, changer la police et le style des caractères, etc. *avant* d'imprimer le document. On peut ensuite sauvegarder le document sur le disque dur ou sur disquette, soit pour une utilisation future, soit pour l'envoyer.

Les tableurs

Les tableurs tels que Lotus 1-2-3 ou Microsoft Excel ont grandement facilité la vie de milliers de personnes. De complexes analyses financières qui auparavant prenaient des heures (voire des jours) sont maintenant réglées en quelques coups sur le clavier. Peter se souvient avoir préparé des budgets annuels à la main : d'abord il devait effectuer plusieurs pages de calculs et les vérifier deux fois à la calculatrice. S'il changeait une seule des valeurs, il devait recommencer tous les calculs et remettre les résultats à jour. Une fois les budgets terminés, quelqu'un devait les taper à la machine ; et, comme pour tout document tapé à la machine, chaque faute de frappe était une nouvelle guigne.

Maintenant, Peter prend simplement la courbe du budget que lui envoie Fiscal Services via e-mail tous les ans, rentre quelques chiffres dans l'ordinateur, et le logiciel fait le reste. Les valeurs se calculent toutes seules, les formules fonctionnent d'elles-mêmes, les totaux s'additionnent, les proportions changent - le tout automatiquement et sans fanfare. Quelques minutes plus tard, Peter récupère son nouveau budget mis à jour de l'imprimante laser au fond du couloir et le donne à son patron pour approbation. Ensuite, il va se prendre un café pour une pause bien méritée. Ah ! qu'il est difficile de travailler avec un ordinateur !

Les logiciels de gestion personnelle

Les programmes de gestion personnelle tels que Microsoft Schedule+ et Franklin Quest ASCEND combinent à la fois les meilleurs aspects des agendas, carnets de rendez-vous, carnet d'adresses et aide-mémoire en un recueil d'informations pour hommes d'affaires occupés. En tant que manager, vous pouvez utiliser ces logiciels pour planifier et savoir où vous en êtes de vos rendez-vous quotidiens. Et la plupart de ces programmes vous permettent de préparer et de gérer vos projets ainsi que de créer de longues listes de tâches.

Utilisez les logiciels de gestion personnelle pour modifier ou vérifier vos projets à votre guise. Intérêt supplémentaire, vous pouvez imprimer ces informations de votre ordinateur, ou les modifier depuis un portable ou un agenda électronique. Dans le cas de Microsoft Schedule+ vous pouvez même charger 70 entrées dans votre bracelet-montre Timex DataLink. Désormais, partout où vous irez, votre emploi du temps vous suivra.

Les logiciels de présentation

Les logiciels de présentation tels que Harvard Graphics, Lotus Freelance Graphics, et Microsoft PowerPoint permettent à *tout le monde* de créer des graphes et des courbes extraordinairement précis, de qualité professionnelle. Il y a quelques années, la plupart des hommes d'entreprise furent enthousiasmés lorsqu'ils apprirent qu'ils pouvaient utiliser les photocopieuses pour imprimer les courbes de résultats par points sur des supports transparents destinés à être projetés ; aujourd'hui, la création de graphes éclatants et professionnels sur papier transparent (qui rivalisent avec les travaux des graphistes les mieux payés) ne nécessite qu'un logiciel de présentation, un PC et une imprimante. Vous pouvez même utiliser un adaptateur spécial qui projette directement vos graphiques de votre portable sur l'écran. *C'est magnifique !*

Les bases de données

Les bases de données vous permettent d'enregistrer et de manipuler de grandes quantités d'informations. Celles de Borland, Sybase et Oracle dominent le marché pour les applications en entreprise à grande échelle. Mais beaucoup de traitements de texte et de tableurs offrent des bases de données intégrées suffisantes pour des applications simples.

Si vous avez besoin d'organiser différemment plusieurs données, alors les logiciels de base de données sont faits pour vous. Considérons que vous ayez environ 125 000 clients répartis dans le monde entier. Votre patron vous appelle et vous demande de préparer une liste de tous les clients français. Du moment que cette information particulière figure dans les données, vous pouvez lister tous les clients français en quelques secondes. Que vous vouliez classer votre liste alphabétiquement par nom, par lieu de résidence, par volume total de ventes, le programme se charge de tout rapidement et facilement.

Les logiciels de communication

Les ordinateurs *adorent* communiquer entre eux. Lorsque Bob travaille dans son bureau virtuel sur son portable IBM - situé dans n'importe quel hôtel où Bob réside lors de ses déplacements - il peut brancher son modem interne fonctionnant à 14,4 Kbps sur une ligne de téléphone et se connecter sur l'ordinateur de sa société Blanchard Training and Development (BTD) resté à la maison. Bob peut aussi prendre connaissance de ses messages e-mail et y répondre, accéder à des fichiers et les charger. Il peut même faxer des lettres ou des documents n'importe où dans le monde. Des programmes tels ProCOMM Plus, Delrina CommSuite et Norton pcANYWHERE rendent aisée la communication entre ordinateurs.

Internet déferle sur le monde de l'entreprise. Si votre entreprise n'a pas encore de site sur le Net, alors vos concurrents vous ont déjà largué. Alors, qu'est-ce que vous attendez ?

Les logiciels de navigation sur Internet sont des programmes de communication spécialisés qui vous permettent de surfer sur le réseau mondial avec facilité. Spry Mosaic et Netscape Navigator sont les logiciels les plus à la mode en ce moment.

PC contre Mac

Il y a seulement quelques années, les managers hésitaient sérieusement entre l'achat d'un PC (compatible IBM) ou d'un Mac (Apple Macintosh). Alors que l'ordinateur Macintosh - avec une interface facile de compréhension et d'emploi, utilisant des icônes et une souris - fut un temps largement supérieur à ses rivaux les PC fonctionnant sous DOS, le logiciel Microsoft Windows a bouleversé cet état de fait. Les PC, utilisant Windows sont à peu près aussi faciles d'emploi que les Macintosh et ils coûtent moins cher. Désormais, avec la part d'Apple sur le marché de l'ordinateur, qui diminue rapidement - de 8,2 % au 4e trimestre de 1994 à 7,1 % au 4e trimestre de 1995 -, beaucoup de managers sentent qu'il s'engagent sur des sables mouvants lorsqu'ils décident d'investir dans des Mac.

Certes le Macintosh est toujours *la* référence en ce qui concerne certaines applications spécifiques telles que les graphiques et le design, C.N.C. milling shops, et la composition musicale. Et malgré les problèmes d'Apple, les récentes tentatives de vente du système d'exploitation Macintosh à d'autres sociétés - Motorola, pour n'en nommer qu'une - ont redonné de l'espoir à tous les fidèles du Mac.

Maintenant que PC et Mac peuvent être reliés en réseau, vous n'avez plus aucune raison de vous limiter à une seule des deux marques. Vos comptables peuvent se vanter de leurs Pentium tandis que le département graphique travaille allègrement sur des Mac PowerPC.

Qui a dit que l'on ne pouvait pas coexister en paix ? PC ou Mac, le choix est vôtre.

Connectons-nous !

L'ordinateur personnel a commencé à révolutionner le monde de l'entreprise il y a une dizaine d'années, la taille des dispositifs informatiques se réduisant considérablement et atterrissant sur le bureau des particuliers. Maintenant, la connexion en réseau des ordinateur entraîne une révolution dans l'informatique d'entreprise. Bien que le micro soit un îlot d'information autosuffisant, lorsque vous reliez ces îlots en un réseau, tous les ordinateurs partagent les informations qu'ils détiennent.

Alors, y a-t-il de bonnes raisons pour les entreprises de se connecter en réseau ? Et comment ! Lisez plutôt :

- **Les réseaux améliorent la communication :** Les réseaux d'ordinateur permettent aux employés de communiquer entre eux facilement et rapidement. Avec un simple clic sur un bouton, vous pouvez envoyer des messages à une ou plusieurs personnes. Tout aussi simplement, vous pouvez répondre à vos messages. De plus, les employés connectés en réseau peuvent accéder à des informations financières, de marketing et de production internes à l'entreprise et nécessaires à leur travail.

- **Les réseaux économisent temps et argent :** En affaires, le temps, c'est de l'argent. L'e-mail vous permet d'écrire des messages, des mémos, et autres communications internes, d'y inclure des fichiers, et de tout transmettre instantanément à autant de collaborateurs que vous le souhaitez.

- **Les réseaux améliorent la vision du marché :** L'information transmise via réseau informatique est, par nature, directe et originelle. Auparavant, l'information était filtrée, modifiée et ralentie par les différents employés qui la rencontrait au cours de son trajet dans l'entreprise. Grâce a la communication directe en réseau, personne ne filtre, modifie ou ralentit le message original. Il n'y a pas de distorsion entre la vérité et l'information. En bref, cela donne une meilleure information plus rapidement transmise. Plus vous recevez une information de qualité rapidement, meilleure est votre vision du marché.

Le travail à distance : est-ce vraiment à l'ordre du jour ?

En raison de la prolifération des micros à travers les Etats-Unis - aussi bien à la maison que dans les bureaux- et de l'existence de modems rapides et bon marché, et de logiciels de communication, la question n'est plus de savoir si les employés *peuvent* travailler de chez eux, mais *si vous l'accepteriez.* Comme vous pouvez le constater, le problème que pose le travail à domicile aux managers n'est pas d'ordre technologique, mais plutôt technique. Comment vérifier le travail ?

Dans un bureau classique, presque tous (si ce n'est tous) vos employés ne sont qu'à quelques pas de votre bureau. Si vous avez besoin de leur aide, vous pouvez débarquer à tout moment dans leur bureau et leur assigner un travail. Oh, ils sont sortis faire une pause ? Pas de problème, vous pouvez les traquer jusque dans la cafétéria et redéfinir avec eux leurs priorités.

Le travail à distance a changé tout cela. Quand vos employés travaillent en dehors des bureaux, ils ne sont plus là pour vous obéir au doigt et à l'oeil. La communication devient souvent une vaste série de messages sur répondeur, d'e-mail et de fax. La communication directe disparaît peu à peu, de même que l'esprit d'équipe au sein de l'entreprise.

C'est nouveau, c'est excitant, c'est l'Intranet

Si vous croyiez qu'Internet était le prochain monstre de l'informatique en entreprise, vous vous trompiez. Etre présent sur Internet est déjà de la routine pour les grosses compagnies. Non, le prochain monstre de l'informatique, c'est l'Intranet. Certaines des sociétés américaines les plus importantes, dont Federal express Corporation, AT&T, Levi Strauss, et Ford Motor Company construisent des versions internes d'Internet, c'est-à-dire à l'intérieur de la société. Chez Silicon graphics par exemple, les employés peuvent accéder à plus de 144 000 pages web situées sur 800 sites internes. Les employés de DreamWorks SKG, le nouveau conglomérat du loisir crée par Steven Spielberg, Jeffrey Katzenberg, et David Geffen, utilise l'Intranet de la compagnie pour produire des films et s'occuper de la gestion de détails tels que la coordination des scènes, le contrôle de l'état d'avancement quotidien des projets, l'animation des décors…

L'Intranet utilise les outils de base de l'Internet - pages web, navigateurs, serveurs web - et les introduit dans l'entreprise. L'Intranet est conçu pour être accessible uniquement par les employés et n'est pas disponible pour les utilisateurs d'Internet. Pour les entreprises qui ont déjà investi dans des matériels et logiciels Web, c'est un moyen puissant et bon marché de relier entre eux ses ordinateurs.

Non seulement l'Intranet révolutionne le développement des réseaux informatiques à l'intérieur de l'entreprise, mais il le démocratise également. Alors que la plupart des réseaux informatiques sont le seul apanage d'un petit nombre d'ingénieurs système et de programmeurs, l'Intranet permet aux novices tout comme aux experts de créer des pages Web. Chez Federal Express, par exemple, la plupart des 60 pages Web ont été créées par et pour ses employés. D'après Steve Jobs, P-DG de NeXT computers, "l'Intranet a abattu les cloisonnements à l'intérieur des entreprises". Et Jobs est bien placé pour le savoir : en tant que cofondateur d'Apple Computer, il a abattu plus que sa part de cloisons.

(Source : *Business Week*, le 26 février 1996)

Alors que le concept de travail à distance semble se propager dans le monde de l'entreprise, vous devez, en tant que manager, étudier le pour et le contre lorsque votre personnel vous soumet l'idée de travailler à distance.

Voici certains avantages du travail à distance :

- Le collaborateur peut établir son propre emploi du temps.

- Le collaborateur peut passer plus de temps avec les clients.

- Vous pouvez économiser en réduisant la taille de votre implantation.

- Les coûts en électricité, eau et autres dépenses sont réduits.

- Le moral des employés est renforcé.

Voici maintenant certains inconvénients du travail à distance :

- Il est plus difficile de contrôler l'activité de vos collaborateurs.

- L'organisation de réunions peut être problématique.

- Vous devez payer à vos collaborateurs les équipements dont ils ont besoin pour travailler à distance.

- Les collaborateurs peuvent perdre leur sentiment d'appartenance à l'entreprise.

- Les managers doivent être mieux organisés pour répartir les tâches.

D'après Scott Bye de North Hollywood, "la perspective de travailler à la maison était beaucoup plus excitante que de me retrouver sur l'autoroute tous les matins". Bien que Scott se lève à peu près à la même heure que lorsqu'il travaillait chez un gros éditeur, maintenant son trajet consiste à descendre quelques marches au lieu de passer une heure et quart pare-chocs contre pare-chocs dans les embouteillages et le brouillard. Il n'est que 9h30 et Scott a déjà appelé plusieurs de ses clients sur la côte est, envoyé un ou deux fax à ses correspondants à l'étranger, et créé une présentation de ses ventes sur son ordinateur. Il résume sa liberté nouvellement acquise en termes simples et directs : "Maintenant que j'ai goûté à la liberté de faire mon propre travail dans ma propre maison, pourquoi voudrais-je revenir aux chemises empesées et à la pointeuse ?" (*Microsoft magazine*, automne 1994)

Testez vos nouvelles connaissances

Nommez trois dispositifs d'entrée de données différents

    A. Disque dur, clavier et microphone.

    B. Clavier, caméra vidéo et scanner.

    C Ecran, enceinte, souris.

    D. Ecran digital, stylo digital et imprimante.

Est-ce que le travail à distance rend les collaborateurs plus ou moins attachés a l'entreprise ?

    A. Plus attachés.

    B. Moins attachés.

    C. Pas de changement.

    D. Rien à déclarer.

Chapitre 19

Perfectionnement et tutorat du personnel

Dans ce chapitre :

Comprendre l'importance du perfectionnement du personnel.

Etablir des plans de carrière.

Perfectionnement des employés.

Comprendre le processus de tutorat.

Perfectionnement du personnel dans le cadre de plans sociaux.

Répondez pour commencer à cette petite question. Quelle sorte de manager êtes-vous ? Laissez-vous les nouveaux employés se débrouiller par eux-mêmes (*c'est bizarre, j'ai l'impression de vous avoir déjà vu quelque part*) ou participez-vous au contraire activement à l'évolution et au perfectionnement de votre personnel grâce à un soutien constant ? Si vous vous destinez à devenir manager, avez-vous déjà été guidé par un tuteur - c'est-à-dire quelqu'un qui est personnellement impliqué dans la gestion de votre carrière ?

Dans toute société, les connaissances à acquérir sont multiples, qu'il s'agisse de politique d'entreprise interne et externe, des relations hiérarchiques formelles et informelles, des *bonnes* et des *mauvaises* méthodes de travail, des personnes à éviter ou au contraire à côtoyer assidûment. Sans parler des qualifications nécessaires pour exécuter votre travail, telles que la maîtrise d'un tableur spécifique ou apprendre à parler devant un groupe de personnes. Bien évidemment, chaque fois que vous gravissez les échelons de la société ou que vous entamez une nouvelle tâche, le processus d'acquisition redémarre à zéro.

Le perfectionnement du personnel ne se fait pas tout seul. Il résulte d'un effort concerté et délibéré de la part des managers *et* des employés. En outre, il faut lui consacrer du *temps* et il requiert un réel *engagement*. Il ne suffit pas d'en parler une fois par an lors des bilans annuels de performance. Le perfectionnement le plus efficace est permanent et vous devrez soutenir et encourager les initiatives du personnel. Toutefois, il faut admettre que le perfectionnement est aussi une affaire *personnell*e : tout dépend de la volonté de la personne concernée. On ne peut pas forcer les employés à évoluer s'ils n'en ont pas le désir.

Pourquoi aider au perfectionnement du personnel ?

Il existe plusieurs bonnes raisons pour contribuer au perfectionnement de votre personnel. Au-delà de ce constat, le principe fondamental est le suivant : en tant que manager, vous êtes le mieux placé pour donner à vos employés le soutien dont ils ont besoin pour évoluer au sein de la société. Vous pourrez non seulement leur accorder le temps et l'argent requis pour la formation, mais également leur donner des opportunités de consolidation de leurs connaissances dans le cadre de leur travail, leur attribuer un tuteur, les intégrer à une équipe et promouvoir d'autres initiatives. Le perfectionnement du personnel ne *se limite pas* à assister à une ou deux sessions de formation. De fait, environ 90 % du perfectionnement se fait *sur le tas*.

Les termes *formation* et *perfectionnement* peuvent avoir deux significations. Le mot *formation* désigne la transmission de compétences dont les employés ont *immédiatement* besoin pour faire leur travail. Le terme *perfectionnement* désigne habituellement l'enseignement de connaissances dont le personnel aura besoin ultérieurement, compte tenu de son évolution professionnelle. C'est pourquoi le perfectionnement du personnel est souvent synonyme de *gestion de carrière*.

Si, à ce stade, vous ne percevez toujours pas l'intérêt d'encourager le perfectionnement de votre personnel, nous vous indiquons ci-après quelques bonnes raisons. Il en existe bien d'autres, mais tout dépend de votre propre situation.

- **Surestimation des compétences du personnel**. Avez-vous essayé de comprendre pourquoi vos employés ne parviennent pas à exécuter des tâches qu'ils devraient, selon vous, être aptes à réaliser ? Croyez-le ou non, il est tout à fait possible qu'ils ignorent comment procéder. En effet, avez-vous réellement vu vos employés faire le travail en question ?

  Admettons que vous donniez une liste de chiffres à votre assistant en lui disant de les organiser et d'en faire le total dans un délai d'une heure. Au lieu de vous remettre un tableur clair et bien organisé, il vous présente un travail incohérent. Cela ne signifie pas qu'il soit complètement incompétent mais qu'il ignore peut-être comment réaliser un tableur sur un ordinateur. Renseignez-vous ! Il vous suffira peut-être tout simplement d'aider votre employé à finir le travail et ensuite de le laisser faire par lui-même.

- **Les employés qui travaillent intelligemment sont les meilleurs**. Si vous êtes en mesure d'aider votre personnel à se perfectionner et à travailler avec eux de manière plus intelligente et efficace - et vous l'*êtes* sans aucun doute - pourquoi *ne pas le faire* ? Personne ne connaît exactement l'étendue des connaissances d'un nouvel employé. Déterminez ses *lacunes* et établissez ensuite avec lui un programme sur les méthodes et les conditions d'acquisition des connaissances requises. Une fois atteints les objectifs de perfectionnement, l'employé concerné travaillera de manière plus intelligente et votre société en recueillera les bénéfices sous la forme d'une efficacité et d'une rentabilité accrues. Fini les insomnies !

- **Délégation des responsabilités**. Vous avez l'intention d'obtenir une promotion, de partir en vacances, ou à la retraite ? Comment allez-vous faire, si vous ne préparez pas votre personnel à assumer plus de responsabilités ? Nous connaissons tous des managers, qui, en vacances, téléphonent plusieurs fois par jour au bureau pour vérifier que tout va bien. Qu'ils soient aux Caraïbes, au Kénia ou sur une plage à Hawaii, ils passent plus de temps à se faire du mauvais sang qu'à s'amuser.

  Si de nombreux managers ne ressentent pas le besoin d'appeler leur bureau quand ils sont en vacances, c'est parce qu'ils favorisent le perfectionnement de leurs employés. Ces derniers sont ainsi capables de prendre la relève. Vous devriez suivre leur exemple. L'avenir de votre société en dépend. Bon, que diriez-vous d'un autre cocktail ?

- **Bénéfices pour le personnel et la société**. C'est l'investissement le plus intéressant que vous puissiez faire avec votre maigre budget ! Quand vous consacrez des fonds pour le perfectionnement de vos employés, ils n'en retirent que des avantages : ils acquièrent des qualifications d'un niveau plus élevé et élargissent leur champ de vision - votre société est elle-même avantagée grâce à la motivation accrue du personnel et à leurs meilleures compétences. De fait, vous doublez ainsi l'impact de votre investissement. Et, plus important encore, vous préparez vos employés à assumer les fonctions que la société prévoit de leur assigner à l'avenir.

- **N'hésitez pas à consacrer votre temps et votre argent au personnel**. Le recrutement et la formation de nouveaux employés coûtent beaucoup d'argent et prend énormément de temps. Les deux sont un investissement important.

  Il y a un an ou deux, la secrétaire de Peter a accepté une promotion pour travailler dans un autre service. Trois ou quatre employés temporaires ont occupé le poste à tour de rôle avant que Peter ne recrute la personne appropriée. Cette rotation a pour le moins désorganisé le fonctionnement de la société. Après avoir consacré plusieurs heures de son temps de travail et de celui de son personnel à la formation de l'employé temporaire, une nouvelle recrue prenait alors la place et il fallait chaque fois recommencer le cycle de formation.

Si les employés s'aperçoivent que vous prenez à coeur leurs intérêts, ils seront heureux de travailler pour vous et de suivre vos conseils. La société pourra donc attirer des personnes de talent. Investissez votre temps et votre argent dans le personnel, dès maintenant, au lieu de les gaspiller dans la recherche de remplaçants. Le choix vous appartient.

- **Le perfectionnement constitue un défi stimulant pour le personnel**. Il faut regarder la vérité en face : tous les employés n'ont pas la chance d'avoir un travail aussi intéressant, diversifié et stimulant que le vôtre. N'est-ce pas ? C'est pourquoi, certains finissent parfois par s'ennuyer, devenir paresseux et manifestent des signes de lassitude. Pourquoi ? Tout simplement parce que le personnel a constamment besoin de nouveaux défis à relever et de nouveaux objectifs à atteindre pour s'intéresser à son travail. Dans le cas contraire, vous aurez du personnel non motivé et peu performant ou enclin à accepter les offres d'employeurs qui leur *donneront* l'occasion de faire leurs preuves ! Quelle option préférez-vous ?

Travail dans les mines

De nombreux postes qui étaient auparavant assurés par de la main-d'oeuvre peu qualifiée deviennent de plus en plus techniques. Ainsi, dans le secteur de l'exploitation minière, le perfectionnement professionnel signifiait apprendre à utiliser un nouveau type de concasseur ou de perforatrice pneumatique. Désormais, les mineurs utilisent des ordinateurs portables pour réguler la qualité de l'eau et contrôler les pannes de matériel. A la Twentymile Mine, située près de Oak Creek, dans le Colorado, les employés de Cyprus Amax Mineral Company doivent avoir de nombreuses qualifications en plus de savoir manier une pelle ou conduire un tracteur. Selon un cadre de la société, on recherche des employés avec "des connaissances avancées en mathématiques, des compétences techniques et dans le secteur électronique plus élevées". La main-d'oeuvre de Twentymile Mine a en moyenne le niveau DEUG.

(Source : *Business Week*, 17 octobre 1994)

Etablir des programmes de développement de carrière

La gestion de carrière constitue le concept fondamental sur lequel vous baserez vos efforts de perfectionnement du personnel. Malheureusement, de nombreux managers ne prennent pas le temps d'établir des plans de carrière.

Ils pensent en effet qu'ils trouveront la formation appropriée pour satisfaire un besoin spécifique. Avec ce type de pensée *réactive,* vous aurez toujours un temps de retard sur les défis que votre société devra relever dans les années à venir.

Pourquoi ne pas vous préparer à l'avenir ? Êtes-vous occupé à un point tel que vous ne puissiez pas consacrer un peu de votre temps si précieux à poser les jalons de la réussite future de votre société ? Certainement pas ! S'il faut effectivement faire face aux problèmes courants, il faut également préparer votre personnel, *et* vous-même, à relever les défis futurs. Toute autre stratégie serait une méthode de gestion à très court terme et totalement inefficace.

Tous les programmes de gestion de carrière devraient contenir au minimum les éléments clés suivants :

- **Objectifs spécifiques d'acquisition des connaissances :** Imaginons qu'un employé soit recruté pour travailler au service achats, d'abord en tant que subalterne, puis pour assumer la fonction de responsable. Les objectifs pourraient dans ce cas être les suivants : maîtrise de la programmation des besoins clés (PBC), des techniques d'analyse avec tableur et d'encadrement.

  Lorsque vous discutez de plans de carrière avec vos employés, déterminez des objectifs spécifiques d'acquisition des connaissances. Et n'oubliez surtout pas que cette stratégie sera profitable pour chaque employé de la société. Ne laissez personne de côté !

- **Ressources requises pour atteindre les objectifs de connaissance :** Après identification des objectifs, il faut déterminer les méthodes propices à leur accomplissement. Les ressources de perfectionnement incluront un large éventail d'opportunités de soutien au développement de votre personnel. Il faudra prévoir des affectations dans des équipes, la délégation de responsabilités, des missions élargies, des formations officielles et autres options. Les formations pourront être effectuées par des formateurs externes ou internes ou peut-être sous la forme d'une série de modules d'apprentissage. Si la formation nécessite un financement ou d'autres ressources, identifiez-les et faites tous les efforts nécessaires à leur obtention.

- **Délai d'accomplissement des objectifs :** Les plans de carrière sont inutiles si des délais ne sont pas fixés pour l'accomplissement des objectifs et les progrès à accomplir. Pour chaque objectif, il faudra déterminer une date butoir. Les délais ne devront pas être trop courts afin qu'ils soient faciles à respecter. Toutefois, la date ne devrait pas non plus être trop éloignée, car l'objectif perdrait alors de son immédiateté et de son impact. En ce domaine, les programmations les plus souples sont les meilleures, car elles permettent aux employés d'exécuter leurs tâches quotidiennes tout en anticipant les changements de leur environnement de travail qui déterminent leur perfectionnement.

- **Normes d'évaluation :** Il faudra être à même d'évaluer l'accomplissement de chacun des objectifs. Habituellement, le manager vérifie si les employés utilisent les nouvelles compétences acquises. Dans tous les cas, il faut que les normes d'évaluation soient claires et réalistes. De plus, elles devront être conjointement acceptées par vous et par le personnel.

Le programme de gestion de carrière de l'employé du service achats pourrait se présenter comme suit :

Programme de gestion de carrière

Sarah Smith

Objectif de compétences :

- Maîtrise parfaite de la programmation des besoins clés (PBC)

Objectif de connaissances :

- Apprendre les concepts de base pour l'encadrement du personnel

Programme :

- Fin de la formation "Les bases de PBC" au plus tard à la fin du premier trimestre de l'exercice de 1997. (550 $ + frais de déplacements.)

- Avoir passé avec succès le niveau "PBC intermédiaire" au plus tard à la fin du deuxième trimestre de l'exercice de 1997. (750 $ + frais de déplacements.)

- Assurer la fonction de responsable délégué chargé de superviser le travail quotidien, dès maintenant.

- Assister au séminaire trimestriel de perfectionnement des cadres le 1er mercredi des mois de janvier, d'avril, de juillet et d'octobre. (Sans frais : formation interne.)

Comme vous pouvez le constater, ce plan de carrière contient les quatre éléments clés précédemment décrits. Un programme de gestion de carrière n'a pas besoin d'être compliqué. En fait, plus il est simple, plus il est efficace. Bien évidemment, il n'y a pas de règles exactes pour établir un plan. L'essentiel est d'*établir* un programme de gestion de carrière.

Contribuer au développement des employés

Contrairement aux idées reçues, le perfectionnement du personnel ne se fait pas de lui-même. Il nécessite les efforts constants et délibérés des employés, épaulés par leurs responsables. Si l'une des parties ne s'implique pas, le processus de développement sera *entrav*é et la société se retrouvera avec un personnel inapte à faire face aux défis de l'avenir. Cela n'est certes pas souhaitable. En tant que manager, votre but est de pouvoir relever les défis futurs et non d'être toujours en train d'essayer de rattraper le retard.

Les employés devront identifier les secteurs où le perfectionnement les aidera à être plus efficaces et plus productifs. Ils transmettront ensuite leurs évaluations à leurs responsables. Après identification d'autres opportunités de développement, les managers et les employés travailleront ensemble pour les programmer et les appliquer.

Un manager doit être attentif aux besoins de perfectionnement de son personnel et guetter les opportunités potentielles. Ceux qui gèrent des entreprises plus petites devront peut-être fixer des perspectives à court terme. Forts de cette décision, les managers pourront alors trouver des méthodes garantissant que le personnel sera capable de satisfaire les exigences futures. Votre tâche consistera ensuite à fournir les ressources et le soutien requis pour le perfectionnement de votre personnel, en vue de remplir les buts fixés.

Afin de perfectionner les compétences du personnel, pour qu'il puisse relever les défis de l'avenir, les étapes suivantes devront être respectées :

1. **Discussion avec le personnel sur le plan de carrière.**

   Après l'évaluation, discutez avec les employés. Indiquez à chacun d'entre eux les postes dont vous pensez qu'ils leur conviendraient le mieux et demandez-leur également quelles fonctions *ils* souhaiteraient assumer. Cela doit être une démarche commune ! Il ne sert à rien d'élaborer des plans compliqués pour un employé, il doit pouvoir gravir les échelons de la société et devenir responsable de tel ou tel service.

2. **Discussion sur les points forts et les faiblesses.**

   Après être tombés d'accord, il convient d'avoir une discussion franche sur les points forts et les faiblesses de l'employé. Le principal objectif est d'identifier les faiblesses ou les nouvelles compétences qu'il doit acquérir pour progresser au sein de la société et être prêt à faire face aux défis futurs. Vos initiatives de perfectionnement et votre budget devraient essentiellement se concentrer sur l'avenir.

3. Evaluation de la situation actuelle de votre personnel.

L'étape suivante du processus de perfectionnement est de déterminer les compétences et les talents de l'employé concerné. Patrick a-t-il des qualités potentielles pour encadrer les employés de l'entrepôt ? Quels sont les employés qui savent faire des démonstrations pour la clientèle ? Est-ce que le groupe de techniciens responsables de l'assurance qualité des logiciels est suffisant pour faire face à une progression sensible des activités de votre société ? Dans le cas contraire, pouvez-vous former des candidats internes ou serez-vous obligé de recruter de nouveaux employés à l'extérieur ? L'évaluation de votre personnel vous donne une vue d'ensemble utile pour orienter vos efforts de perfectionnement.

4. Etablir des plans de gestion de carrière.

Les plans de carrière sont des accords passés entre vous et le personnel, qui définissent avec exactitude le soutien officiel (tutorat, temps libre, frais de déplacement, etc.) dont ils bénéficieront pour développer leurs qualifications et les délais d'exécution correspondants. Ces plans de gestion de carrière indiquent des dates butoirs pour l'accomplissement des objectifs d'acquisition des connaissances et décrivent les autres ressources et soutiens nécessaires pour satisfaire les buts conjointement fixés.

5. Respect des accords entre le manager et le personnel.

Il est indispensable de respecter l'accord sur le plan de carrière ! Apportez le soutien promis *au moment* prévu. Et veillez à ce que les employés remplissent de leur côté les objectifs fixés. Contrôlez régulièrement les progrès réalisés. S'ils sont en retard sur la programmation à cause d'autres priorités, réorganisez leur travail pour qu'ils aient le temps de se concentrer sur leurs programmes de perfectionnement.

Quel est le meilleur moment pour discuter avec vos employés de programmation de carrière et de perfectionnement ? Le plus tôt sera le mieux ! Malheureusement, de nombreuses sociétés associent ces discussions aux bilans annuels de performances. L'avantage de cette procédure est qu'elle garantit une discussion sur le plan de carrière au moins une fois par an. L'inconvénient, c'est que le perfectionnement devient un sujet annexe au lieu d'être au centre de la discussion. En outre, une réunion annuelle n'est pas suffisante pour s'adapter aux mutations rapides des marchés concurrentiels et du secteur de la technologie. Programmez le perfectionnement professionnel une fois par an revient à arroser une plante une fois l'an !

Le perfectionnement professionnel devrait être débattu deux fois (voire quatre fois) par an avec chacun de vos employés. Chaque discussion inclura une brève évaluation des besoins de perfectionnement individuels. L'employé

concerné indiquera le programme qui lui semble approprié pour les satisfaire. S'il a besoin d'un soutien supplémentaire, il faudra en déterminer la
nature et le programmer. Le plan de gestion de carrière sera modifié et les
ressources réaffectées en conséquence.

Les dix meilleures méthodes de perfectionnement

1. Assurez le rôle de tuteur vis-à-vis d'un employé.

2. Laissez-le vous remplacer lors de réunions avec le personnel.

3. Placez-le à la tête d'une équipe.

4. Confiez-lui des missions qui élargissent ses aptitudes.

5. Augmentez l'étendue et la complexité des tâches qui lui sont confiées.

6. Inscrivez-le à un séminaire traitant d'un sujet qu'il ignore.

7. Quand vous allez en clientèle, arrangez-vous pour qu'il vous accompagne.

8. Présentez-le aux cadres supérieurs de votre société. Faites en sorte qu'il exécute des travaux spécifiques pour ces derniers.

9. Invitez-le à assister à une réunion de la direction à l'extérieur de la société.

10. Autorisez-le à assister aux tâches que vous effectuez pendant votre journée de travail.

Trouvez un tuteur, devenez tuteur

Pour un employé sans expérience qui souhaite s'élever dans la hiérarchie, il
est extrêmement précieux d'être aidé par une personne plus expérimentée,
apte à le guider. Un responsable qui a déjà parcouru ce chemin pourra
donner des conseils sur les initiatives à prendre et celles à éviter. Cette
personne s'appelle un *tuteur*.

Est-ce que ce n'est pas le rôle d'un manager ? Non. Un tuteur est habituellement un cadre supérieur, qui *n'est* toutefois *pas* le patron de l'employé. De
toute évidence, le rôle d'un responsable est d'encadrer et de guider les
employés. Si des managers assurent le rôle de tuteur, les tuteurs sont souvent des conseillers à qui les employés communiquent leurs préoccupations
en toute confidentialité. Ils ne sont donc pas des supérieurs directs de
l'employé concerné.

L'employé pourra fêter le jour où un tuteur le prendra sous son aile. Pourquoi ? Parce que tout le monde n'a pas cette chance. Et n'oubliez pas qu'un jour vous serez en position d'être le guide de quelqu'un d'autre. Quand ce jour viendra, prenez le temps d'aider un jeune employé à faire son chemin dans la société, même si vous êtes très pris par votre travail.

Les tuteurs apportent une aide incontestable aux employés dont ils s'occupent. La société en profite également car, sans les tuteurs, certains d'entre eux resteraient livrés à eux-mêmes. Nous énumérons ci-après les avantages effectifs qu'ils procurent au personnel et à la société :

- **Explication du fonctionnement de la société**. Discuter avec les tuteurs est le meilleur moyen pour apprendre ce qui se passe *réellement* dans une société. Il y a habituellement une grande différence entre ce qui est officiellement annoncé aux employés et le fonctionnement *réel* de ladite société - notamment au niveau des cadres supérieurs. Le tuteur aura vraisemblablement une connaissance approfondie des rouages de la société, qu'il communiquera à l'employé (du moins les informations qui ne sont pas confidentielles), lui facilitant ainsi énormément la tâche.

- **Enseignement par l'exemple**. En regardant le tuteur travailler, l'employé apprendra énormément. Grâce à la grande expérience de son conseiller, il se familiarisera avec les méthodes de travail les plus efficaces et rentables. Pourquoi réinventer la roue ou subir les remontrances de la direction quand on peut l'éviter ?

- **Conseils de perfectionnement**. Un tuteur pourra indiquer des activités en dehors des programmes de gestion de carrière, dont il juge qu'elles favorisent la progression de l'employé. Ainsi, même si cela n'est pas stipulé dans le plan de carrière *officiel*, le tuteur pourra vivement inciter l'employé à prendre des cours d'expression orale, laquelle est très importante pour l'évolution professionnelle du nouvel employé.

- **Partager les informations critiques**. Ne serait-il pas intéressant de savoir que votre poste n'évoluera pas au sein de la société ? Ou que votre patron est réputé pour licencier les personnes qui ne sont pas d'accord avec lui ? Les tuteurs vous donneront souvent ce type d'informations cruciales. Toutefois, toutes les communications du tuteur n'auront pas un impact spectaculaire et il ne pourra pas vous révéler des renseignements confidentiels. Cependant, les informations transmises peuvent parfois avoir une *grande* influence sur les choix de carrière et les types de formation et de perfectionnement.

- **Guide pour le plan de carrière**. Au fil des années, le tuteur a probablement côtoyé un grand nombre d'employés et suivi l'évolution de multiples plans de carrière. Il sait donc identifier les impasses et les plans favorisant l'évolution la plus rapide. Cette connaissance peut s'avérer *cruciale* pour l'avenir de l'employé lorsqu'il fait des choix de carrière. C'est l'un des conseils les plus critiques que le tuteur puisse donner.

Le processus de tutorat démarre souvent quand un employé plus expérimenté s'intéresse à un employé sans expérience ou nouveau dans l'entreprise. Les employés peuvent également amorcer le processus en suscitant l'intérêt de tuteurs potentiels, en demandant des conseils ou en travaillant conjointement sur des projets. Toutefois, ayant reconnu les avantages potentiels du tutorat pour le perfectionnement de leurs employés, de nombreuses sociétés - dont Merrill Lynch et Federal Express - ont officialisé ce processus. Si un programme de tutorat n'est pas déjà établi dans votre société, pourquoi ne recommandez-vous pas d'en démarrer un ?

Perfectionnement et réduction de personnel

Peut-être que votre société a déjà subi la dure loi de la réorganisation, de la rationalisation, ou des réductions du personnel. Si c'est le cas, vous êtes en droit de vous poser la question suivante : "Est-ce qu'il n'est pas vain de perfectionner le personnel quand tout change si vite ? Mes employés n'auront peut-être plus d'emploi l'année prochaine. Il est donc inutile d'envisager un perfectionnement."

De fait, rien n'est moins vrai. Compte tenu de l'évolution rapide des sociétés, il est plus que jamais indispensable de former le personnel. Alors que les services sont associés, dissous, ou réorganisés, les employés doivent être prêts à assumer de nouveaux rôles - des tâches qu'ils n'avaient peut-être jamais exécutées auparavant. Dans certains cas, il se peut que le personnel soit confronté à la concurrence interne pour accéder à certains postes ou obligés de poser leur candidature dans d'autres services pour conserver leur emploi dans l'entreprise. En cette période de grande incertitude, nombreux sont ceux qui ont le sentiment d'avoir perdu le contrôle de leur carrière et même de leur vie.

 Les plans de carrière et le perfectionnement fournissent aux employés les outils nécessaires pour reprendre le contrôle de leur carrière. La liste ci-après donne des exemples des initiatives prises par quelques-unes des plus grandes sociétés américaines pour aider leur personnel à faire face à des rationalisations et des réorganisations massives :

- Suite à une restructuration drastique, General Electric avait proposé des formations professionnelles spécifiques pour les ingénieurs occupant des postes clés. L'entreprise avait également prévu des réunions de suivi informelles avec des personnes ayant accompli avec succès lesdites formations.

- Raychem, fabricant de produits industriels situé à Menlo Park en Californie, propose à ses employés les services d'un centre professionnel interne. Les employés y apprennent à faire un C.V., prennent des cours de techniques d'entretien et peuvent y rechercher des opportunités de promotion ou de mutation au sein de l'entreprise. Robert J. Saldich, président-directeur général de Raychem, a déclaré, dans le numéro de *Business Week* du 17 octobre 1994 : "Grâce à ce système, notre personnel est totalement motivé, enthousiaste et beaucoup plus productif et attaché aux intérêts de l'entreprise."

- Chez AT&T, la direction a proposé aux employés, au niveau national, des séminaires spéciaux de trois jours sur le perfectionnement professionnel suite à des réductions de personnel très importantes.

- IBM a révisé les plans de carrière de milliers d'employés qui sont passés du service de gestion du personnel au service des ventes, suite à une restructuration massive.

En dépit des effets négatifs évidents des restructurations sur le moral et la confiance du personnel, cette époque de changement donne aux managers l'opportunité unique de façonner l'avenir de leurs sociétés. Pour nombre d'entre eux, ce sera la première fois qu'ils auront l'occasion de contribuer à la "refonte" de la société.

 Le perfectionnement des employés n'a jamais été aussi crucial, car on leur demande d'assumer des fonctions nouvelles, impliquant souvent plus de responsabilités. Votre personnel a besoin de votre soutien maintenant : veillez à satisfaire ses attentes. Ce sera peut-être le cadeau le plus précieux que vous pourrez lui offrir.

Testez vos nouvelles connaissances

Quels sont les quatre éléments d'un plan de gestion de carrière ?

A. Objectifs de connaissances à acquérir, ressources requises, dates butoirs et normes d'évaluation.

B. Objectifs de connaissances à acquérir, programme des cours de perfectionnement, dates des cours et évaluations.

C. Description des intentions, résumé des motivations, ressources spécifiques attri- buées et résultats susceptibles d'être obtenus.

D. Spécifique, motivant, réalisable et programmé de manière précise.

Est-il important de continuer à former du personnel pendant les périodes de restructuration ?

A. Oui, l'avenir de la société en dépend.

B. Non, car l'environnement change trop rapidement.

C. Non, il est préférable d'attendre que la situation se stabilise.

D. Argument différent des trois susmentionnés.

Chapitre 20
Qualité et organisation

Dans ce chapitre :

Promouvoir la qualité au sein de votre société.

Comprendre la pensée systémique.

Eliminez les obstacles à l'évolution.

Création d'une société évolutive.

epuis une dizaine d'années, les sociétés américaines se concentrent sur la *qualité*, et mettent en place des "programmes qualité". On parle alors de *cercles de qualité*, *contrôle général de la qualité*, *leadership général de la qualité*, *amélioration continue* et *méthode Deming*. Chez Ford Motor, la qualité est une priorité. Environ 60 % de sociétés américaines forment leurs employés dans ce sens.

Selon *Organizational Dynamics* (1984), seules 38 % des sociétés survivent après cinq ans. 21 % durent dix ans et 10 % vivent assez longtemps pour fêter leur 20e anniversaire. Combien d'entreprises atteignent les cinquante ans ? Très peu - seulement 2 %. Et cela ne concerne pas uniquement les petites pizzerias familiales de quartier. Les sociétés importantes et bien établies sont également vulnérables.

Comment expliquer ces nombreux échecs ? Divers facteurs peuvent être invoqués : mutation des marchés, implantation médiocre, financement insuffisant, concurrence étrangère déloyale, syndicat militant, etc. Toutefois, la raison majeure demeure l'incapacité de la direction, et de la société dans son ensemble, à évoluer. Même si cette dernière a mis au point des programmes avancés de gestion, tels que l'amélioration de la qualité et la responsabilisation des employés, il se peut qu'elle n'ait pas incorporé ces nouvelles connaissances dans sa *culture* d'entreprise (ou tâches quotidiennes !).

Il y a plusieurs années, la société de Peter avait créé, en fanfare, un programme qualité basé sur cinq concepts clés, semblables aux quatorze points de D.W. Edwards Deming (se référer à l'encadré du présent chapitre). Ce programme avancé de gestion a finalement échoué car la direction ne l'avait pas soutenu.

Une fois émoussée la nouveauté du programme, ce dernier a été oublié parce qu'il n'avait pas été intégré dans la *culture* d'entreprise.

Comme l'a déclaré Edwards Deming, fondateur du mouvement moderne de la qualité : "Le problème majeur de la plupart des sociétés occidentales n'est pas la concurrence ou les Japonais. Les principaux obstacles sont inhérents à la société elle-même. Ils sont directement liés aux managers des sociétés, inaptes à faire face à la compétitivité actuelle." (Mary Walton, *The Deming Management Method*).

En dépit des programmes de gestion sensationnels successivement lancés avec la promesse de résoudre tous les maux, rares sont les sociétés qui effectuent des changements fondamentaux des structures et des procédés indispensables à une transformation radicale. Une fois le nouveau programme passé de mode - souvent quelques semaines après son lancement -, la société reprend ses habitudes.

Les sociétés évolutives sélectionnent les meilleures méthodes à partir d'un large éventail de pratiques innovantes - externes et internes. Si elles fonctionnent, la société peut *réaliser* les changements requis.

Dans ce chapitre, nous analyserons la manière dont les sociétés actuelles appliquent les programmes d'amélioration de la qualité. Nous révélerons les obstacles *réels* au changement et les solutions possibles. Nous évoquerons également l'importance de l'acquisition continue des connaissances pour l'avenir de la société et les méthodes pour appliquer ce processus dans *votre* société.

La marche vers la qualité

Avant la révolution industrielle, presque tous les produits proposés sur le marché étaient fabriqués à la main. Des artisans qualifiés fabriquaient des meubles, cousaient des vêtements, construisaient des voitures, etc. A cette époque, il existait peu de procédés mécanisés. Puis les machines ont commencé à remplacer la main-d'oeuvre dans le secteur de la production. Les produits étaient fabriqués par des machines actionnées par les ouvriers.

Gestion scientifique

Au début du siècle, les chercheurs essayaient de trouver de nouvelles méthodes pour optimiser la production. Leurs efforts ont donné naissance à la gestion scientifique. Dans son ouvrage, Frederick Winslow Taylor propose aux sociétés d'utiliser des règles et des normes de travail bien définies pour contrôler les performances des employés, qu'il a lui-même observés au travail. Il identifia, définit, évalua, chronométra et affina chaque étape du processus de production. Grâce à ces informations, les managers pouvaient mettre au point des procédures de travail simples, directes et efficaces.

Le travail de Taylor généra des améliorations réelles et durables :

- Les nouveaux ouvriers - souvent des immigrants nouvellement arrivés sans expérience du travail en usine - étaient formés rapidement et facilement, car chaque tâche était strictement définie.

- Les procédés gagnèrent énormément en efficacité, l'industrie américaine devint florissante et le pays prospéra.

Toutefois, cette réussite présentait des inconvénients :

- Les procédures de travail qui régissaient les tâches de manière extrêmement stricte ôtèrent toute créativité, esprit d'initiative et pouvoir aux ouvriers.

- Les ouvriers devinrent eux-mêmes des machines - exécutant les mêmes tâches répétitives sans s'arrêter, jour après jour, année après année.

De fait, la gestion scientifique a *réellement* aidé les Etats-Unis à devenir une puissance industrielle, apte à inverser l'équilibre des forces pendant la seconde guerre mondiale et produisant de nouveaux produits de consommation — machines à laver, grille-pain, télévisions — alimentant ainsi le rêve américain des années 50 et 60. Malheureusement, la quête de l'efficacité à n'importe quel prix et la priorité accordée à la *quantité* négligeaient le principal : l'*innovation*.

Tant que les produits américains dominaient les marchés mondiaux, le manque d'innovation n'avait pas de conséquence. Aucun autre pays ne pouvait rivaliser avec ces milliers de produits industriels et de consommation. Cette vague de prospérité semblait ne devoir jamais s'arrêter. Cependant, de l'autre côté de l'océan Pacifique - ignorée par les riches capitaines de l'industrie américaine, confiants en l'avenir - une révolution se préparait...

Japon : l'empire du Soleil-Levant

La seconde guerre mondiale réduisit à néant la base industrielle très développée du Japon. Au début des années 1950, le Japon se lança dans un long processus de reconstruction de ses entreprises et de ses industries. Etant donné les ravages causés par la guerre - anéantissement des installations, des procédés, des systèmes hiérarchiques, les managers japonais repartaient à zéro.

Au cours de ses premières visites au Japon, D. W. Edwards Deming sut capter l'attention des managers japonais. En 1950, il fut invité à donner un cours sur les méthodes de contrôle de la qualité à un groupe d'ingénieurs, de managers et de chercheurs japonais. La suite fait partie de l'histoire. L'industrie japonaise adopta la philosophie de Deming, préconisant le contrôle et la gestion statistiques : la production prit son essor alors que la qualité des produits finis s'améliorait considérablement. Le label "fabriqué au Japon", auparavant synonyme de mauvaise qualité, devint rapidement un symbole de qualité recherchée par les consommateurs du monde entier.

Il est intéressant de constater que si Deming était célébré comme héros national au Japon, ses théories étaient généralement ignorées aux Etats-Unis. Malgré sa contribution au redressement de l'industrie japonaise et ses tentatives incessantes pour convaincre les managers américains de la nécessité d'améliorer la qualité, Deming et ses concepts n'étaient pas populaires. Dans les années 1980, un changement s'opéra lorsque de grandes sociétés américaines comme Ford découvrirent les enseignements de Deming.

La collaboration entre Deming et Ford aboutit au développement d'une mission d'entreprise, à l'identification des valeurs d'entreprise et à un ensemble de principes pour orienter les actions quotidiennes des employés - éléments essentiels de la nouvelle philosophie de Ford sur la qualité. Voici les principes créés par Ford, exposés dans le livre de Walton intitulé *The Deming Management Method* :

- La qualité avant tout. Pour satisfaire la clientèle, la qualité des produits et des services doit être notre priorité.

- Chacune de nos actions doit être centrée sur la clientèle. Notre travail sera exécuté en pensant à la clientèle, et les produits et les services devront être meilleurs que ceux de la concurrence.

- L'amélioration continue est essentielle à notre réussite. Nous devons rechercher l'excellence en toutes choses : dans nos produits, en termes de sécurité et de valeur et dans nos services, relations humaines de même que pour la compétitivité et la rentabilité.

- La motivation des employés est essentielle. Nous sommes une équipe. Le respect et la confiance mutuels sont indispensables.

- Les distributeurs et les fournisseurs sont nos partenaires et la société doit maintenir de bonnes relations avec tous.

- Intégrité. La gestion de notre société à l'échelle mondiale doit lui permettre d'agir en tant qu'entreprise citoyenne, suscitant le respect grâce à son intégrité et à ses contributions positives à l'égard de la communauté. Nos portes sont ouvertes aux hommes comme aux femmes, sans discrimination raciale ou religieuse.

Les 14 concepts de Deming

La réussite des Japonais, capables de créer des produits bon marché et de haute qualité, ne doit pas faire oublier que la majeure partie des innovations à l'origine de ce succès est due à un américain : D. W. Edwards Deming. Jusqu'à sa mort, en 1993, il était un créateur infatigable dans le domaine de la gestion et un farouche partisan de la qualité. Peter eut la chance de voir Deming dans le cadre d'une téléconférence par satellite en 1992 qui dura une semaine entière. En dépit de son grand âge - il avait alors 92 ans - Deming évoquait l'oeuvre de sa vie et répandait un enthousiasme et une énergie à faire pâlir d'envie plus d'un jeune manager.

Deming est notamment réputé pour ses "14 concepts", philosophie détaillée visant à remédier aux défaillances des méthodes de gestion modernes. La plupart de ces concepts font désormais partie de la routine de nombreuses sociétés américaines. Mais au fait, les connaissez-vous ?

1. Constance des objectifs pour l'amélioration des produits et des services, en vue de devenir concurrentiel et continuer à opérer en tant que société et créer des emplois.

2. Adoption d'une nouvelle philosophie. Nous sommes dans une nouvelle ère économique. Les managers occidentaux doivent se préparer à relever les défis économiques, apprendre à cerner leurs responsabilités et être les promoteurs du changement.

3. Suppression de la dépendance vis-à-vis des contrôles de qualité. Eliminer les contrôles en série en intégrant le principe de qualité dans la conception du produit.

4. La référence pour l'évaluation des performances de l'entreprise ne doit pas être l'étiquette de prix. Il est préférable de minimiser le coût total.

5. Amélioration constante du système de production et des services pour accroître la qualité et la productivité, d'où une réduction permanente des coûts.

6. Formation sur le tas.

7. Institution d'un leadership. L'objectif est de faire en sorte que le personnel, les machines et les dispositifs travaillent mieux. Le leadership dans les secteurs du management et de la production doivent être repensés.

8. Suppression de la peur, pour que tout le monde puisse travailler de manière efficace pour la société.

9. Suppression des barrières entre les services. Le personnel des services de recherche, de conception, de ventes et de production doit former une équipe, pour anticiper les problèmes de production et d'utilisation du produit ou du service.

10. Elimination des slogans, des exhortations et des objectifs à l'attention de la main-d'oeuvre, réclamant aucun défaut et de meilleurs niveaux de productivité. Ces exigences engendrent une crispation des relations, car c'est le système qui est en grande partie responsable d'une faible qualité et d'une productivité insuffisante. La main-d'oeuvre n'a pas le pouvoir d'y remédier.

11. a) Suppression des normes de travail (quotas) dans les ateliers. Instaurer plutôt le leadership. b) Suppression de la gestion par objectif. Suppression de la gestion par chiffres, objectifs numériques.

12. (a) Elimination des obstacles qui empêchent les ouvriers d'être fiers de leur travail. Les chefs ne doivent pas se concentrer uniquement sur les chiffres, mais sur la qualité. (b) Cette remarque vaut également pour le personnel de la direction et d'ingénierie. Il faut donc mettre un terme à l'évaluation annuelle ou des mérites et à la gestion par objectif.

13. Application d'un programme dynamique de formation et de perfectionnement personnel.

14. Participation de l'ensemble du personnel à cette mutation. Elle concerne tout le monde.

(Source : Peter Scholtes, *The Team Handbook*)

De toute évidence, la nouvelle philosophie de Ford a assuré le succès de l'entreprise. Selon les chiffres de la société Hoover présentés par America Online, cinq des huit voitures et camions les plus vendus aux Etats-Unis sont construits par Ford, à savoir la Ford Taurus et le pick-up Ford de série-F.

Nous vous présentons ci-après d'autres sociétés ayant appliqué avec succès leurs programmes-qualité :

- Pour aider les ouvriers à améliorer la qualité, Motorola a construit un centre de formation de 8 096 m^2 pour un coût de 10 millions de dollars. Elle a également créé 4 000 équipes-qualité dans toute la société. Selon Bill Smith, vice-président et responsable de l'Assurance Qualité de Motorola : "Chargées de transformer les méthodes de travail, ces équipes constituent l'élément central du mouvement - qualité de Motorola."

- Federal Express a amélioré la qualité en effectuant un sondage annuel sur le comportement du personnel ; FedEx l'utilise également pour déterminer si des problèmes existent dans la société. Peu après la diffusion des résultats, les managers organisent des réunions avec leurs employés pour discuter des problèmes évoqués dans les sondages et les résoudre.

- Monsanto Chemical Company a formé 15 000 ouvriers aux techniques de la qualité et leur a donné le pouvoir d'améliorer des procédés spécifiques en leur accordant la liberté, les ressources et les responsabilités requises à cet effet. En conséquence, les ouvriers de l'usine de fabrication de LaSalle de Monsanto ont augmenté le niveau de précision du système de stocks de l'usine. Initialement inférieur à 75 %, il a atteint 99 %, d'où une progression du bénéfice brut de 3 millions de dollars en un an.

(Source : Stoner, Freeman et Gilbert, *Management*)

Malheureusement, si des sociétés comme Ford et Motorola ont intégré les concepts de qualité, d'amélioration continue et de responsabilisation du personnel à leur culture d'entreprise, beaucoup d'autres sociétés instaurent des programmes-qualité pour les abandonner rapidement peu après. Pour un grand nombre d'entreprises, la qualité n'est qu'un engouement passager et leurs équipes de gestion ne sont pas prêtes à effectuer la réorganisation fondamentale des procédés et des structures qui permettra de faire face à l'évolution permanente des marchés mondiaux.

Si quelques sociétés optent pour la qualité et l'intègrent définitivement à leurs structures, un nombre bien plus important y renonce rapidement après l'application des programmes. Les ouvriers, tout d'abord stimulés par la responsabilisation promise par le mouvement-qualité, sont vite déçus.

Le problème ne réside pas dans le mouvement-qualité lui-même. Les managers sont responsables de cet échec, car ils ne parviennent pas à changer en profondeur leurs méthodes de travail. Ils vanteront peut-être les avantages de l'amélioration continue ou du contrôle général de la qualité lors de réunions du personnel et iront même jusqu'à créer des équipes-qualité ou des comités de direction de la production. Toutefois, une fois le sentiment de nouveauté émoussé, de nombreux managers reprennent leurs anciennes méthodes de travail. En d'autres termes, ils *n'apprennent pas*. Le concept de société évolutive a été créé et développé après avoir observé ce phénomène.

Lancement d'un programme d'amélioration de la qualité

Les managers ont assisté à la naissance et à l'extinction d'une multitude de programmes d'amélioration de la qualité. En dépit des meilleures intentions et de la réelle volonté des managers et des ouvriers d'améliorer leur travail au sein de la société, un grand nombre de ces programmes ne *perdure* pas. Le lancement d'un programme-qualité prend beaucoup de temps, et son maintien est encore plus difficile.

Il existe probablement autant de modèles de programmes-qualité que d'étoiles dans le ciel. La clé du succès est l'organisation et la planification du programme.

Voici les cinq étapes à suivre pour établir un programme de base d'amélioration de la qualité dans *votre* société :

1. **Soutien de la direction**

   Pour assurer le succès à long terme d'un programme-qualité, il faut que vous bénéficiez du soutien actif des principaux dirigeants de votre société. Ce type de programmes donne plus de responsabilités aux subordonnés et les autorise à faire des suggestions d'amélioration de l'organisation du travail. Aussi certains managers craignent-ils de perdre un peu de leur pouvoir. Lors de cette première étape critique, il faut leur exposer les avantages en termes de rentabilité.

2. **Etablissement d'un comité de direction de la qualité**

   Ce comité de direction, qui devrait inclure des employés de différents niveaux et services de la société, est chargé de développer des systèmes et des procédures pour inciter les salariés à faire des suggestions d'amélioration. Après analyse, le comité fera des recommandations pour leur application. Dans les petites sociétés, le comité pourrait être constitué d'une seule personne ou d'un petit groupe de deux ou trois individus. Dans une société plus importante, vingt personnes ou plus pourraient former ce comité. Pour que votre programme d'amélioration de la qualité ait un impact (ce qui est essentiel pour voir vos efforts récompensés), il faut vous assurer que le comité est en contact direct avec une personne de l'équipe de la direction, qui pourra apporter son soutien, donner ses conseils et éliminer les obstacles d'organisation.

3. **Etablissement de directives et de procédures**

   En dépit de la diversité des programmes ayant fait leur preuve, la plupart d'entre eux ont en commun plusieurs caractéristiques de base :

   Suggestions d'amélioration de la qualité par le personnel. Vous devez élaborer à cet effet un formulaire nominatif sur lequel l'employé mentionnera le secteur qui, à son avis, devrait être amélioré et avancera des solutions. Vous transmettrez ensuite le formulaire au comité de direction de la qualité pour évaluation. Il faudra inciter les employés à se concentrer sur des suggestions concernant leurs propres services ou équipes de travail, pour qu'ils puissent participer directement au changement éventuel.

Révision des suggestions et décision d'affectation. Le comité de direction étudie toutes les suggestions et détermine ensuite leur affectation. Si la proposition est intéressante, elle peut être transmise à un manager pour application, ou, dans le cas de questions plus complexes, une équipe pluridisciplinaire peut prendre le relais et donner des recommandations spécifiques. Si le comité a besoin d'informations supplémentaires avant de prendre une décision, l'employé auteur de la suggestion peut être invité à les fournir. Si la proposition n'est pas pertinente, réexpédiez le formulaire à la personne concernée en la remerciant et en justifiant votre décision. Tous les employés ayant formulé une suggestion, que cette dernière soit ou non retenue, devront être remerciés.

Suivi des progrès réalisés. Le comité de direction devra publier régulièrement un rapport résumant les suggestions reçues et le statut de chacune d'entre elles. Ce rapport sera distribué à tous les employés au moins une fois par mois. Ce système vous permettra de vous rendre compte des problèmes internes de l'entreprise.

4. **Information au personnel**

Vos employés ont besoin de savoir qu'ils ont la possibilité de contribuer à changer la société en profondeur. La plupart des entreprises communiquent des informations importantes dans les bulletins, lors des réunions du personnel, via des vidéos, etc. Pour avoir un impact maximal sur vos employés, ces renseignements doivent être communiqués officiellement par le directeur général. C'est le meilleur moyen pour faire comprendre à vos employés que l'amélioration de la qualité est une priorité. L'annonce devra être immédiatement suivie de directives et de procédures écrites, développées à l'attention de tous les employés.

5. **Révision des résultats du programme**

Quelle est la valeur d'un programme-qualité si on ne peut pas mesurer les résultats ? Il faut régulièrement examiner les conséquences de votre programme pour déterminer si les employés y participent, si certains services ont de gros problèmes et s'assurer que des mesures ont été prises suite aux suggestions faites aux managers. Si vous pouvez quantifier les avantages des améliorations en termes d'économies réalisées, de réduction du temps de travail ou d'optimisation du service à la clientèle, c'est tout à fait positif.

Pensée systémique

Selon le mode de gestion traditionnel, la direction doit s'attacher en priorité à résoudre les problèmes spécifiques qui se posent. Si le travail d'un employé est inférieur aux normes établies, il faut le discipliner pour que tout rentre dans l'ordre. Si l'on constate des défauts de qualité, il est temps d'augmenter le nombre de contrôleurs pour supprimer les imperfections avant l'expédition du produit. En cas de défaillance - d'un produit, d'une machine ou d'un ouvrier - c'est au manager d'y remédier. *Si je résous cet ultime problème, tout ira bien.*

La faiblesse fondamentale de ce système de gestion ponctuelle des crises est qu'il ne résout pas les problèmes sous-jacents qui conduisent à un mauvais fonctionnement de la société - il agit de manière superficielle, le plus souvent à court terme et dissimule temporairement le problème en question. Une telle gestion ressemblerait au travail d'un médecin qui soignerait les symptômes d'une tumeur au cerveau avec de l'aspirine. L'aspirine soulagera la souffrance pendant un moment - le mal de tête et la douleur dans son ensemble - mais la tumeur demeurera. Si le médecin ne prend pas les mesures nécessaires pour découvrir l'origine des symptômes, le patient mourra. De la même manière, le manager qui traite les défaillances sans remonter à la source du problème risque de voir sa société s'effondrer.

De nombreux managers savent désormais qu'il ne suffit pas de traiter les symptômes pour résoudre les problèmes. Le terme *pensée systémique* a été créé après s'être rendu compte que l'on ne pouvait pas considérer les éléments d'une société de manière isolée. Tout changement dans un secteur, négatif ou positif, aura un impact sur les autres services. Les managers doivent examiner la manière dont un événement affecte l'ensemble de l'entreprise.

Dans son ouvrage sur la société évolutive, le théoricien de la gestion MIT, Peter Senge, propose aux managers d'exploiter les cinq compétences clés suivantes pour l'application du concept de pensée systémique :

- **Perception des relations entre les éléments et les processus.** De nombreux managers perçoivent les événements et les problèmes de manière isolée et non comme un enchaînement d'actions ou d'étapes. Ce qui induit un rétrécissement de la vision et une incapacité à voir comment la modification d'une seule étape peut inverser le processus et affecter toute la société. La pensée systémique nécessite de prendre du recul et de regarder la totalité du mécanisme.

- **Au-delà du blâme.** La plupart des problèmes organisationnels résultent de *systèmes* ou de *procédés* inadéquats - et non de l'incapacité des *employés*. C'est pourquoi blâmer ou punir des employés dont les performances ne sont pas aussi bonnes que prévues est inutile, car il n'y est pour rien. Les managers adeptes de la pensée systémique recherchent au contraire l'origine du problème.

- **Différencier la complexité de détail et la complexité dynamique.** La pensée systémique implique deux types de complexité : de détail et dynamique.

  La complexité *de détail* est celle qui résulte d'une large quantité de variables différentes. La plupart des managers y font référence quand ils qualifient un problème de *complexe*.

  La complexité *dynamique* se produit quand la cause d'une action et son effet ultime sont situés dans l'avenir et que l'impact de l'intervention du manager n'est pas évident pour la plupart des employés. En ce qui concerne la pensée systémique, les gains les plus importants sont liés à la complexité dynamique d'un système.

- **Priorité aux secteurs à fort effet de levier.** Il s'agit de secteurs où des gains importants peuvent être dégagés avec un effort minimal. Dans de nombreux cas, les solutions les plus évidentes génèrent des améliorations minimales alors que des solutions moins courantes et de moindre envergure aboutissent à des gains plus élevés. La pensée systémique amène les managers à rechercher en permanence des remèdes qu'ils peuvent appliquer avec un minimum d'efforts, mais qui engendreront des gains maximaux et à plus long terme.

- **Eviter le seul traitement des symptômes.** Traiter les *symptômes* d'une défaillance de l'entreprise et non les véritables causes induit des solutions à court terme et finalement inefficaces. Les managers doivent constamment lutter contre la pression qui les incite à résoudre rapidement les problèmes au lieu de prendre le temps de chercher et d'instaurer une amélioration durable.

  (Source : "The leader's New Work : Building Learning Organization", *Sloan Management Review*, automne 1990)

Obstacles au changement

Quel est, selon vous, l'obstacle le plus important à l'acquisition des connaissances dans la plupart des sociétés ? Faut-il blâmer le désir des employés de maintenir le statu quo ? De fait, ces derniers apprécient de toute évidence la stabilité et la sécurité. Mais dans ce cas, ils ne sont pas en cause. Faut-il incriminer les piles de règlements écrits, archivés dans ces gros classeurs en vinyle noir, qui n'ont pas été mis à jour depuis le siècle dernier ? Certes, des règlements excessifs inadaptés aux changements de la société et toute la paperasse qu'ils représentent sont souvent un frein à l'innovation et entravent les initiatives des ouvriers qui s'efforcent d'opérer des changements positifs dans leur environnement de travail. Ou faut-il jeter le discrédit sur l'assistant du vice-président responsable des ventes ? Non, même si ce dernier est la personne la plus pénible de la société, il ne peut être blâmé.

Tous ces éléments - et bien d'autres encore - contribuent peut-être à une résistance à l'acquisition des connaissances et, à long terme, à un échec inévitable de la société sur le marché mondial en mutation rapide. Toutefois, il y a un facteur qui joue un rôle déterminant sur la capacité d'une société à apprendre.

L'équipe de responsables à la tête de votre société constitue l'obstacle majeur à son évolution.

Réfléchissez un moment. Quand une société traverse une crise et qu'en dépit de ses efforts constants, la direction ne parvient pas à redresser la situation, que se passe-t-il ? Cela fera tout d'abord l'objet d'un article dans le *Wall Street Journal* ou votre hebdomadaire financier favori, annonçant la "démission" du président de la société et l'affectation de son remplaçant. Comme de coutume, le nouveau président annonce ensuite qu'il congédie le reste de l'équipe de la direction pour pourvoir ces postes comme il l'entend.

Quand une société a des problèmes et que la direction est incapable de trouver les solutions appropriées, l'entreprise doit se *défaire* de ses mauvaises habitudes (et sans tarder !) afin de reprendre le chemin de la réussite. Mais comment la société parviendra-t-elle à délaisser les méthodes qui certes entraînent actuellement son déclin, mais qui furent à l'origine de son succès ? La manière la plus rapide consiste à congédier les membres de la direction et à instaurer de nouvelles méthodes de travail. Les vieilles habitudes sont parfois très difficiles à abandonner. Si un DG a fait ses preuves, il n'y a pas de raison pour qu'il change sa façon de diriger et, au lieu de favoriser le changement, il luttera contre lui. C'est pourquoi, si une société veut évoluer, la solution la plus simple est de congédier l'équipe de managers récalcitrants.

Prenons le cas de Apple Computer. Le 2 février 1996, le conseil d'administration de la société a congédié le directeur général Michael Spindler. Pourquoi ? Quand Spindler a pris les rênes en 1993, le chiffre d'affaires de l'exercice était de 7,9 milliards de dollars, la marge brute atteignait 34 % et la part de marché des ordinateurs personnels se maintenait à 14 %. Toutefois, malgré la réduction drastique des prix des produits et des coûts de production, 2 000 employés furent licenciés. La part de marché des ordinateurs personnels avait chuté à 7,8 % (7,1 % au quatrième trimestre de 1995). Les investisseurs faisaient grise mine.

Si les produits Apple se sont toujours distingués de la multitude de clones PC IBM moins chers et moins performants qui ont submergé le marché des ordinateurs personnels, c'est grâce au leadership d'Apple dans le secteur de l'innovation technologique. Selon le cofondateur de la société, Steve Jobs, qui fut lui-même limogé de son poste de directeur général en 1985, Apple avait autrefois dix ans d'avance sur les concurrents PC. Comme il l'explique, quelque chose s'est passé - ou plutôt ne s'est pas passé : "Apple n'a pas échoué. Le problème, c'est que son succès a dépassé toutes ses espérances. Toute le monde a suivi son exemple ; mais malheureusement, ce rêve n'a pas évolué. Apple a cessé de créer." (*San José Mercury News* sur America Online, téléchargé le 20/3/96). En conséquence, la plupart des clients n'avaient plus aucune raison d'acheter les produits Apple aux prix prohibitifs, tandis que, peu à peu, les PC équipés de Microsoft Windows se substituaient aux produits Apple, jusqu'à faire disparaître l'avantage technologique dont jouissait Apple depuis plusieurs années.

Malgré les initiatives de Spindler, à savoir la diminution sensible des prix, des coûts de production et le licenciement de 2 000 employés - qui donnèrent un coup de fouet au ventes en 1994 - l'équipe de direction rata plusieurs tentatives de vente à des acteurs majeurs comme IBM et Hewlett-Packard ; les entreprises - de plus en plus inquiètes à propos de la viabilité à long terme de Apple - commencèrent à retarder les commandes et à se détourner des ordinateurs personnels de Apple au profit des ordinateurs PC compatibles. Standard & Poor évalua une partie des obligations de Apple comme étant des titres "à haut risque".

Bref, il était temps d'opérer un changement. Lors d'une réunion d'urgence le 31 janvier 1996, le conseil d'administration de Apple annonça la nouvelle à Spindler : on n'avait plus besoin de ses services. Deux jours plus tard, Spindler quitta son bureau et Gilbert Amelio, directeur général de National Semiconductor et membre du conseil d'Apple, s'asseyait dans son fauteuil. Peu de temps après sa nomination, Amelio annonça le recrutement à l'extérieur d'un nouveau responsable administratif et d'un directeur financier. Puis, en mars 1996, Amelio créa la nouvelle fonction de vice-président des plates-formes Internet, pour coordonner la stratégie Internet de Apple. En l'espace de quelques jours, le conseil d'administration transforma la société et créa une situation où il était possible de se défaire des habitudes anciennes. En recrutant un nouveau directeur, Apple apprit des méthodes nouvelles et heureusement plus efficaces.

Ne serait-il pas préférable de permettre à la société d'apprendre de nouvelles méthodes pour s'adapter aux changements plutôt que de devoir régulièrement *désapprendre* en limogeant l'équipe de direction ? Les managers seraient plus rassurés quant à la stabilité de leur travail et les employés ne craindraient plus d'éventuels licenciements. En outre, la société économiserait de l'argent, du temps et de l'énergie.

Il existe heureusement une solution pour atteindre cet objectif qui consiste à créer une organisation apprenante.

Créer une organisation apprenante

Une *société évolutive* est une société qui peut développer et utiliser de manière efficace les connaissances pour s'adapter au mieux aux changements. Depuis la publication du livre de Peter Senge, *La Cinquième Discipline (The Fifth Discipline),* en 1990, les méthodes de création et de gestion de sociétés favorisant l'acquisition continue des connaissances figurent parmi les techniques prioritaires de nombreux managers.

Les anciens modèles de gestion, basés sur le contrôle et la hiérarchie, ont tout de même une faiblesse : ils partent du principe que le monde, et tout ce qui le constitue, est prévisible. Aucune méthode ne sera suffisamment vaste et complexe pour prévoir *toutes* les éventualités. Sachez que le monde *n'est pas* prévisible, mais chaotique.

L'idée d'une société évolutive repose sur l'hypothèse que les entreprises sont confrontées à des changements rapides et que les managers devraient *prévoir* l'imprévisible. De fait, ils ne seront pas pris au dépourvu par les événements inattendus, qu'ils considéreront comme des opportunités et non comme des problèmes. Les sociétés évolutives sont souples et la hiérarchie y est moins forte que dans les structures traditionnelles. Grâce à ce système, les managers peuvent plus facilement *provoquer* des changements au lieu de les subir.

Comment procède-t-on pour créer une société évolutive ? Il faut prendre en compte plusieurs caractéristiques :

- **Promouvoir l'objectivité**. Chacun d'entre nous a connu des managers qui ont pris des décisions uniquement pour satisfaire les désirs d'une personne puissante, influente ou pour combler un ego énorme. Ces décisions subjectives - résultant non pas de l'analyse objective des faits, mais d'une réaction émotionnelle - sont moins efficaces que celles découlant d'une analyse *objective* de la situation. En tant que manager, vous devez encourager l'objectivité de vos employés et de vos collaborateurs *et* la mettre en pratique lors de vos prises de décision.

- **Favoriser la franchise**. Pour qu'une société soit évolutive, les employés doivent être francs les uns envers les autres. Pour que cette franchise soit possible, vous devez créer un espace où les employés pourront exprimer en toute quiétude leurs opinions sans craindre de représailles. Eliminer la peur au sein de sa société doit être la priorité majeure de tout manager qui souhaite créer une société évolutive.

- **Travail en équipe**. Le travail en équipe est un élément essentiel du processus de mise en place d'une société évolutive. De plus, il est fort probable que la meilleure solution sera adoptée, car l'équipe recueille toutes les bonnes idées de la *totalité* des membres. Cela fera toute la différence et permettra à la société de survivre sur le marché mondial en évolution constante.

- **Créer des outils utiles**. Les managers des sociétés évolutives ont besoin d'outils qui permettront à leurs membres d'obtenir rapidement et aisément les informations nécessaires à leur travail. Les réseaux informatiques, par exemple, doivent être installés de telle sorte que *tous* les employés y aient accès. Ils doivent fournir les données financières et autres types d'informations requises par les décideurs pour faire les *bons* choix. Les meilleurs outils sont ceux qui transmettent des informations pertinentes aux personnes appropriées au moment opportun.

- **Analyse du système de reconnaissance**. Rappelez-vous la phrase : "Ce que vous obtenez est à la mesure de ce que vous récompensez." Quelles sont les actions que vous récompensez et qu'obtenez-vous en retour ? Si vous voulez créer une société évolutive, il est indispensable de récompenser ceux qui y contribuent et arrêter d'encourager la subjectivité et l'individualisme.

Testez vos nouvelles connaissances

Lequel des principes suivants fait partie des 14 points de la philosophie de Deming ?

A. Choisissez toujours la solution qui suscite le moins de résistance.

B. N'oubliez pas la règle d'or.

C. Ne vous inquiétez pas, soyez heureux.

D. Supprimer le sentiment de peur pour que tout le monde puisse travailler avec efficacité pour la société.

Qu'est-ce que la pensée systémique ?

A. Système stipulant que les éléments ne peuvent être analysés séparément.

B. Recherche permanente de l'équilibre des systèmes.

C. Il ne faut pas s'en faire.

D. Définition différente de celles susmentionnées.

Septième partie
Le club des dix

"Nous vous offrons un environnement créatif de gestion fonctionnant avec les équipements de traitement et de communication dans les règles de l'art : un package avec des avantages substantiels, un partage des profits généraux, des options sur actions, et, si vous voulez être Funky et voulez vous éclater et raper, on peut faire ça aussi."

Dans cette partie...

Ces chapitres courts sont bâtis sur des idées simples qui peuvent vous aider à devenir un meilleur manager. Lisez-les chaque fois que vous avez une ou deux minutes à perdre.

Chapitre 21
Dix erreurs courantes de management

Oui, c'est bien vrai : les managers font des erreurs ; et les erreurs vous mènent à ce que vous voulez apprendre.

Edison dit un jour que des milliers d'erreurs sont nécessaires pour trouver une réponse à un problème. Comme l'instructeur de Peter lui demandait, alors qu'il faisait un temps glacial (moins 32 °C) dans une école de ski à Québec : "Est-ce la trace de votre nez, là sur la glace ?" Il voulait dire en clair : "Si vous ne tombez pas, vous n'apprenez pas." Le moniteur d'auto-école de Bob lui a tenu un discours semblable, juste avant qu'il ne casse la voiture familiale : "Si vous ne cassez pas, vous n'apprenez pas."

Vous avez compris.

Ce chapitre passe en revue dix chausse-trapes dont les managers, tant néophytes que chevronnés, peuvent très bien être les victimes.

Ne pas faire la nuance entre ouvrier et manager

Si vous êtes ouvrier, vous ferez votre travail en sachant que vous n'êtes en définitive responsable que de vous-même. Avez-vous atteint vos objectifs ? Etes-vous à l'heure le matin ? Votre travail a-t-il été bien fait ?

Si vous devenez un manager, tout change. D'un coup, vous devenez non seulement responsable de vos résultats, mais de ceux de toute une équipe. Vos employés ont-ils atteint leurs objectifs ? Sont-ils réellement motivés ? Font-ils correctement leur travail ?

Ne pas parvenir à déléguer

Combien de fois faudra-t-il vous le dire ? Vous ne pouvez pas tout faire seul ! Vous avez beau être le meilleur statisticien au monde, si vous devenez manager d'une équipe de statisticiens, votre boulot change. Fini les analyses statistiques, occupez-vous seulement - et ça n'est pas une mince affaire - de diriger et d'animer un groupe de collaborateurs.

Un projet qui nage entre deux eaux devient tout d'un coup gérable si vous le répartissez entre douze personnes différentes. Bien plus, quand vous déléguez, vous suscitez les opportunités individuelles et développez vos aptitudes au leadership. Chaque fois que vous démarrez une nouvelle mission ou un boulot en cours, demandez-vous si l'un de vos collaborateurs ne peut le faire à votre place.

Fixer les objectifs sans l'avis du personnel

L'expression "navire sans gouvernail" signifie-t-elle quelque chose pour vous ? Cela devrait. Les résultats efficaces s'obtiennent avec des objectifs clairs. Si vous ne fixez pas les objectifs avec votre personnel, votre entreprise n'aura pas de fondement, les employés manqueront de motivation et n'attendront qu'une chose : la fin du mois pour toucher la paye. Votre rôle de manager consiste à compter avec votre personnel ; ensemble, vous déciderez des objectifs à atteindre. Ne laissez pas votre personnel dans le noir. Aidez-le à vous soutenir, vous et votre entreprise.

Faire de la rétention d'informations

L'information, c'est le pouvoir, c'est vrai. Et certains managers préfèrent être les seuls à en profiter pour mieux régner. D'autres, par timidité, évitent toute communication avec le personnel. Résultat : un manque total de cohésion.

Cependant, une large diffusion de l'information dans l'entreprise et une communication directe et à double sens sont essentielles aujourd'hui. Bien informés, les employés doivent être en mesure de prendre les meilleures décisions sans autorisation hiérarchique préalable.

Rester sur ses positions

La plupart des managers sont habitués au succès, qu'ils ont eux-mêmes suscité. Beaucoup sont sortis du rang et ont été promus pour cette seule raison. Mais une fois devenus managers, la plupart d'entre eux oublient le chemin qu'il a fallu parcourir pour y arriver et exigent de leurs employés ce que, autrefois, ils détestaient.

Les managers talentueux réfléchissent et évitent de reproduire les erreurs qui, lorsqu'ils étaient encore de l'autre côté de la barrière, les empêchaient d'avancer. Cette méthode est sans nul doute la meilleure.

Le modèle du manager tel un roc impassible résistant à la tempête n'est plus valide. Aujourd'hui, les managers doivent accepter d'évoluer, apprendre en permanence, et innover. Sinon, ils feront partie de ces espèces en voie de disparition que personne ne regrettera.

Résister au changement

Si vous pensez pouvoir arrêter le changement, vous vous méprenez. Vous pouvez aussi bien tenter de détourner la trajectoire d'un ouragan. Bonjour les dégâts ! Plus tôt vous réaliserez que le monde change, plus vite vous vous y adapterez. Concentrer vos efforts et lancer un plan d'action, non pour résister au changement, mais pour en profiter.

 Au lieu de réagir après coup, anticiper activement les changements qui vous concernent et préparez-vous pour les aborder avant qu'ils ne désorganisent votre entreprise.

Ne pas écouter vos collaborateurs

Pour certains de vos collaborateurs, vous êtes un point de repère, pour d'autres, un associé digne de confiance. D'autres encore vous considèrent comme un professeur ou un mentor, tandis que certains vous voient comme un coach ou un ami. Quelle que soit la manière dont ils vous considèrent, vos collaborateurs ont une chose en commun : ils ont tous besoin de vous, de votre temps et de vos conseils. Ne soyez pas inaccessible. Des ouvriers peuvent vous demander plus de temps que d'autres ; il est primordial d'évaluer les besoins de chacun et de vous entretenir avec chacun d'eux.

 Si certains de vos collaborateurs sont très indépendants et n'ont besoin que de peu d'attention de votre part, d'autres au contraire sont sans cesse en demande. Quand un employé a besoin de parler, soyez disponible. Laissez tomber votre travail en cours, ignorez votre téléphone, et accordez-lui toute votre attention.

Ne pas valoriser le personnel

En ces temps d'évolution permanente, de réductions d'effectifs et d'incertitude accrue pour les ouvriers, trouver le moyen de valoriser votre personnel est plus important que jamais. Beaucoup de managers le savent, mais ne prennent pas le temps matériel de le faire.

Si les augmentations, les primes, et autres "privilèges" se font de plus en plus rares, sachez qu'il est une récompense efficace et peu onéreuse qui sera bien accueillie : la reconnaissance personnelle et écrite de la part de son manager. C'est rien et c'est beaucoup. L'amélioration du moral, de la performance et de la motivation en découlera nécessairement.

Croire que la "réparation-minute" est une solution durable

Tout manager aime résoudre les problèmes et fait en sorte que le bon fonctionnement de son entreprise ne soit pas entravé. Malheureusement, dans leur zèle de vouloir tout réparer rapidement, beaucoup de managers négligent de prendre le temps nécessaire pour trouver la cause profonde du problème.

 Au lieu de diagnostiquer le cancer et effectuer une chirurgie radicale, beaucoup de managers font à peine ce qui revient à donner au malade du sirop pour la toux. Une fois découverte la cause, vous pouvez mettre en place un remède qui aura un effet durable.

Se prendre trop au sérieux

Oui, c'est vrai, les affaires sont des choses sérieuses. Si vous ne le pensez pas, regardez donc ce qui se passe si vous dépassez votre budget et que le résultat net vire au rouge. Malgré, et bien sûr à cause des responsabilités qu'un manager porte sur ses épaules, vous vous devez de garder votre sens de l'humour et favoriser un environnement qui soit agréable, pour vous et votre personnel. Invitez de temps en temps vos employés à prendre un café en votre compagnie. Surprenez-les avec des prix spéciaux pour la cravate la plus insolite ou le poste de travail le plus créatif. Plaisantez avec eux. Soyez enjoué. N'ayez crainte, cela n'entamera en rien votre crédibilité.

Le souvenir que l'on gardera de vous ne sera pas celui d'un manager qui n'a jamais dépasser le budget prévu, mais celui de quelqu'un qui ne prenait pas le travail trop au sérieux et dont la joie éclairait une journée de travail. Ne soyez pas collés à la boue. Vivez ce jour comme si c'était le dernier.

Chapitre 22

Dix méthodes efficaces et gratuites pour récompenser le travail de votre personnel

....

Récompensez-vous le travail de votre personnel de manière appropriée ? Nous l'espérons ! Pourquoi ? Parce que la reconnaissance d'un travail bien fait est le meilleur moyen pour stimuler la motivation et l'entrain au travail. De plus, cette initiative n'occasionnera aucune dépense de votre part. Il existe de multiples manières pour apprécier un travail bien fait et un grand nombre d'entre elles nécessite peu de frais, voire aucun. Il n'est pas nécessaire de payer un voyage aux Bahamas ou de verser des primes de 5 000 F ou d'offrir des machines à café plaqué or. De fait, les dix méthodes de reconnaissance, sans frais, mentionnées ci-après sont parmi celles qui motivent le plus les employés. Vous avez des doutes ? Faites un essai et constatez par vous-même !

Travail intéressant

Même si certaines tâches quotidiennes vous apparaissent depuis longtemps routinières, elles sembleront peut-être *très* stimulantes et *très* intéressantes à vos subordonnés. Quand votre personnel exécute avec brio les missions qui lui sont confiées, récompensez-le en lui déléguant certains de *vos* travaux ou en lui proposant des projets intéressants à réaliser. Cela ne vous coûtera rien, vos employés seront encore plus motivés et ils pourront mettre en pratique leurs qualifications. Tout le monde y gagnera.

Visibilité

Chacun veut être reconnu et apprécié pour un travail bien fait. L'une des méthodes les plus faciles et efficaces pour récompenser votre personnel, sans occasionner de frais, est de reconnaître publiquement les efforts accomplis. Vous pourrez à cet effet annoncer ses réalisations lors de réunions du personnel, expédier des messages de félicitations par courrier électronique - avec des copies à tous les autres employés du service ou de la société ou encore publier un article dans le bulletin d'entreprise. Tentez l'expérience. Qu'est-ce que vous avez à perdre ? Cette technique est gratuite, facile et *extrêmement* efficace.

Temps libre

Un autre excellent moyen, gratuit également, pour récompenser vos employés, consiste à leur donner un peu de temps libre, denrée de plus en plus rare, dans le monde du travail actuel. Les gens souhaitent passer plus de temps avec leurs amis et leur famille et moins de temps au bureau. De toute évidence, le personnel en poste travaille *plus* à cause des plans sociaux et des restructurations. Que vous accordiez une heure ou une journée de libre, votre employé sera content de quitter le bureau pour s'occuper d'affaires personnelles, aller pêcher ou juste *se détendre*. Il reviendra reposé et reconnaissant, car ses efforts auront été récompensés.

Informations

Votre personnel *est avide* d'informations. Toutefois, certains responsables les stockent et les dissimulent comme s'ils veillaient sur un tas d'or. Au lieu de faire de la rétention, partagez ces informations. Informez votre personnel sur l'évolution de la société et sur les perspectives futures - eu égard à la société dans son ensemble *et* au personnel. Vous donnerez ainsi à vos employés les outils requis pour prendre des décisions plus pertinentes et mieux ciblées. De plus, ils auront véritablement l'impression que vous reconnaissez leur valeur personnelle. *Tout le monde* sera ainsi satisfait.

Feed-back

Les employés veulent qu'on leur donne une appréciation sur leur travail. Leur responsable est le seul qui soit *réellement* à même de le faire. Invitez-les pour le déjeuner ou pour boire un jus de fruit. Demandez-leur si tout se passe bien et s'ils ont des questions à poser ou s'ils ont besoin d'aide dans leur travail.

Evoquez les performances obtenues et remerciez-les pour la qualité du travail exécuté. Il n'est pas nécessaire d'attendre le rapport de performance annuel pour leur transmettre vos appréciations. En effet, plus le feed-back sera important et fréquent, plus les employés pourront satisfaire de manière appropriée vos besoins et ceux de la société.

Participation

Faites participer vos employés - notamment dans les prises de décision qui les concernent. Vous montrerez ainsi que vous respectez leurs opinions. En outre, vous serez assuré de disposer de tous les éléments nécessaires pour la prise de décision. Les employés qui sont le plus impliqués dans un projet spécifique ou qui connaissent bien un client donné sont souvent les mieux placés pour trouver la meilleure solution. Votre personnel sait ce qui va marcher - peut-être mieux que vous-même. Malheureusement, on ne lui demande que très rarement son avis. En faisant participer les employés, vous augmentez leur motivation au travail et vous facilitez en même temps l'application d'une nouvelle idée ou d'un changement d'organisation. Le coût est nul et le bénéfice énorme.

Indépendance

Les employés apprécient énormément l'autonomie dans leur travail. Personne n'aime qu'un supérieur ou un responsable soit toujours derrière son dos, à rappeler constamment la manière dont un travail devrait être fait et à corriger le moindre écart. Quand vous assignez un travail à un employé, donnez-lui les instructions requises et ensuite laissez-le décider de la *méthode* à adopter pour exécuter la tâche en question. Vous augmentez ainsi les chances d'avoir un travail accompli selon vos souhaits. De plus, les employés autonomes apportent de nouvelles idées, sont plus enthousiastes et font preuve d'esprit d'initiative.

Célébrations

Les anniversaires des employés et de la société, le record de production d'unités et de sécurité et bien d'autres événements importants sont des occasions rêvées pour organiser une petite fête. Achetez des bougies et amusez-vous. (Certes, cette idée vous occasionnera *quelques* frais.) Vos employés seront contents et *vous* apprécierez en retour les performances et la confiance accrues de votre personnel.

Flexibilité

Tous les employés aiment jouir d'une certaine flexibilité dans leur travail. Bien que des postes comme ceux de réceptionnistes, vendeurs au détail et gardes de sécurité requièrent de toute évidence des horaires et des lieux de travail spécifiques, bien d'autres fonctions - programmeurs informatiques, rédacteurs techniques, analystes financiers, par exemple - n'ont pas de tels impératifs. Il peut être très motivant pour le personnel de choisir ses propres horaires et lieu de travail. Dans les sociétés où il n'est pas possible d'accorder une *telle* flexibilité, vous pouvez toujours autoriser les employés à prendre des décisions quotidiennes concernant l'exécution du travail ou le service à clientèle.

Responsabilité accrue

En règle générale, les employés développent leur potentiel dans le cadre de leur travail. Cette évolution se fait grâce aux opportunités d'acquisition de nouvelles connaissances que vous leur donnez. Les employés aiment progresser - beaucoup d'entre eux espèrent accroître leurs connaissances, être impliqués dans des prises de décisions de plus haut niveau et évoluer en termes de responsabilité et de salaire. Il est donc *très* motivant de donner aux employés de nouvelles opportunités d'apprendre et de se développer. Cela prouve que vous avez confiance en eux, que vous les respectez et que leurs intérêts vous tiennent à coeur. Vous n'allez pas motiver vos employés en leur imposant un cadre limité. Il faut au contraire leur offrir un environnement où ils auront la possibilité et l'envie de faire de leur mieux.

Chapitre 23

Dix classiques inévitables sur la gestion des entreprises

*I*l existe une incroyable variété de livres sur la gestion des entreprises. C'est pourquoi on peut être déconcerté devant un tel choix et trouver qu'il est difficile de déterminer lesquels seront les plus utiles.

Dans la liste ci-après, nous avons déjà opéré une sélection sévère. Tous les dirigeants d'entreprise devraient acheter et lire ces dix classiques (plus un onzième en prime) avant tout autre livre (à l'exception du présent ouvrage, bien évidemment !)

Façonner l'avenir

Peter F. Drucker, éditions de l'organisation, 1988

Dans ce livre - véritable classique du management - Drucker va encore plus loin dans les théories du management en décrivant les méthodes appropriées pour faire prospérer et développer une société. Drucker encourage les lecteurs à se focaliser sur les opportunités qui se présentent au sein de leurs sociétés et non sur les problèmes. Le livre suggère également aux dirigeants d'analyser avec soin les faiblesses et les forces de la société pour développer des programmes et des stratégies efficaces.

La Profession de manager

Douglas McGregor, Gauthier Villars, 1974

Livre très dérangeant pour les dirigeants quels qu'ils soient. Il proclame que le personnel joue un rôle décisif dans le succès d'une entreprise (gloups !). De manière plus spécifique, les jugements du dirigeant sur ses employés déterminent une grande partie des résultats ultérieurs. Ce livre est basé sur les deux théories suivantes : la théorie X, où prévalent les jugements négatifs sur les comportements humains (par exemple : "Les gens sont paresseux !") et la théorie Y, centrée sur les jugements positifs (par exemple : "Les gens veulent faire du bon travail."). Mc Gregor stipule que l'autorité comme premier moyen de contrôle induit "la résistance, une baisse de la productivité, l'indifférence aux objectifs de la société, le refus d'accepter des responsabilités et conduit à un manque de motivation, élément essentiel du développement et de l'évolution personnelle". Ce livre reste d'actualité pour les dirigeants qui n'ont toujours pas compris l'importance déterminante du personnel.

Le Principe de Peter ou Pourquoi tout va si mal

D. Laurence Peter and Raymond Hull, LGF, 1988

Ce livre démontre que dans un système hiérarchique, tout employé tend à atteindre un niveau qui dépasse ses compétences. Cet ouvrage divertissant montre comment la hiérarchie fonctionne dans une société et ce que les dirigeants doivent faire pour éviter d'attribuer aux employés des tâches au-dessus de leurs compétences. A lire absolument !

Faites décoller vos hommes et votre entreprise

Robert Townsend, Le Seuil, 1985

Ce livre, écrit par l'ancien directeur général de Avis, donne aux gestionnaires quelques conseils tout à fait convaincants. Townsend énumère les stratégies qui ont contribué au succès d'Avis, de manière agréable et divertissante. Vous trouverez des recommandations inattendues comme "N'embauchez pas un MBA de Harvard" (ils visent uniquement le poste de directeur général, et ils se concentrent sur cet objectif) et "Supprimez le service des ressources humaines". (Townsend pense que cette fonction devrait être assurée par tous les managers.)

Le Manager minute

Kenneth Blanchard and Spencer Johnson, éditions de l'Organisation, 1994

Ce livre, basé sur des situations types, est immédiatement devenu un classique. A l'heure actuelle encore, il fait partie de la liste des best-sellers. Il enseigne aux lecteurs trois méthodes de gestion très simples mais importantes (établissement des objectifs en une minute, félicitations en une minute et réprimandes en une minute), avec humour mais pertinence. Un véritable classique.

Le Prix de l'excellence

Thomas Peters and Robert Waterman, InterEditions, 1983

Dans cet ouvrage novateur, Peters et Waterman synthétisent en huit points les méthodes de base caractéristiques des meilleures sociétés américaines :

- Elles mettent l'accent sur l'action.

- Elles sont proches de la clientèle.

- Elles encouragent l'autonomie et l'esprit d'entreprise.

- Elles cherchent à accroître leur productivité grâce à leur personnel.

- Elles opèrent de manière pragmatique et sont motivées par la création de valeur.

- Elles restent fidèles à leurs objectifs.

- Elles ont une organisation simple et un personnel limité.

- Elles détiennent plusieurs biens sur lesquels elles exercent un contrôle étroit ou distant.

L'intérêt de ce livre réside dans la multiplicité des exemples illustrant le parcours de ces entreprises - et les moyens utilisés pour conserver cette position.

Le But : un processus de progrès permanent

Eliyahu Goldratt et Jeff Cox, Afnor, 1993

Ce roman bien rythmé - sous forme de parabole - met en scène Alex Rogo, directeur de l'usine UniCo, dans la ville fictive américaine de Bearington. Alex a de gros problèmes : on lui a accordé un délai de trois mois pour restructurer son usine. S'il n'y parvient pas, il devra fermer. Alex rencontre alors son ancien professeur de physique, Jonah, qui l'oriente dans une quête presque mystique du "but". Il comprendra que l'important est d'éviter les dogmes quels qu'ils soient et d'accepter la nécessité d'une réévaluation constante des événements. La narration est émaillée d'informations intéressantes sur divers concepts d'actualité - dont la fabrication juste-à-temps, la gestion de la qualité et l'automatisation dans les usines.

Leadership Is An Art

Max Du Pree, Doubleday, 1989

Lors de la rédaction de son livre, Max Du Pree était président du conseil de la société de fabrication de mobilier Herman Miller - société réputée pour être novatrice dans le secteur de la gestion. Le concept de base de Du Pree est le suivant : le leadership n'est pas une science ou une discipline, c'est un art. Pour cette raison, le leadership doit être expérimenté, créé et ressenti. Cette perspective est très différente du modèle de gestion traditionnel, qui repose sur des réglementations et des politiques rigoureuses de même que sur l'évaluation des résultats.

La Cinquième Discipline

Peter Senge, First, 1991

Ce livre, qui a lancé la mode du processus continu d'acquisition des connaissances en entreprise, est toujours en vogue actuellement. Il encourage les sociétés à considérer la conception des systèmes, le développement personnel et le travail sous un angle nouveau. Senge avance que, dans une société, le processus d'acquisition des connaissances devrait être ininterrompu et non traité comme une série d'événements distincts et sans relation entre eux. D'après lui, tout employé d'une société doit participer à cette initiative, les cadres supérieurs jouant un rôle crucial. Il encourage également les sociétés à reconnaître l'importance de la réflexion, par rapport à l'action. (Certes, mais qui va aider le client ?)

Les Équipes haute performance : imagination et discipline

Jon R.Katzenbach et Douglas K.Smith, Dunod, 1994

Selon Katzenbach et Smith, une équipe est constituée par un "nombre restreint de personnes aux qualifications complémentaires, qui tendent vers le même but, et partagent des objectifs de performance et une vision qui engagent leur responsabilité mutuelle". L'auteur analyse les différents types d'équipes, en les classant par fonctions, à savoir les équipes qui agissent, les équipes qui conseillent et les équipes qui gèrent. Cette analyse aide à comprendre pourquoi les réunions d'une équipe opérationnelle, d'un comité de conseil et d'une équipe chargée de la qualité sont souvent si différentes en termes d'objectifs et d'organisation. (Mais qui est chargé de servir les petits gâteaux ?).

L'accroissement des connaissances d'une équipe est l'élément prédominant. En effet, "la dynamique qui favorise les performances d'une équipe stimule également l'acquisition des connaissances et l'évolution des comportements, et le fait de manière plus efficace que des unités organisationnelles plus importantes ou que des individus livrés à eux-mêmes".

The Game of Work

Charles Coonradt, Deseret, 1984

Coonradt constate que les employés qui se plaignent au bureau - à propos de la température ambiante par exemple - seront en revanche insensibles au mauvais temps s'il s'agit de pratiquer des sports comme le golf ou le tennis. Coonradt montre comment amener les employés à être aussi motivés au travail que pendant les loisirs. Grâce à ce principe, l'auteur affirme que tout employé peut atteindre de meilleurs résultats - et en outre travailler avec plaisir !

Index

Les Editions Sybex vous proposent différents services destinés à vous aider à développer votre expérience de la micro-informatique et à nous aider à parfaire nos publications :

- Disquettes d'accompagnement
- Informations concernant les nouveautés
- Envoi de nos catalogues régulièrement mis à jour
- Dialogue constant avec le lecteur.

RECEVEZ UNE INFORMATION DÉTAILLÉE SUR NOS PROCHAINS TITRES

Remplissez très lisiblement le bulletin ci-dessous et retournez-le sous enveloppe affranchie à :

Editions Sybex
10-12, villa cœur-de-vey
75014 Paris

CATALOGUES - INFORMATIONS REGULIERES - OFFRES -

Adresse :
Société ....
Nom ....
Prénom ....
Adresse ....
....
Ville ....
Code Postal .... Tél. ....

Votre matériel :   □ PC   □ Macintosh

Secteur d'activité :	*Nombre de salariés :*	*Centres d'intérêts principaux (à détailler) :*
□ administration	□ 1 / 20 salariés	□ langages ....
□ enseignement	□ 21 / 50	□ logiciels ....
□ industrie	□ 51 / 100	□ applications de gestion ....
□ commerce	□ 101 / 200	□ microprocesseurs ....
□ services	□ 201 / 500	□ systèmes d'exploitation ....
□ prof. libérale	□ + 500	□ PAO-CAO-DAO ....
□ autre :		□ grand public ....
....		□ Multimédia ....

SYBEX

10-12, villa cœur-de-vey
75014 PARIS
TÉL. : (1) 40 52 03 00
FAX : (1) 45 45 09 90

Un dialogue permanent avec vous...

• Vous souhaitez être informé régulièrement de nos parutions, recevoir nos catalogues mis à jour, complétez le recto de cette carte.

• Vous souhaitez participer à l'amélioration de nos ouvrages, complétez le verso de cette carte.

DES LIVRES PLUS PERFORMANTS GRACE A VOUS

Communiquez-nous les erreurs qui auraient pu nous échapper malgré notre vigilance, ou faites-nous part simplement de vos commentaires. Retournez cette carte à : **Service Lecteurs Sybex** - 10-12, villa cœur-de-vey - 75014 Paris

Nom .... Prénom ....
Adresse ....
....
Ville ....
Cd Postal .... Tél. ....

Vos commentaires : (ou sur papier libre en joignant cette carte)
....
....
....
....
....
....

FRANCE :
SYBEX FRANCE
Services administratif et éditorial
12, villa Coeur-de-Vey
75685 Paris cedex 14
Tél. : 01 40 52 03 00
Fax : 01 45 45 09 90
Minitel : 3615 SYBEX
(2,23 F/mn)

Service commercial
Comptoir de vente aux libraires
1, villa Coeur-de-Vey
75685 Paris cedex 14
Tél. : 01 44 12 61 30
Fax : 01 45 41 53 06
Support technique
Tél. : 01 44 12 61 36 ou 45

ETATS-UNIS : SYBEX Inc.
1151 Marina Village Parkway
Alameda, CA 94501, U.S.A.
Tél. : (1) 510 523 8233
Fax : (1) 510 523 2373

ALLEMAGNE :
SYBEX VERLAG GmbH
Erkrather Str. 345-349
40231 Düsseldorf, Germany
Tél. : (49) 211 97390
Fax : (49) 211 973 9199

PAYS-BAS : SYBEX Uitgeverij BV
Birkstraat 95
3768 HD Soest, Netherlands
Tél. : (31) 3560 27625
Fax : (31) 3560 26556

DISTRIBUTEURS ÉTRANGERS

BELGIQUE
PRESSES DE BELGIQUE
117, boulevard de l'Europe
B-1301 Wavre
Tél. : (32) 10 42 03 20
Fax : (32) 10 41 20 24

SUISSE
OFFICE DU LIVRE
Case Postale 1061
CH-1701 Fribourg
Tél. : (41) 37 835 111
Fax : (41) 38 835 466

CANADA
DIFFULIVRE
817, rue Mac Caffrey
Saint-Laurent - Québec H4T 1N3
Tél. : (1) 514 738 29 11
Fax : (1) 514 738 85 12

SYBEX EST PRÉSENT ÉGALEMENT DANS CES PAYS

Côte d'Ivoire
Espagne
Liban

Maroc
Portugal
Sénégal

Tunisie
et également,
dans les DOM-TOM.

24 heures sur 24 et 7 jours sur 7

Recevez, en direct sur votre fax, les sommaires détaillés de nos publications et un bon de commande en composant le 08 36 70 00 11*.
Pour recevoir notre documentation, il vous suffit d'appeler du combiné téléphonique de votre fax ou d'un téléphone branché sur la même prise téléphonique que votre fax ou votre modem-fax.

* Prix d'appel : 8,91 F la connection puis 2,23 F/mn quelle que soit votre région d'appel (uniquement France métropolitaine).

Achevé d'imprimer le 27 août 1997
sur les presses de l'imprimerie «La Source d'Or»
63200 Marsat
Dépôt légal : 3ème trimestre 1997
Imprimeur n° 6963